JAMES JOYCE

GENS
DE DUBLIN

PLON

Traduit de l'anglais
Par Yva Fernandez, Hélène du Pasquier,
Jacques-Paul Reynaud

Préface de Valery Larbaud

© Plon.
ISBN 2-266-02672-0

GENS
DE DUBLIN

PRÉFACE

L'ŒUVRE DE JAMES JOYCE

Depuis deux ou trois ans, James Joyce a obtenu parmi les gens de lettres de sa génération une notoriété extraordinaire. Aucun critique ne s'est encore occupé de son œuvre et c'est à peine si la partie la plus lettrée du public anglais et américain commence à entendre parler de lui ; mais il n'y a pas d'exagération à dire que, parmi les gens du métier, son nom est aussi connu et ses ouvrages aussi discutés que peuvent l'être, parmi les scientifiques, les noms et les théories de Freud ou d'Einstein. Là, il est pour quelques-uns le plus grand des écrivains de langue anglaise actuellement vivants, l'égal de Swift, de Sterne et de Fielding, et tous ceux qui ont lu son *Portrait de l'artiste dans sa jeunesse* s'accordent, même lorsqu'ils sont de tendance tout opposées à celles de Joyce, pour reconnaître l'importance de cet ouvrage ; tandis que ceux qui ont pu lire les fragments d'*Ulysse* publiés dans une revue de New York en 1919 et 1920 prévoient que la renommée et l'influence de James Joyce seront considérables. Cependant, si, d'autre part, vous allez demander à un membre de la « Société (américaine) pour la Répression du Vice » : « Qui est James Joyce ? » vous recevrez la réponse suivante : « C'est un Irlandais qui a écrit un ouvrage pornographique intitulé *Ulysse* que nous avons poursuivi avec succès en police correctionnelle lorsqu'il paraissait dans la *Little Review* de New York. »

Il s'est en effet passé pour Joyce aux Etats-Unis ce qui

s'est passé chez nous pour Flaubert et pour Baudelaire. Il y a eu plusieurs procès intentés contre *The Little Review* à propos d'*Ulysse*. Les débats ont été parfois dramatiques et plus souvent comiques, mais toujours à l'honneur de la directrice de *The Little Review,* Miss Margaret Anderson, qui a combattu vaillamment pour l'art méconnu et la pensée persécutée.

Etant donné les précédents que je viens de citer (Flaubert et Baudelaire), auxquels il convient d'ajouter celui de Walt Whitman, dont les livres ont été, en leur temps, officiellement classés comme « matière obscène » et de ce fait déclarés intransportables par l'administration des postes aux Etats-Unis, nous ne pouvons pas hésiter un instant entre les jugements des membres de la Société pour la Répression du Vice et l'opinion des lettrés qui connaissent l'œuvre de James Joyce. Il est en effet bien invraisemblable que des gens assez cultivés pour goûter un auteur aussi difficile que celui-ci prennent un ouvrage pornographique pour un ouvrage littéraire.

Je vais maintenant essayer de décrire l'œuvre de James Joyce aussi exactement que possible, et sans chercher à en faire une étude critique : j'aurai bien assez de dégager, ou d'essayer de dégager, pour la première fois, les grandes lignes de cette œuvre et d'en donner une idée un peu précise aux lecteurs pour lesquels elle n'est pas, ou pas encore, accessible car, au moment où j'écris ces lignes, le plus récent et jusqu'ici le plus important des ouvrages de Joyce, *Ulysse,* n'a pas encore paru en volume.

D'abord, quelques mots sur l'auteur : l'indispensable notice biographique.

James Joyce est né en 1882, à Dublin, d'une très ancienne famille, originaire en partie du sud et en partie de l'ouest de l'Irlande. Il est ce qu'on appelle un pur « milésien » : Irlandais et catholique de vieille souche ; de cette Irlande qui se sent quelques affinités avec l'Espagne, la France et l'Italie, mais pour qui l'Angleterre est un pays étranger dont rien, pas même la communauté de langue, ne la rapproche.

Il a été élevé dans un établissement d'éducation des

pères Jésuites, qui lui ont donné une solide culture classique, la même qu'ils donnaient chez nous à leurs élèves du XVIIIe siècle : le latin enseigné comme une langue vivante, et allant de pair avec la langue nationale, etc. Ses humanités finies, Joyce entreprit, d'abord à l'université de Dublin, puis à celle de Paris, des études de médecine qu'il ne termina pas, mais qui ont certainement contribué à la formation de son esprit. En même temps, il étudiait, pour son propre compte et sans songer à une carrière, la philosophie, et en particulier la philosophie grecque et la scolastique. C'est ainsi que, pendant qu'il était à Paris, il passait plusieurs heures chaque soir à la Bibliothèque Sainte-Geneviève, lisant Aristote et saint Thomas d'Aquin, alors que la sagesse mondaine, peut-être, aurait voulu qu'il préparât avec plus de soin son P.C.N.

Revenu en Irlande, il s'y maria, et presque aussitôt après il s'expatria, et habita successivement Zurich, Trieste, Rome et de nouveau Trieste. Il s'était consacré à l'enseignement, sans toutefois abandonner ses études personnelles, qu'il poussa très loin dans plusieurs directions : philosophie et mathématiques surtout. En 1915, il quitta Trieste pour Zurich et depuis 1920 il habite de nouveau, avec sa famille, Paris. Tout compte fait, c'est en Italie ou en pays italien qu'il a vécu le plus longtemps (environ quatorze ans), et c'est en Italie que ses enfants sont nés.

Comme élève des jésuites, il serait également inexact de dire qu'il les sert ou qu'il les combat. Attitude bien différente de celle qu'ont eue ceux de nos propres écrivains du XIXe siècle qui sont sortis des établissements d'éducation des pères ; et c'est ce qu'il ne faudra pas perdre de vue lorsqu'on voudra porter un jugement sur son œuvre. Lui-même se plaît à reconnaître que son esprit porte l'empreinte de l'éducation que les pères Jésuites lui ont donnée et il admet qu'au point de vue intellectuel il leur doit beaucoup. Du reste — je puis bien le dire dès à présent —, je crois que l'audace et la dureté avec lesquelles Joyce décrit et met en scène les instincts

9

réputés les plus bas de la nature humaine lui viennent, non pas, comme l'ont dit quelques-uns des critiques de son *Portrait de l'Artiste,* des naturalistes français, mais bien de l'exemple que lui ont donné les grands casuistes de la Compagnie. Quiconque se souvient de certains passages des *Provinciales,* et notamment de ceux où il est question de l'adultère et de la fornication, comprendra ce que je veux dire ; et il semble bien qu'au fond, derrière James Joyce, c'est Escobar et le père Sanchez que la Société pour la Répression du Vice a poursuivis en police correctionnelle ! De ces grands casuistes, Joyce a la froideur intrépide, et, à l'égard des faiblesses de la chair, la même absence de tout respect humain.

Comme Irlandais, James Joyce n'a pas pris effectivement parti dans le conflit qui a mis aux prises, de 1914 à ces derniers jours, l'Angleterre et l'Irlande. Il ne sert aucun parti, et il est possible que ses livres ne plaisent à aucun et qu'il soit également désavoué par les Nationalistes et les Unionistes. Quoi qu'il en soit, il ne fait pas figure de patriote militant, et n'a rien de commun avec ces écrivains de Risorgimento qui étaient surtout les serviteurs d'une cause et se présentaient comme les citoyens d'une nation opprimée pour laquelle ils réclamaient l'autonomie, et en faveur de laquelle ils demandaient l'aide des patriotes et des révolutionnaires de tous les pays. Autant que nous en pouvons juger, James Joyce présente une peinture tout à fait impartiale, historique, de la situation politique de l'Irlande. Si, dans ses livres, les personnages anglais sont traités en étrangers et quelquefois en ennemis par ses personnages irlandais, il ne fait nulle part un portrait idéalisé de l'Irlandais. En somme, il ne plaide pas. Cependant, il faut remarquer qu'en écrivant *Gens de Dublin, Portrait de l'Artiste* et *Ulysse,* il a fait autant que tous les héros du nationalisme irlandais pour attirer le respect des intellectuels de tous les pays vers l'Irlande. Son œuvre redonne à l'Irlande, ou plutôt donne à la jeune Irlande, une physionomie artistique, une identité intellectuelle ; elle fait pour l'Irlande ce que l'œuvre d'Ibsen a fait en son temps pour la Norvège, celle de Strindberg pour la Suède, celle de Nietzsche pour l'Allemagne de la fin du XIXᵉ siècle, et ce que viennent de faire les livres de Gabriel Miró et de Ramõn Gómez de la Serna pour l'Espagne contemporaine. Le fait qu'elle est écrite en anglais ne doit pas nous donner le change : l'anglais est la langue de l'Irlande moderne, comme il est la langue des Etats-Unis d'Amérique ; ce qui montre combien peu nationale peut être une langue littéraire. (Ecrire de nos jours en irlandais, ce serait comme si un auteur français contemporain écrivait en vieux français.) Bref, on peut dire qu'avec l'œuvre de James Joyce, et en particulier avec cet *Ulysse* qui va bientôt paraître à Paris, l'Irlande fait une rentrée sensationnelle dans la haute littérature européenne.

Je voudrais pouvoir parler d'*Ulysse* dès maintenant, mais je crois qu'il vaut mieux suivre l'ordre chronologique, et du reste *Ulysse*, qui est par lui-même un livre difficile, serait presque inexplicable si on ne connaissait pas les ouvrages antérieurs de Joyce. Nous allons donc les examiner l'un après l'autre, dans l'ordre où ils ont été composés et publiés.

1

Musique de chambre.

Son premier ouvrage est un recueil de trente-six poèmes, dont aucun ne remplit plus d'une page. Cette plaquette parut en mai 1907. A première vue, c'étaient de petits poèmes lyriques ayant l'amour pour thème principal. Cependant les connaisseurs, et notamment Arthur Symons, virent tout de suite de quoi il s'agissait. Ces courts poèmes présentés modestement sous le titre de *Musique de chambre* continuaient, ou plus exactement renouvelaient une grande tradition : celle de la chanson élizabéthaine. Cet aspect de l'époque littéraire la plus glorieuse de l'Angleterre nous est trop souvent caché par l'éclat et le prestige des dramaturges, et nous ne savons pas assez que les chansons dont Shakespeare a orné quelques-unes de ses pièces sont des échantillons, et souvent des chefs-d'œuvre, d'un genre qui eut à la même époque une grande quantité d'adeptes, et quelques maîtres qui ont laissé des œuvres et des noms immortels à la fois dans l'histoire littéraire et dans l'histoire musicale de l'Angleterre : par exemple William Byrd, John Dowland, Thomas Campion, Robert Jones, Bateson, Rosseter (le collaborateur de Campion), Greeves, etc.

De 1888 à 1898, plusieurs anthologies de ces chansons élizabéthaines avaient été publiées, notamment par A. H. Bullen, et les recueils de l'époque avaient paru si riches en pièces lyriques du plus haut mérite, même que les admirateurs les plus passionnés de l'époque shakespearienne en étaient surpris. Mais personne ne songeait sérieusement à une renaissance de ce genre. On ne pouvait guère espérer que d'habiles pastiches. Eh bien, ce que Joyce fit, dans ces trente-six poèmes, ce fut de renouveler le genre sans tomber dans le pastiche. Il obéit aux mêmes lois prosodiques que les Dowland et les Campion, et, comme eux, il chante, sous le nom d'amour, la joie de vivre, la santé, la grâce et la beauté. Et cependant il a su être moderne dans l'expression comme dans le sentiment. Le succès obtenu parmi les lettrés fut grand et cette mince plaquette suffit à classer Joyce parmi les meilleurs poètes irlandais de la génération de 1900 : deux ou trois des poèmes de *Musique de chambre* furent insérés dans *The Dublin book of Irish verse,* une anthologie de la poésie irlandaise publiée à Dublin en 1909 ; et en 1914, lorsque le groupe des Imagistes publia son premier recueil, une des poésies de Joyce y figurait.

Nous retrouverons le poète lyrique dans l'œuvre ultérieure de James Joyce, mais ce sera seulement par échappées et pour ainsi dire accessoirement. Il aura dépassé ce stade. D'autres aspects de la vie, d'autres formes de la pensée et de l'imagination l'attireront. Il prêtera, il abandonnera son don lyrique à ses personnages : c'est ce qu'il fait par exemple dans les trois dernières pages de la quatrième partie et dans certains passages de la cinquième partie du *Portrait de l'Artiste,* et très souvent dans les monologues d'*Ulysse.* Mais déjà au moment où il composait les derniers de ces poèmes, dont quelques-uns ont été mis en musique, soit par Joyce lui-même, soit par des amis, son imagination se tournait de plus en plus vers ces autres aspects de la vie, plus graves et plus humains que les sentiments qui peuvent servir de thème à la poésie lyrique. Je veux dire qu'il se sentait de plus en plus possédé par le désir d'exprimer et de peindre des caractères, des hommes, des femmes : en somme ce que ses maîtres les jésuites lui avaient appris à appeler des âmes.

II

Gens de Dublin.

Et en effet, il avait commencé à écrire des nouvelles qui devaient paraître, après bien des retards et des difficultés, sous le titre de *Gens de Dublin,* à Londres en 1914. Je dirai quelques mots de ces difficultés. Ce recueil se compose de quinze nouvelles qui se trouvaient achevées et prêtes à paraître dès 1907, sinon plus tôt. La seconde, intitulée *Une Rencontre,* traite, d'une manière parfaitement décente et qui ne peut choquer aucun lecteur, un sujet assez délicat : en fait, elle raconte comment deux collégiens qui font l'école buissonnière rencontrent un homme dont les allures et les discours étranges — principalement sur les châtiments corporels et les petites intrigues amoureuses des écoliers et des écolières — les étonnent, puis les effraient. Dans une autre, la sixième, l'auteur met en scène deux Dublinois de position sociale indécise et de profession douteuse, et qui sont en somme des confrères irlandais de notre Bubu-de-Montparnasse. Ce sont là les deux seules nouvelles du recueil dont les

sujets soient de ceux que semblent ou plutôt que semblaient, jusqu'à ces dernière années, éviter les romanciers
et conteurs de langue anglaise. Cependant, elles pouvaient fournir aux éditeurs un prétexte pour refuser le
manuscrit. Mais à défaut de ce prétexte, les éditeurs
irlandais pouvaient trouver quelques raisons plus sérieuses pour refuser de publier le livre tel qu'il était. D'abord,
non seulement toute la topographie de Dublin y est
exactement reproduite ; c'est-à-dire que les rues et les
places y gardent leur vrai nom, mais encore les noms des
commerçants n'ont pas été changés et certains notables
habitants pouvaient se croire mis en scène et protester.
Mais surtout, dans la nouvelle qui décrit l'anniversaire de
la mort de Parnell dans la salle du comité électoral, des
bourgeois de Dublin, des journalistes, des agents électo-
raux, parlent librement de la politique, donnent leur
opinion sur le problème de l'autonomie irlandaise et font
quelques remarques assez peu respectueuses, ou plutôt
très familières, sur la reine Victoria et sur la vie privée
d'Edouard VII. C'est cela qui fit hésiter même l'éditeur le
plus désireux de publier *Gens de Dublin*. En effet, étant
donné les conditions politiques de l'Irlande, les exemplai-
res mis en vente auraient pu être saisis et confisqués par
l'autorité. Devant les hésitations de son éditeur, Joyce
écrivit à S. M. George V, soumettant à son appréciation
les passages considérés comme dangereux. La réponse
fut, par l'intermédiaire du secrétaire de Sa Majesté, qu'il
était contraire à l'étiquette de la cour que le roi formulât
une opinion sur une question de ce genre. Là-dessus
l'éditeur irlandais consentit à imprimer le livre, à condi-
tion que l'auteur verserait une caution en prévision d'une
action judiciaire de la part des autorités. Au reçu de cette
nouvelle, Joyce, qui habitait alors Trieste, partit pour
Dublin. Avec l'aide de quelques amis, il réunit la caution
demandée. Et enfin, le livre fut imprimé. Mais le jour où
il vint prendre livraison de l'édition, l'éditeur, à sa grande
surprise, lui apprit que l'édition avait été achetée — par
qui ? on ne l'a jamais su —, achetée en bloc et aussitôt
après brûlée, dans l'imprimerie même, à l'exception d'un

14

seul exemplaire, qui lui fut remis. Comme je l'ai dit, *Gens de Dublin* ne put paraître qu'en juin 1914, à Londres.

La plupart des critiques qui se sont occupés de ce livre parlent beaucoup de Flaubert, et de Maupassant, et des naturalistes français. Et en effet il semble bien que c'est de là que Joyce est parti et non pas des romanciers anglais et russes qui l'ont précédé, ni des romanciers français qui ont succédé aux grands maîtres du naturalisme. Cependant, avant de se prononcer sur cette question, il faudrait faire une recherche sérieuse des sources de chacune des nouvelles. Ce n'est qu'une hypothèse que je soumets au lecteur. En tout cas, c'est avec nos naturalistes que le Joyce de ce premier ouvrage en prose a le plus d'affinités. Toutefois, il faudrait bien se garder de le considérer comme un naturaliste attardé, comme un imitateur ou un vulgarisateur, en langue anglaise, des procédés de Flaubert, ou de Maupassant, ou du groupe de Médan. Ce serait aussi absurde que de voir en lui un pasticheur de Dowland et de Campion. Même l'épithète de néo-naturaliste ne lui conviendrait pas, car, alors, on serait tenté, sur une connaissance toute superficielle de son œuvre, de le prendre pour un Zola ou un Huysmans, ou encore pour un Jean Richepin aux audaces purement verbales. Car même en admettant qu'il soit parti du naturalisme, on est bien obligé de reconnaître qu'il n'a pas tardé, non pas à s'affranchir de cette discipline, mais à la perfectionner et à l'assouplir à tel point que dans *Ulysse* on ne reconnaît plus l'influence du naturalisme et qu'on songerait plutôt à Rimbaud et à Lautréamont, que Joyce n'a pas lus.

Le monde de *Gens de Dublin* est déjà le monde du *Portrait de l'Artiste* et d'*Ulysse*. C'est Dublin et ce sont des hommes et des femmes de Dublin. Leurs figures se détachent avec un grand relief sur le fond des rues, des places, du port et de la baie de Dublin. Jamais peut-être l'atmosphère d'une ville n'a été mieux rendue, et dans chacune de ces nouvelles, les personnes qui connaissent Dublin retrouveront une quantité d'impressions qu'elles croyaient avoir oubliées. Mais ce n'est pas la ville qui est le personnage principal, et le livre n'a pas d'unité : chaque nouvelle est isolée ; c'est un portrait, ou un groupe, et ce sont des individualités bien marquées que Joyce se plaît à faire vivre. Nous en retrouverons du reste quelques-uns, que nous reconnaîtrons, autant à leurs paroles et à leurs traits qu'à leurs noms, dans ses livres suivants.

La dernière des quinze nouvelles est peut-être, au point de vue technique, la plus intéressante ; comme dans les autres, Joyce se conforme à la discipline naturaliste : écrire sans faire appel au public, raconter une histoire en tournant le dos aux auditeurs ; mais en même temps, par la hardiesse de sa construction, par la disproportion qu'il y a entre la préparation et le dénouement, il prélude à ses futures innovations, lorsqu'il abandonnera à peu près complètement la narration et lui substituera des formes inusitées et quelquefois inconnues des romanciers qui l'ont précédé : le dialogue, la notation minutieuse et sans lien logique des faits, des couleurs, des odeurs et des sons, le monologue intérieur des personnages, et jusqu'à une forme empruntée au catéchisme : question, réponse ; question, réponse.

III

Portrait de l'Artiste dans sa jeunesse.

Portrait de l'Artiste dans sa Jeunesse parut, deux ans après *Gens de Dublin*, à New York, les imprimeurs anglais ayant refusé de l'imprimer ; mais il avait attendu beaucoup moins longtemps et il n'avait pas rencontré les mêmes difficultés que *Gens de Dublin*.

Dans ce livre, qui a la forme d'un roman, Joyce s'est proposé de reconstituer l'enfance et l'adolescence d'un artiste dans un milieu et des circonstances données. En même temps, le titre nous indique que c'est aussi, en un certain sens, l'histoire de la jeunesse de l'artiste en général, c'est-à-dire de tout homme doué du tempérament artiste.

Le héros — l'artiste — s'appelle Stephen Dedalus : Etienne Dédale. Et ici, nous abordons une des difficultés de l'œuvre de Joyce : son symbolisme, que nous retrouverons dans *Ulysse* et qui sera la trame même de ce livre extraordinaire.

D'abord le nom de Stephen Dedalus est symbolique : son patron est saint Etienne, le protomartyr, et son nom de famille est Dédale, le nom de l'architecte du Labyrinthe et du père d'Icare. Mais dans l'esprit de l'auteur, il a aussi deux autres noms, il est le symbole de deux autres personnes. L'un de ces noms est James Joyce. L'enfance et l'adolescence de Stephen Dedalus sont évidemment l'enfance et l'adolescence de James Joyce : c'est son milieu, ses souvenirs de famille, ses études chez les jésuites. Même, les armoiries de Stephen Dedalus sont les armoiries de la famille Joyce. Et, à la fin, Stephen part pour continuer ses études à Paris, exactement comme le fit Joyce lui-même. Mais il est aussi — nous le verrons dans *Ulysse* — Télémaque, l'homme dont le nom signifie « loin de la guerre », l'artiste qui reste à l'écart de la mêlée des intérêts et des appétits qui mènent les hommes d'action ; l'homme de science et l'homme d'imagination qui reste sur la défensive, toutes ses forces absorbées par la tâche de connaître, de comprendre et d'exprimer.

Ainsi le héros de ce roman est à la fois un personnage réel, et un personnage symbolique, comme le seront tous les personnages d'*Ulysse*. C'est du reste la seule apparition que fait le symbolisme dans *Portrait de l'Artiste*. Tout le reste est purement historique, et le plan du livre est fondé sur l'ordre chronologique. Autour du héros, nous rencontrons une foule de personnages très réellement vivants et humains : des enfants, des prêtres, des « gens de Dublin », des étudiants, tous présentés avec un relief saisissant et une netteté extraordinaire. Il n'y a pas d'à peu près, pas de profils perdus dans les livres de Joyce : on peut faire le tour de ses personnages ; rien n'est en trompe-l'œil. Les livres de Joyce sont grouillants, animés, sans truquage, sans morceaux de bravoure.

Les critiques anglais qui se sont occupés du *Portrait de l'Artiste* ont encore une fois parlé de naturalisme et de réalisme, à peu près comme s'il se fût agi de tel ou tel roman de Mirbeau. Ce n'était pas cela. Ils auraient pu tout aussi bien, ou aussi mal, parler de Samuel Butler. En effet, et j'en parlais l'autre jour avec une amie qui était arrivée à la même conclusion que moi, il y a certaines ressemblances fortuites, commandées par la situation et par le génie des deux écrivains, entre la crise religieuse d'Ernest Pontifex (1) et celle de Stephen Dedalus ; comme aussi entre les longs monologues de Christina et la forme du monologue intérieur qui tient tant de place chez Joyce. Mais c'est tout au plus si on peut considérer Butler comme le précurseur de Joyce sur ces points-là.

Non, ces critiques se sont fourvoyés. A partir du *Portraits de l'Artiste,* Joyce est lui-même et rien que lui-même.

Ils se sont trompés aussi ceux qui n'ont voulu voir dans ce livre qu'une autobiographie : « l'auteur qui, sous un nom supposé, etc. » Ce n'est pas cela. Joyce a tiré Stephen Dedalus de lui-même, mais en même temps l'a créé. Autant dire, alors, que Raskholnikoff c'est Dostoïevski.

Le succès de ce livre a été grand, et c'est à partir de sa publication que Joyce a été connu des lettrés. Ça été un succès de scandale. Les critiques, pour la plupart anglais et protestants, ont été choqués par la franchise et l'abscence de respect humain dont témoignaient ces « confessions » (toujours l'autobiographie). Quelqu'un a même écrit que c'était un livre « extraordinairement mal élevé » ! Il est certain qu'en pays catholique, le ton de la presse aurait été bien différent. Nous avons eu en France,

(1) Cf. Samuel BUTLER, *Ainsi va toute chair.*

18

dans ces dix dernières années, plusieurs romans dans lesquels un collégien se débat entre ses croyances ou ses habitudes religieuses et les exigences de ses sens qui le poussent à des visites furtives aux maisons closes. En fait, le meilleur article de critique consacré au *Portrait de l'Artiste* fut celui de la *Dublin Review*, une des grandes revues du monde catholique, rédigée ou du moins inspirée par des prêtres.

Le style du *Portrait* est plus riche et plus souple que celui de *Gens de Dublin*. Le monologue intérieur et la conversation se substituent de plus en plus à la narration. Nous sommes de plus en plus souvent transportés au sein de la pensée des personnages : nous voyons ces pensées se former, nous les suivons, nous assistons à l'arrivée des sensations à la conscience et c'est par ce que pense le personnage que nous apprenons qui il est, ce qu'il fait, où il se trouve et ce qui se passe autour de lui. Le nombre des images, des analogies et des symboles augmente. Sur la page où le collégien résout son problème, les équations se développent comme des constellations et puis se résolvent comme une poussière d'étoiles qui tombent à travers l'infini. Nous ne sommes pas prévenus, nous ne sommes pas préparés ; les choses ne nous sont pas racontées ; elles arrivent ; elles nous arrivent. Et déjà les symboles apparaissent : tout le symbolisme de l'Eglise. Les différentes significations de chaque objet employé dans le culte, de chaque geste fait par le prêtre, sans parler des préfigurations, des prophéties et des concordances. Comme dans les Bestiaires mystiques, comme dans le livre de Kells et dans la statuaire des cathédrales, les figures symboliques et la figuration des péchés, avec toutes les représentations obscènes, qui évidemment ne choquaient pas les chrétiens de ces siècles qui nous apparaissent comme des époques de grande ferveur religieuse. Tout cela, du reste, s'applique encore mieux à *Ulysse* qu'au *Portrait de l'Artiste*.

Je laisse de côté, à mon grand regret, mais l'espace me

manque ici pour en parler, le beau drame publié en 1918, et intitulé *Exilés* (1), et je passe à *Ulysse*.

IV

Ulysse.

Le lecteur qui, sans avoir l'*Odyssée* bien présente à l'esprit, aborde ce livre, se trouve assez dérouté. Je suppose naturellement qu'il s'agit d'un lecteur lettré, capable de lire sans rien en perdre des auteurs comme Rabelais, Montaigne et Descartes ; car un lecteur non lettré ou à demi lettré abandonnerait *Ulysse* au bout de trois pages. Je dis qu'il est d'abord dérouté ; et en effet, il tombe au milieu d'une conversation qui lui paraît incohérente, entre des personnages qu'il ne distingue pas, dans un lieu qui n'est ni nommé, ni décrit, et c'est par cette conversation qu'il doit apprendre peu à peu où il est et qui sont les interlocuteurs. Et puis, voici un livre qui a pour titre *Ulysse*, et aucun des personnages ne porte ce nom, et même le nom d'Ulysse n'y apparaît que quatre fois. Enfin, il commence à voir un peu clair. Incidemment, il apprendra qu'il est à Dublin. Il reconnaît le héros du *Portrait de l'Artiste*, Stephen Dedalus, revenu de Paris et vivant parmi les intellectuels de la capitale irlandaise. Il va le suivre pendant trois chapitres, le verra agir, l'écoutera penser. C'est le matin, et de huit heures à onze heures, le lecteur suit Stephen Dedalus ; puis au quatrième chapitre, il fait la connaissance d'un certain Léopold Bloom qu'il va suivre pas à pas toute la journée et une partie de la nuit, c'est-à-dire pendant les quinze

(1) *Exilés* n'est pas un hors-d'œuvre dans l'ensemble de la production de James Joyce, et c'est beaucoup plus que l'essai honorable, dans le drame, d'un romancier et d'un poète : c'est un mouvement important du théâtre irlandais.

chapitres qui, avec les trois premiers, constituent le livre entier, environ huit cents pages. Ainsi, cet énorme livre raconte une seule journée ou, plus exactement, commence à huit heures du matin et finit dans la nuit, vers trois heures.

Donc, le lecteur va suivre Bloom à travers sa longue journée ; car même si, à une première lecture, beaucoup de choses lui échappent, assez d'autres le frappent pour que sa curiosité et son intérêt demeurent constamment en éveil. Il s'aperçoit qu'avec l'entrée en scène de Bloom, l'action reprend à huit heures du matin, et que les trois premiers chapitres de la marche de Bloom à travers sa journée coïncident, dans le temps, avec les trois premiers chapitres du livre, ceux au cours desquels il a suivi Stephen Dedalus. C'est ainsi qu'un nuage que Stephen a vu du haut de la tour à neuf heures moins le quart, par exemple, est vu, soixante ou quatre-vingts pages plus loin, mais à la même minute, par Léopold Bloom qui traverse une rue.

J'ai dit qu'on suit Bloom pas à pas ; et en effet, on le prend dès son lever, on l'accompagne de la chambre où il vient de laisser sa femme Molly encore mal éveillée, jusqu'à la cuisine, puis dans l'antichambre, puis aux cabinets où il lit un vieux journal et fait des projets littéraires tout en se soulageant ; puis chez le boucher où il achète des rognons pour son petit déjeuner, et en revenant il s'excite sur les hanches d'une servante. Le voici de nouveau dans sa cuisine où il met les rognons dans une poêle et la poêle sur le feu ; puis il monte rejoindre sa femme à laquelle il porte son déjeuner ; il s'attarde à lui parler ; une odeur de viande qui brûle ; il redescend précipitamment à la cuisine ; et ainsi de suite. De nouveau dans la rue ; au bain ; à un enterrement ; à la salle de rédaction d'un journal ; au restaurant où il déjeune ; à la bibliothèque publique ; dans le bar d'un hôtel où un concert est donné ; sur la plage ; dans une maternité où il va prendre des nouvelles d'une amie et où il rencontre des camarades ; au quartier de la prostitution et dans un bordel où il reste très longtemps, perd le peu de dignité qui pouvait lui rester, sombre dans un morne délire provoqué par l'alcool et la fatigue, et, enfin, sort accompagné de Stephen Dedalus qu'il a retrouvé et avec qui il va passer les deux dernières heures de sa journée, c'est-à-dire le seizième et le dix-septième chapitre du livre, le dernier étant rempli par le long monologue intérieur de sa femme qu'il a réveillée en se couchant près d'elle.

Tout cela, comme je l'ai dit, ne nous est pas raconté, et le livre n'est pas que l'histoire détaillée de la journée de Stephen et de Bloom dans Dublin. Il contient un grand nombre d'autres choses, personnages, incidents, descriptions, conversations, visions. Mais pour nous, lecteurs, Bloom et Stephen sont comme les véhicules dans lesquels nous passons à travers le livre. Installés dans l'intimité de leur pensée, et quelquefois dans la pensée des autres personnages, nous voyons à travers leurs yeux et entendons à travers leurs oreilles ce qui se passe et ce qui se dit autour d'eux. Ainsi, dans ce livre, tous les éléments se fondent constamment les uns dans les autres, et l'illusion de la vie, de la chose en train d'avoir lieu, est complète, et le mouvement est partout.

Mais le lecteur lettré que j'ai supposé ne se laisserait pas continuellement entraîner par ce mouvement. Ayant l'habitude de lire et une longue expérience des livres, il voudrait voir comment et de quoi est fait ce qu'il lit. Il analyserait *Ulysse* tout en continuant à le lire. Et voici quel serait, sans doute, après une première lecture, le résultat de cette analyse. Il dira : en somme, c'est encore une fois le monde de *Gens de Dublin* et les dix-huit parties d'*Ulysse* peuvent, provisoirement, s'assimiler à dix-huit nouvelles ayant pour sujets différents aspects de la vie de la capitale irlandaise. Toutefois, chacune de ces dix-huit parties diffère de l'une quelconque des quinze nouvelles de *Gens de Dublin* par beaucoup de points, et en particulier par son étendue, par la forme dans laquelle elle est écrite, et la qualité des personnages qu'elle met en scène : ainsi, les gens qui font figure de personnages principaux dans chacune des nouvelles de *Gens de Dublin* ne seraient dans *Ulysse* que des comparses, de petites gens, ou, ce qui revient au même, des gens vus de l'extérieur par l'écrivain. Ici, dans *Ulysse,* ceux qui sont au premier plan sont tous, littérairement parlant, des *princes,* des personnages sortis de la vie profonde de l'écrivain, faits avec son expérience et sa sensibilité et auxquels il porte son intelligence, sa sensibilité et son lyrisme. Les conversations ne sont plus seulement typiques d'individus appartenant à telle ou telle classe sociale : certaines constituent de véritables essais philosophiques, théologiques, de critique littéraire, de satire politique, d'histoire. Des théories scientifiques y sont exposées ou discutées. Or, ces morceaux que nous pourrions considérer comme des digressions ou plutôt comme des pièces rapportées, des essais composés en dehors du livre et artificiellement insérés dans chacune des « nouvelles », sont si bien adaptés à l'action, au mouvement et à l'atmosphère des différentes parties où ils figurent, que nous sommes obligés de reconnaître qu'ils appartiennent au livre, au même titre que les personnages dans la bouche ou dans la pensée desquels ils ont été mis. Mais déjà même, nous ne pouvons plus considérer ces dix-huit parties comme des nouvelles isolées : Bloom, Stephen, et quelques autres personnages en restent, tantôt ensemble, tantôt séparément, les figures principales, et l'histoire, le drame et la comédie de leur journée se poursuit à travers elles. Il faut le reconnaître : bien que chacune de ces dix-huit parties diffère de toutes les autres par la forme et le langage, elles forment cependant un tout organisé, un livre.

Et en même temps que nous arrivons à cette conclusion, toutes sortes de concordances, d'analogies et de correspondances entre ces différentes parties nous apparaissent, comme la nuit, lorsqu'on regarde un peu de temps le ciel, le nombre des étoiles paraît augmenter. Nous commençons à découvrir et à pressentir des symboles, un dessein, un plan, derrière ce qui nous paraissait d'abord une masse brillante mais confuse de notations, de paroles, de faits, de pensées profondes, de cocasseries, d'images splendides, d'absurdités, de situations comiques ou dramatiques, et nous comprenons que nous sommes en présence d'un livre beaucoup plus compliqué que nous n'avions cru, que tout ce qui paraissait arbitraire et parfois extravagant est en réalité voulu et prémédité, et enfin, que nous sommes peut-être en présence d'un livre à clef.

Mais alors, où est la clef ? Eh bien, elle est, si j'ose dire, sur la porte, ou plutôt sur la couverture ! c'est le titre : *Ulysse.*

Se pourrait-il donc que ce Léopold Bloom, ce personnage que l'auteur traite avec si peu de ménagements, qu'il nous montre dans toutes sortes de postures ridicules ou humiliantes fût le fils de Laërte, le subtil Ulysse ?

Nous le verrons tout à l'heure. En attendant, je reviens à ce lecteur non lettré qui a été rebuté dès les premières pages du livre, trop difficile pour lui, et je suppose qu'après lui avoir lu quelques passages pris dans différents épisodes, on lui dise : « Vous savez, Stephen Dedalus est Télémaque, et Bloom est Ulysse. » Il croira, cette fois, qu'il a compris : l'œuvre de Joyce ne lui paraîtra plus ni rebutante, ni choquante ; il dira : « Je vois : c'est une parodie de l'*Odyssée.* » Et, en effet, pour lui l'*Odyssée* est une grande machine solennelle, et Ulysse et Télémaque sont des *héros,* des hommes de marbre inventés par la froide Antiquité pour servir de modèles moraux et de sujets de dissertations scolaires. Ce sont pour lui des personnages solennels et ennuyeux, inhumains, et il ne peut s'intéresser à eux que si on le fait rire à leurs dépens, — c'est-à-dire, en somme, quand on leur donne un peu de cette humanité dont il croit, de bonne foi, qu'ils manquent.

Or, il y a des chances pour que le lecteur lettré n'ait pas une opinion bien différente de celle-là sur l'*Odyssée.* Il est resté sous l'impression qu'il en a reçue au collège : une impression d'ennui ; et comme il a oublié le grec, s'il a jamais été capable de le lire couramment, il lui est à peu près impossible de vérifier par la suite si cette impression était juste. La seule différence qui le sépare du lecteur non lettré, c'est que pour lui l'*Odyssée* est, non pas solennelle et pompeuse, mais simplement sans intérêt, et par conséquent il n'aura pas la naïveté de rire quand il la verra travestie : la parodie l'ennuiera autant que l'œuvre elle-même. Combien de lettrés sont dans ce cas, même parmi ceux qui pourraient lire l'*Odyssée* dans le texte ! Pour d'autres, elle sera une étude de grand luxe, surtout philologique, historique et ethnographique, une très noble manie, et ils ne sentiront qu'accidentellement la beauté de tel ou tel passage. Quant aux créateurs, aux poètes, ils n'ont pas le temps d'examiner la question et préfèrent la considérer comme réglée. L'Antiquité, l'Athènes intellectuelle, est trop loin, et le voyage coûte trop cher, et ils sont trop occupés pour y aller. Du reste, sa civilisation ne leur a-t-elle pas été transmise par héritage, de poète en poète, jusqu'à eux ? Pourtant, eux seuls pourraient comprendre les paroles de leur ancêtre commun. Certains finissent cependant par faire le voyage, mais ils s'y prennent trop tard, à une époque de leur vie où la puissance créatrice est éteinte en eux. Ils ne peuvent plus qu'admirer et parler aux autres de leur admiration ; quelques-uns essaient de la faire partager et de la justifier, et alors ils consument leurs dernières années à faire une traduction, généralement mauvaise, et toujours insuffisante (1), de l'*Iliade* et de l'*Odyssée*.

Le grand bonheur, la chance extraordinaire de James Joyce, ç'a été de faire le voyage à l'époque où la puissance créatrice commençait à s'éveiller en lui.

Encore enfant, chez les pères, il s'était senti attiré vers Ulysse, tout juste entrevu dans une traduction de l'*Odyssée*, et un jour que le professeur avait proposé à toute la classe ce thème : « Quel est votre héros préféré ? » tandis que ses camarades répondaient en citant les noms des différents héros nationaux de l'Irlande ou de grands hommes tels que saint François d'Assise, Galilée ou Napoléon, il avait répondu : « Ulysse » — réponse qui n'avait que médiocrement plu au professeur qui, bon

_____

(1) En disant cela, je songeais à S. Butler, aussi bien qu'à V. Alfieri.

humaniste et connaissant assez bien le héros d'Homère, devait le juger défavorablement. Ce choix d'Ulysse pour héros favori ne fut pas chez Joyce un caprice d'enfant. Il resta fidèle au fils de Laërte, et au cours de son adolescence il lut et relut l'*Odyssée,* non pas pour l'amour du grec ou parce que la poésie d'Homère l'attirait alors particulièrement, mais pour l'amour d'Ulysse. Le travail de création dut commencer dès cette époque-là. Joyce tira Ulysse hors du texte et surtout hors des énormes remparts que la critique et l'érudition ont élevés autour de ce texte, et au lieu de chercher à le rejoindre dans le temps, à remonter jusqu'à lui, il fit de lui son contemporain, son compagnon idéal, son père spirituel.

Quelle est donc, dans l'*Odyssée,* la figure morale d'Ulysse ? Il me serait impossible de répondre brièvement à cette question, mais des gens compétents l'ont étudiée et il existe plusieurs études sur ce sujet. Je prends celle d'Emile Gebhart, qui a le mérite d'être courte et dont la conclusion est précise. En voici les points principaux : *homo est,* il est homme ; *Ithacae, matris, nati, patris sociorumque amans :* il est attaché à son pays, à sa femme, à son fils, à son père et à ses amis ; *misericordia benevolentiaque insignis :* il est sensible aux peines des autres et d'une grande bonté... Mais, poursuit notre auteur : *humanam fragilitatem non effugit :* il n'est pas exempt des faiblesses humaines. Léopold Bloom non plus, nous l'avons bien vu. *Mortem scilicet reformidat :* en effet, il craint la mort ; *ac diutius in insula Circes moratur :* et il reste trop longtemps dans l'île de Circé ; oui, — comme Bloom dans le bouge de Dublin.

Il est homme, et le plus complètement humain de tous les héros du cycle épique, et c'est ce caractère qui lui a valu d'abord la sympathie du collégien ; puis peu à peu, en le rapprochant toujours davantage de lui-même, le poète adolescent a recréé cette humanité, ce caractère humain, comique et pathétique de son héros. Et en le recréant, il l'a placé dans les conditions d'existence qu'il avait sous les yeux, qui étaient les siennes : à Dublin, de nos jours, dans la complication de la vie moderne, et au milieu des croyances, des connaissances et des problèmes de notre temps.

Du moment qu'il recréait Ulysse, il devait, logiquement, recréer tous les personnages qui, dans l'*Odyssée*, tiennent de près ou de loin à Ulysse. De là à recréer une *Odyssée* à leur niveau, une *Odyssée* moderne, il n'y avait qu'un pas à franchir.

Et de là le plan du poème. Dans l'*Odyssée*, Ulysse n'apparaît qu'au chant V. Dans les quatre premiers, il est question de lui, mais le personnage qui est en scène est Télémaque ; c'est la partie de l'*Odyssée* qu'on appelle la Télémachie : elle décrit la situation presque désespérée dans laquelle les prétendants mettent l'héritier du roi d'Ithaque, et le départ de Télémaque pour Lacédémone, où il espère avoir des nouvelles de son père. Donc, dans *Ulysse,* les trois premiers épisodes correspondent à la Télémachie : Stephen Dedalus, le fils spirituel d'Ulysse et son héritier, est constamment en scène.

Du chant V au chant XIII se déroulent les aventures d'Ulysse. Joyce en distingue douze principales, et c'est à elles que correspondent les douze chapitres ou épisodes centraux de son livre. Les derniers chants de l'*Odyssée* racontent le retour d'Ulysse à Ithaque et toutes les péripéties qui aboutissent au massacre des prétendants et à sa reconnaissance par Pénélope. A cette partie de l'*Odyssée,* qu'on appelle le Retour, Νόστος, correspondent, dans *Ulysse,* les trois derniers épisodes qui, dans l'*Ulysse* même, font pendant aux trois épisodes de la Télémachie.

Voilà les grandes lignes du plan qu'on peut représenter graphiquement de la façon suivante : en haut, trois panneaux : la Télémachie ; au-dessous, les douze épisodes ; et, en bas, les trois épisodes du Retour. En tout : dix-huit panneaux, — les dix-huit nouvelles.

A partir de là, sans perdre complètement de vue l'*Odyssée,* Joyce trace un plan particulier à l'intérieur de chacun de ses dix-huit panneaux, ou épisodes.

Ainsi chaque épisode traitera d'une science ou d'un art particulier, contiendra un symbole particulier, représentera un organe donné du corps humain, aura sa couleur particulière (comme dans la liturgie catholique), aura sa technique propre, et en tant qu'épisode, correspondra à une des heures de la journée.

Ce n'est pas tout, et dans chacun des panneaux ainsi divisés, l'auteur inscrit de nouveaux symboles plus particuliers, des correspondances.

Pour être plus clair, prenons un exemple : l'épisode IV des aventures. Son titre est Eole : le lieu où il se passe est la salle de rédaction d'un journal ; l'heure à laquelle il a lieu est midi ; l'organe auquel il correspond : le poumon ; l'art dont il traite : la rhétorique ; sa couleur : le rouge ; sa figure symbolique : le rédacteur en chef ; sa technique : l'euthymène ; ses correspondances : un personnage qui correspond à l'Eole d'Homère ; l'inceste comparé au journalisme ; l'île flottante d'Eole : la presse ; le personnage nommé Dignam, mort subitement trois jours avant et à l'enterrement duquel Léopold Bloom est allé (ce qui constitue l'épisode de la descente au Hadès) : Elpénor.

Naturellement, ce plan si détaillé, ces dix-huit grands panneaux tout quadrillés, cette trame serrée, Joyce l'a tracée pour lui et non pour le lecteur ; aucun titre ni sous-titre ne nous le révèle. C'est à nous, si nous voulons nous en donner la peine, de le retrouver.

Sur cette trame, ou plutôt dans les casiers ainsi préparés, Joyce a distribué peu à peu son texte. C'est un véritable travail de mosaïste. J'ai vu ses brouillons. Ils sont entièrement composés de phrases en abrégé, barrées de traits de crayon de différentes couleurs. Ce sont des annotations destinées à lui rappeler des phrases entières, et les traits de crayon indiquent, selon leur couleur, que la phrase rayée a été placée dans tel ou tel épisode. Cela fait penser aux boîtes de petits cubes colorés des mosaïstes.

Ce plan, qui ne se distingue pas du livre, qui en est la trame, en constitue un des aspects les plus curieux et les plus absorbants, car on ne peut pas manquer, si on lit Ulysse attentivement, de le découvrir peu à peu. Mais, quand on songe à sa rigidité et à la discipline à laquelle l'auteur s'est soumis, on se demande comment a pu sortir, de ce formidable travail d'agencement, une œuvre aussi vivante, aussi émouvante, aussi humaine.

Evidemment, cela vient de ce fait que l'auteur n'a jamais perdu de vue l'humanité de ses personnages, tout ce mélange de qualités et de défauts, de bassesse et de grandeur dont ils sont faits : l'homme, la créature de chair, parcourant sa petite journée. Mais c'est ce qu'on verra en lisant *Ulysse*.

Entre tous les points particuliers que je devrais peut-être et que je n'ai pas l'espace de traiter ici, il y en a deux sur lesquels il est indispensable de dire quelques mots. Le premier de ces points, c'est le caractère prétendu licencieux de certains passages d'*Ulysse,* ces passages qui ont provoqué, aux Etats-Unis, l'intervention de la Société pour la Répression du Vice. Le mot licencieux ne leur convient pas ; il est à la fois vague et faible ; c'est *obscènes* qu'il faudrait dire. Joyce a voulu, dans *Ulysse,* représenter l'homme moral, intellectuel et physiologique dans son intégrité, et pour cela, il était forcé de faire entrer en ligne de compte, dans le domaine moral, l'instinct sexuel et ses diverses manifestations et perversions, et dans le domaine physiologique, les organes de la reproduction et leurs fonctions. Pas plus que les grands casuistes, il n'hésite à traiter ce sujet, et il le traite en anglais de la même manière qu'ils l'ont fait en latin, sans aucun égard pour les conventions et les scrupules des laïcs. Son intention n'est ni grivoise ni sensuelle ; il décrit et représente, simplement ; et dans son livre, les manifestations de l'instinct sexuel ne tiennent ni plus ni moins de place, et n'ont ni plus ni moins d'importance, que la pitié par exemple ou la curiosité scientifique. C'est surtout, naturellement, dans les monologues intérieurs des personnages et non dans leurs conversations que l'instinct sexuel et la rêverie érotique apparaissent : par exemple, dans le grand monologue intérieur de Pénélope, c'est-à-dire de la femme de Bloom, qui est aussi le symbole de Gè, la Terre. La langue anglaise est très riche en mots et en expressions obscènes, et l'auteur d'*Ulysse* a puisé largement et hardiment dans ce vocabulaire.

L'autre point est celui-ci : pourquoi Bloom est-il juif ? C'est pour des raisons de symbolique, de mystique et d'ethnographie que je n'ai pas le temps d'indiquer ici, mais qui apparaîtront clairement aux lecteurs d'*Ulysse*. Ce que je peux dire, c'est que si Joyce a fait de son héros préféré, du père spirituel de ce Stephen Dedalus qui est un autre lui-même, un juif, ce n'est évidemment pas par antisémitisme.

Depuis que ces pages ont été écrites, *Ulysse* (le texte anglais, naturellement) a paru, édité par la maison Shakespeare and C° (sous la direction de Mlle Sylvia Beach), 12, rue de l'Odéon, à Paris.

Une traduction française de quelques épisodes choisis d'*Ulysse* paraîtra ultérieurement. Voici, en attendant, la traduction de *Gens de Dublin*, qui constitue une excellente introduction à l'œuvre de James Joyce et qui est, par lui-même, un des livres les plus importants de la littérature d'imagination en langue anglaise publiés depuis 1900.

VALERY LARBAUD.

LES SŒURS

Iʟ n'y avait plus d'espoir pour lui désormais : c'était la troisième attaque. Chaque soir je passais devant la maison (c'était au temps des vacances) et j'observais le carré de lumière de la fenêtre : chaque soir je le trouvais éclairé, de même, faiblement et uniformément. S'il était mort, pensais-je, je verrais le reflet des cierges sur les stores assombris, car je savais que l'on doit poser deux cierges à la tête du mort. Il me disait souvent : « Je n'ai plus pour longtemps à être de ce monde », et je pensais qu'il ne faisait là que radoter. Maintenant je me rendais à l'évidence. Chaque soir, en levant les yeux sur la fenêtre, je me répétais doucement à moi-même le mot « paralysie ». Il sonnait, étrange à mes oreilles, comme « Gnomon » dans l'œuvre d'Euclide et « Simonie » dans le catéchisme. Mais aujourd'hui il sonnait comme le nom d'un malfaisant et diabolique génie. Il me remplissait de terreur, ce mot, et je brûlais cependant de m'approcher du mort et de contempler l'œuvre de la paralysie.

Le vieux Cotter fumait, assis au coin du feu, lorsque je descendis souper. Tandis que ma tante me versait ma bouillie d'avoine, il dit, comme s'il revenait à une de ses remarques précédentes :

— Non, je ne disais pas qu'il était exactement... mais il y avait quelque chose de singulier... d'un peu sinistre en lui, c'est mon opinion...

Il commença par lancer avec sa pipe quelques bouffées de fumée : sans aucun doute il préparait dans son esprit son opinion. Pauvre vieux fou ennuyeux ! Les premiers temps que nous le connûmes, il nous intéressait plutôt, parlait de syncopes et de vers, mais je me suis vite fatigué de lui et de ses interminables histoires de distillerie.

— J'ai ma théorie personnelle là-dessus, ajouta-t-il, je suis d'avis que c'est un de ces... cas particuliers... Mais c'est difficile à dire...

Il tira quelques bouffées de sa pipe, sans nous exposer sa théorie. Mon oncle vit que je le fixais et m'interpella :

— Eh bien, votre vieil ami n'est plus ; vous allez être peiné de l'apprendre.

— Qui ?

— Le père Flynn.

— Il est mort ?

— M. Cotter vient de nous l'annoncer ; il passait devant la maison.

Je compris que l'on m'observait, aussi continuai-je de manger comme si la nouvelle ne m'avait point intéressé. Mon oncle expliqua au vieux Cotter :

— Ce jeune garçon et lui étaient grands amis. Il faut vous dire que le vieillard lui enseigna beaucoup de choses ; on prétend qu'il avait un faible pour lui.

— Dieu aie pitié de son âme ! fit ma tante pieusement.

Le vieux Cotter me regarda un moment. Je sentais ses petits yeux noirs en boules me scruter, mais je ne voulus pas le contenter et ne détachai point mes regards de mon assiette. Il revint à sa pipe et cracha grossièrement dans le foyer :

— Je n'aimerais pas que mes enfants eussent trop affaire à un tel homme.

— Que voulez-vous dire, monsieur Cotter ? demanda ma tante.

— C'est que c'est très mauvais pour les enfants. Il faut laisser les gamins courir où bon leur semble et jouer avec leurs pareils et non pas... Ai-je raison, Jack ?

— C'est aussi mon avis, répondit mon oncle. Lâissez l'enfant apprendre à boxer sur son ring. C'est ce que je ne cesse de répéter à ces rose-croix-là : prenez de l'exercice. Chaque matin, hiver comme été, lorsque j'étais gamin, je prenais un bain froid ; et c'est cela qui a fait de moi l'homme que je suis. L'éducation est un beau mot qui sonne bien, mais... M. Cotter prendra bien une tranche de ce gigot de mouton, ajouta-t-il en se tournant vers ma tante.

— Non, non, pas pour moi, dit le vieux Cotter.

Ma tante sortit le plat du garde-manger et le posa sur la table :

— Mais pourquoi est-ce mauvais pour les enfants, monsieur Cotter ? demanda-t-elle.

— C'est mauvais pour les enfants, parce qu'ils sont très impressionnables. Lorsqu'ils voient de telles choses... cela a un effet...

Je bourrai ma bouche de bouillie de peur de laisser échapper trop vivement mon indignation. Quel insupportable imbécile, ce vieux au nez rouge !

Il se faisait tard lorsque je m'endormis. Bien qu'irrité contre le vieux Cotter qui me traitait en enfant, je me cassai la tête pour trouver une signification à ses phrases inachevées. Dans l'obscurité de ma chambre il me semblait revoir la face lourde et grise du paralytique. Je ramenai les couvertures par-dessus ma tête et essayai de penser à Noël. Mais la face grise me poursuivait toujours. Un murmure s'échappait des lèvres et je compris que le fantôme désirait se confesser de quelque chose. Je sentis mon âme se retirer en un lieu de plaisir et de débauche ; et là encore je le trouvai qui m'attendait. Il commença à se confesser à moi d'une voix basse et je me demandais pourquoi la face souriait sans cesse et pour quelle raison les lèvres étaient si humectées de salive. Mais je me souvins à ce moment que c'était la paralysie qui avait déterminé la mort et je me sentis sourire à mon tour, comme pour absoudre le simoniaque de son péché.

Le matin suivant, après le premier déjeuner, je descendis observer la petite maison de *Great Britain Street*. C'était une modeste boutique à l'enseigne vague de *Nouveautés*. Les nouveautés consistaient principalement

33

en chaussons d'enfants et en parapluies ; en temps ordinaire un avis ainsi conçu était pendu à la devanture : *On recouvre les parapluies !* Nul avis n'était visible à présent, car les rideaux étaient tirés. Des rubans retenaient un bouquet de deuil au marteau de la porte. Deux pauvres femmes et un petit télégraphiste lisaient la pancarte fixée au crêpe. J'approchai aussi et lus :

1er juillet 1895

Le R. P. James Flynn (anciennement de l'église Sainte-Catherine, Meath street), âgé de soixante-cinq ans.

R. I. P.

La lecture de la pancarte me persuada qu'il était mort et l'évidence me troubla. S'il eût été vivant, je serais entré dans la petite pièce sombre de l'arrière-boutique et l'y aurais trouvé dans son fauteuil près du feu, comme étouffé sous son manteau. Peut-être ma tante m'aurait-elle donné pour lui un paquet de tabac à priser, et ce cadeau l'aurait tiré de sa somnolence. C'était moi qui vidais le paquet dans la tabatière : ses mains tremblaient trop pour lui permettre de le faire sans en renverser la moitié sur le sol. Même lorsqu'il soulevait sa main fébrile vers son nez, de la fumée, en petits nuages, glissait entre ses doigts sur le devant de son manteau. Peut-être étaient-ce ces continuelles ondées de tabac à priser qui donnaient à ses anciens vêtements sacerdotaux leur apparence « vert fané » ; car toujours noirci par les prises d'une semaine, le mouchoir rouge dont il se servait pour balayer les grains tombés demeurait tout à fait inefficace.

J'avais envie d'entrer, de le voir, mais je n'eus pas le courage de frapper... Je m'en allai d'un pas lent le long de la rue ensoleillée, lisant sur mon chemin, aux devantures, les affiches de théâtre. Je trouvais étrange que ni moi ni le jour n'eussions pris des allures de deuil, et même je me sentis triste de découvrir en moi une sensation d'indépendance, comme si j'avais été libéré de quelque chose par sa mort. Je m'étonnai, car, ainsi que l'avait dit mon oncle la veille au soir, il m'avait beaucoup enseigné. Il avait fait ses études au collège irlandais de Rome et m'avait appris à prononcer le latin correctement. Il m'avait raconté des histoires sur les catacombes et Napoléon Bonaparte, expliqué le sens des diverses cérémonies de la messe et des différents vêtements sacerdotaux. Parfois il s'amusait à me poser des questions difficiles, à me demander ce que telle ou telle personne devait faire dans certaines circonstances ou si tels ou tels péchés étaient mortels, véniels ou simplement des imperfections. Ses questions me dévoilaient la complexité mystérieuse de maintes institutions de l'Eglise qui ne m'étaient jamais apparues que comme les actes les plus simples. Les devoirs d'un prêtre envers l'Eucharistie et les secrets du confessionnal me semblaient si graves que je me demandais comment il avait pu se trouver des êtres assez courageux pour en assumer la charge ; je ne fus point surpris quand il me raconta que les pères de l'Eglise, pour débrouiller toutes ces inextricables questions, avaient écrit des volumes aussi épais que l'*Annuaire des Postes* et imprimés aussi serré que les notices légales dans les journaux. Souvent, lorsque j'y pensais, je ne pouvais sortir aucune réponse, tout au plus une réponse sotte et timide devant laquelle il souriait et remuait deux ou trois fois la tête. Parfois il me poussait à fond sur les répons de la messe, qu'il m'avait fait apprendre par cœur, et tandis que je bredouillais, il se mettait à sourire pensivement et à hocher la tête, tout en enfonçant de temps à autres de larges prises, alternativement, dans chaque narine. Quand il souriait, il avait l'habitude de découvrir ses longues dents jaunies et de laisser reposer sa langue sur la lèvre inférieure, — habitude qui me mettait mal à l'aise au début de nos relations avant que je ne le connusse bien.

Comme je marchais au soleil, je me souvins des paroles du vieux Cotter et essayai de me rappeler ce qui était survenu ensuite dans le rêve. Je me souvenais d'avoir vu de longs rideaux de velours, une lampe de vieux style qui, suspendue, oscillait. Je sentais même que j'avais été très loin en une contrée où les mœurs étaient étranges, — en Perse, pensai-je... Mais je ne pouvais me remémorer la fin du rêve.

Dans l'après-midi ma tante m'emmena à la maison mortuaire ; le soleil était couché. Mais les vitres des maisons qui regardaient le couchant reflétaient l'or fauve d'une longue bande de nuages. Nannie nous reçut dans le hall et, comme si ç'eût été incorrect de lui parler fort, ma tante n'échangea avec elle qu'une poigné de main. La vieille femme désigna le haut d'un air interrogateur et, sur l'acquiescement de ma tante, nous précéda pour gravir l'étroit escalier, sa tête ployée atteignant à peine la hauteur de la rampe. Au premier palier elle s'arrêta et, d'un geste d'encouragement, nous poussa vers la porte ouverte de la chambre mortuaire. Ma tante entra et la vieille femme, me voyant hésiter, me fit, à plusieurs reprises, signe de la main. Je pénétrai sur la pointe des pieds. La lumière, à travers la dentelle du store, envahissait la pièce d'un or sombre qui pâlissait et amenuisait la flamme des cierges. Il avait été mis en bière. Nannie donna le signal et nous nous agenouillâmes tous trois au pied du lit. J'affectai de prier, mais ne pouvais rassembler mes pensées, distrait que j'étais par les murmures de la vieille femme. Je remarquai la piteuse façon dont sa jupe était retenue dans le dos, l'usure de côté aux talons de ses chaussons de drap. Il me vint à l'idée que le vieux prêtre devait sourire dans la bière où il reposait. Mais non ! Quand nous nous levâmes et vînmes à la tête du lit, je ne le vis point sourire. Couché là, solennel et corpulent, il avait les habits du sacrifice et ses larges mains retenaient avec mollesse un calice. Sa figure était en vérité truculente, grise et massive, garnie de narines profondes, obscures comme des cavernes, et encerclée d'une maigre fourrure blanche. Une odeur pesait dans la pièce, — les fleurs.

Nous nous signâmes et partîmes. Dans la petite pièce, en bas de l'escalier, nous trouvâmes Eliza dignement assise dans son fauteuil. Je traçai mon chemin vers ma chaise accoutumée, dans le coin, tandis que Nannie sortait du buffet une carafe de sherry et des verres. Elle les posa sur la table et nous invita à nous rafraîchir. Sur l'ordre de sa sœur, elle versa le sherry et nous le passa. Elle me pressa aussi de prendre quelques biscuits secs, mais je refusai, pensant que je ferais trop de bruit en les mangeant. Mon refus parut la désappointer un peu ; elle gagna le sofa derrière sa sœur. Chacun se taisait : nous regardions tous le foyer sans feu.

Ma tante laissa passer un soupir d'Eliza, puis elle dit alors :

— Eh bien, il est parti pour un monde meilleur.

Eliza poussa un nouveau soupir et pencha la tête en signe d'assentiment. Ma tante tapota le pied de son verre avant d'y tremper les lèvres :

— Est-il... sans souffrance ?

— Oh ! tout à fait sans souffrance, madame, répondit Eliza. Vous n'auriez pas su dire à quel moment le souffle le quitta. Il a eu, Dieu soit loué ! une belle mort.

— Et tout ?...

— Le père O'Rourke a eu un entretien avec lui, mardi ; il lui a donné l'extrême-onction, il l'a préparé. Tout a été fait.

— Se rendait-il compte alors ?

— Il était complètement résigné.

— Il a une expression résignée.

— C'est ce qu'a dit la femme qui est venue faire sa toilette. Elle disait qu'il avait absolument l'air d'un homme endormi tant il semblait calme et résigné. Personne n'aurait pensé qu'il eût fait un aussi beau mort.

— Ma foi, oui, approuva ma tante.

Elle prit encore un peu de sherry :

— Eh bien, Miss Flynn, en tout cas ce sera une grande consolation pour vous de savoir que vous avez fait pour lui tout ce que vous pouviez ; vous lui étiez si dévouées toutes deux.

Eliza se caressa les genoux :

— Ah ! pauvre James ! Dieu sait si nous avons fait tout ce que nous avons pu malgré notre pauvreté ; nous n'aurions pas voulu qu'il manquât de quoi que ce soit durant sa vie.

Nannie avait renversé la tête sur l'oreiller du sofa comme si elle allait s'endormir.

— Voyez la pauvre Nannie, dit Eliza en la regardant ; elle n'en peut plus. Nous avons eu bien de la peine, elle et moi, pour nous procurer l'ensevelisseuse, pour sortir le cercueil, pour organiser la messe dans la chapelle. Je ne sais ce que nous serions devenues sans le père O'Rourke. C'est lui qui nous a apporté des fleurs et les deux chandeliers de la chapelle, lui qui a écrit la notice pour le *Freeman's General,* qui s'est chargé des papiers pour le cimetière et de l'assurance pour le pauvre James.

— N'est-ce pas gentil de sa part ! dit ma tante.

Eliza ferma les yeux et secoua lentement la tête :

— Ah ! il n'est pas d'amis tels que les vieux amis — j'entends : d'amis auxquels on puisse se fier.

— C'est bien vrai, dit ma tante. Je suis sûre que maintenant qu'il est en possession de la récompense divine il ne vous oubliera pas, vous et toutes vos bontés.

— Ah ! pauvre James ! il ne nous gênait guère. On ne l'entendait pas plus dans la maison que maintenant. Cependant, bien que je le sache parti vers tout cet...

— C'est quand tout sera terminé qu'il vous manquera.

— Oh ! je sais cela. Je n'irai plus lui porter sa tasse de bouillon, vous madame, vous ne lui enverrez plus son tabac à priser, ah ! pauvre James !

Elle s'arrêta, comme si elle communiait avec le passé, puis reprit avec un air de sagacité :

— Notez bien que je m'étais aperçue que quelque chose d'étrange se passait en lui ces derniers temps. Chaque fois que je lui apportais sa soupe, je le trouvais avec son bréviaire tombé à terre, renversé dans son fauteuil la bouche ouverte.

Elle se posa un doigt le long du nez, fronça les sourcils et poursuivit :

— Mais il n'en continuait pas moins à dire qu'avant l'automne, par un jour de beau temps, il parviendrait bien à aller voir notre vieille maison natale en bas d'Irishtown et qu'il nous emmènerait, Nannie et moi. Si seulement nous pouvions trouver à louer bon marché, à la journée, chez Johnny Rush, à côté d'ici, une de ces nouvelles voitures silencieuses dont le père O'Rourke lui avait parlé, de ces voitures à roues pour rhumatisants, alors nous pourrions nous y rendre tous les trois un dimanche après-midi. C'était son idée fixe... Pauvre James !

— Le Seigneur aie pitié de son âme ! dit ma tante.

Eliza sortit son mouchoir, se sécha les yeux, puis elle le remit dans sa poche et contempla un moment en silence la grille sans feu.

— Il fut toujours trop scrupuleux, dit-elle. Les devoirs sacerdotaux étaient trop lourds pour lui, et puis on peut bien dire que sa vie avait été traversée.

— Oui, dit ma tante, c'est un homme qui avait eu une déception. Ça se voyait.

Sur la petite pièce tomba un silence à la faveur duquel je m'approchai de la table, goûtai le sherry, puis retournai à ma chaise, dans le coin, tranquillement. Eliza semblait abîmée dans une rêverie profonde. Par respect nous attendîmes pour rompre le silence ; après une longue pause, elle dit lentement :

— Ce calice qu'il brisa... ce fut le comencement. Naturellement on disait que c'était sans importance, j'entends que le calice ne contenait rien. Mais tout de même... On prétendait que c'était la faute de l'enfant de chœur. Le pauvre James était si nerveux, puisse Dieu lui être miséricordieux !

— Et était-ce cela qui..., interrogea ma tante. J'ai entendu dire quelque chose...

Eliza acquiesça de la tête :

— Cela affecta son esprit ; il devint, après, taciturne, ne parlait plus à personne, errait seul. Ainsi il fut appelé une nuit, et nulle part on ne put le trouver. On fouilla de la cave au grenier, mais sans succès. Le clerc insinua alors qu'il était peut-être dans la chapelle. On prit donc les clefs, on ouvrit et le clerc, le père O'Rourke et un autre prêtre présent apportèrent une lumière pour le chercher... Devinez où on le trouva ! Assis dans son confessionnal obscur, grand éveillé, semblant se rire à lui-même.

Elle s'arrêta brusquement comme pour écouter. J'écoutai aussi, mais il n'y avait aucun bruit dans la maison et je savais que le vieux prêtre était toujours couché dans son cercueil, tel que nous l'avions vu, solennel et truculent dans la mort, un calice vide sur le cœur.

Eliza reprit :

— Grand éveillé, semblant se rire à lui-même... Aussi, lorsqu'ils virent cela, ils pensèrent qu'il avait quelque chose de fêlé.

UNE RENCONTRE

CE fut Joe Dillon qui nous fit découvrir le Wild West. Il avait une petite bibliothèque faite de vieux numéros de *The Union Jack, Pluck* et *The Half Penny Marvel*. Chaque soir, l'école finie, nous nous retrouvions dans son jardin et organisions des batailles de Peaux Rouges. Lui et son jeune frère, le gros Léo le paresseux, défendaient le grenier et l'écurie, que nous essayions d'emporter d'assaut ; ou bien, on livrait une bataille rangée, sur l'herbe. Mais nous avions beau nous battre de notre mieux, nous ne l'emportions ni dans nos assauts, ni en terrain découvert, et toutes nos luttes se terminaient par une danse triomphale de Joe Dillon.

Ses parents allaient chaque matin à la messe de huit heures à Gardiner Street et l'atmosphère de paix qui émanait de Mme Dillon régnait dans le hall de la maison. Mais Joe combattait avec trop de violence, pour nous qui étions plus jeunes et plus timides. Il avait vraiment l'air d'une sorte de Peau Rouge lorsqu'il gambadait autour du jardin, un vieux couvre-théière sur la tête, tapant de son poing sur une boîte en fer-blanc et hurlant : « Ya ! Yaka. Yaka. Yaka ! »

Aussi chacun fit montre d'incrédulité lorsqu'on raconta qu'il avait la vocation et qu'il voulait être prêtre. Et cependant c'était vrai.

Un esprit d'indiscipline s'était propagé parmi nous et sous cette influence disparaissaient les oppositions de culture et de tempérament. Nous nous étions ligués en bande les uns avec jactance, d'autres en guise de plaisanterie, certains presque avec frayeur ; je faisais partie des Peaux Rouges forcés qui redoutaient de paraître studieux ou qu'on accusait de manquer de virilité. Les aventures racontées dans la littérature du Wild West étaient loin de ma nature, mais du moins m'ouvraient-elles des portes d'évasion. Je préférais certaines histoires de détectives où de temps à autre passaient de belles filles cruelles et échevelées. Quoiqu'il n'y eût rien de mal dans ces histoires et que leur visée fût parfois littéraire, elles ne circulaient à l'école qu'en secret. Un jour que le père Butler écoutait nos quatre pages d'histoire romaine, ce maladroit de Léo Dillon se fit pincer avec un des numéros de *The Half Penny Marvel*. « Cette page-ci ou celle-là ? Celle-ci ? Voyons, Dillon, à vous : *A peine le jour...* continuez... quel jour ?... *A peine le jour était-il paru...* savez-vous votre leçon ?... mais qu'avez-vous donc dans votre poche ? »

Tous, le cœur battant, nous regardions Dillon qui sortait le journal et chacun prenait une expression innocente. Le père Butler feuilleta le journal, fronçant les sourcils.

— Qu'est-ce que c'est que tout ce galimatias ? dit-il. *Le Chef des Wokotas !* C'est cela que vous lisez, au lieu d'apprendre votre histoire romaine ? Que je ne retrouve jamais de pareilles sornettes ici ! L'homme, qui a écrit cela, était j'imagine un pauvre diable qui voulait gagner de quoi aller au cabaret. Je suis étonné que des garçons bien élevés comme vous l'êtes lisent ces sottises. Je pourrais le comprendre à la rigueur si vous étiez des garçons de l'école nationale. Maintenant, Dillon, je vous préviens, une fois pour toutes, au travail, ou sinon...

Survenant en pleine classe, cette remontrance fit pâlir à mes yeux la gloire du Wild West et la figure confuse et bouffie de Léo Dillon éveilla l'une de mes consciences. Mais loin de l'influence restrictive de l'école j'avais de nouveau appétit de ces sensations intenses, j'aspirais à l'affranchissement, que seules semblaient m'offrir ces histoires de révolte, et les jeux guerriers du soir devinrent aussi monotones que la routine de l'école du matin, je désirais tellement que des aventures réelles m'arrivassent. Mais les vraies aventures, me disais-je, n'arrivent pas à ceux qui restent à la maison; il faut les chercher au-dehors.

On était presque aux vacances d'été quand je me résolus à rompre, ne fût-ce que pour un jour, cette monotonie de la vie d'école. Avec Léo Dillon et un garçon nommé Mahony, nous projetâmes une journée d'école buissonnière. Chacun de nous dut économiser douze sous. Nous devions nous rejoindre à dix heures du matin sur le pont du canal. La sœur de Mahony écrirait une excuse pour lui, et Léo Dillon dirait à son frère d'annoncer qu'il était malade. Nous fîmes le plan de longer la rue des Quais jusqu'aux bateaux, ensuite de traverser avec le bac, et de nous promener jusqu'au Pigeonnier.

Léo Dillon avait une peur bleue d'y rencontrer le père Butler ou tout autre du collège; mais Mahony demanda, avec beaucoup de raison, ce que le père Butler pourrait bien faire au Pigeonnier. Nous nous rassurâmes et je menai à bien la première partie du complot, en rassemblant les douze sous de chacun des deux, leur montrant en même temps les miens. Nous étions tous vaguement émus le soir en prenant nos dernières dispositions. Nous nous serrâmes la main en riant, et Mahony dit :

— A demain matin, les copains.

Cette nuit-là je dormis mal. Le matin, j'arrivai au pont bon premier, d'autant que j'habitais le plus près. Je cachai mes livres dans les hautes herbes, près du trou aux cendres, au bout du jardin, là où jamais personne ne venait, et je me dépêchai de courir le long de la berge du canal.

Un doux soleil matinal brillait dans cette première semaine de juin. Je m'assis sur le parapet du pont, admirant mes fragiles souliers de toile que j'avais soigneusement blanchis la veille avec de la terre de pipe, et regardant les chevaux dociles qui tiraient, au bout de la colline, un tramway bondé d'ouvriers. Toutes les branches des grands arbres qui bordaient le mail s'égayaient de petites feuilles d'un vert clair, et les rayons du soleil passaient au travers pour tomber dans l'eau. La pierre de granit du pont commençait à être chaude, et je me mis à la tapoter en mesure suivant un air que j'avais en tête. Je me sentais très heureux.

J'étais assis depuis cinq à dix minutes lorsque je vis s'approcher le complet gris de Mahony. Il remontait la colline, souriant, et grimpa pour s'asseoir à côté de moi sur le pont. Pendant notre attente, il sortit une fronde qui pointait de sa poche intérieure, et se mit à m'expliquer certaines améliorations qu'il y avait faites. Je lui demandai pourquoi il l'avait apportée, et il me répondit qu'il l'avait prise pour se payer un peu de rigolade avec les oiseaux.

Mahony ne se privait pas de parler argot librement, et il traitait le père Butler de vieux brûleur.

Nous attendîmes encore un quart d'heure, mais il n'y avait toujours point de Léo Dillon à l'horizon. A la fin, Mahony sauta par terre et dit :

— Allons, vieux, je savais bien que le gros aurait la frousse !

— Et ses douze sous ?... dis-je.

— Confisqués, dit Mahony. Et tant mieux pour nous. Trente-six ronds au lieu de vingt-quatre.

Nous marchâmes sur la route de la rive nord jusqu'aux usines de vitriol, et tournâmes ensuite à droite, pour longer la route des quais. Aussitôt hors de la vue du public, Mahony se mit à jouer à l'Indien. Il poursuivit une troupe de filles déguenillées, en brandissant sa fronde non chargée, et, lorsque deux loqueteux, par chevalerie, se mirent à nous lancer des pierres, il me proposa de leur courir sus.

J'arguai que ces garçons étaient trop petits et nous nous remîmes en route, toute la troupe déguenillée hurlant derrière nous : « Protestants ! Protestants ! » pensant que nous étions protestants, parce que Mahony très brun de peau, avait sur sa casquette l'insigne en argent d'un club de cricket. En arrivant au Fer à repasser, nous essayâmes d'un jeu de siège, mais ce fut un échec, car il faut être au moins trois pour y jouer. Nous nous vengeâmes de Léo Dillon en le traitant de froussard et en essayant de deviner ce qu'il attraperait de M. Ryan à trois heures.

Nous arrivâmes ensuite à la rivière, et restâmes long-temps à nous promener parmi les rues bruyantes, flan-quées de hauts murs de pierre, surveillant le travail des grues et des machines, rudoyés souvent, parce que nous ne nous garions pas, par les conducteurs des camions gémissants. Il était midi quand nous atteignîmes les quais, et, comme tous les ouvriers étaient en train de déjeuner, nous achetâmes deux gros pains aux raisins et nous assîmes pour les manger sur un tuyau en fonte, à côté de la rivière. Nous étions enchantés du spectacle du com-merce de Dublin : des chalands qui se signalaient de fort loin par les volutes de leur fumée floconneuse, des bruns bateaux de pêche jusque par-delà Ringsend, et du grand vaisseau blanc à voiles que l'on déchargeait sur le quai opposé. Mahony disait que ce serait une farce épatante à faire que de se sauver en mer sur l'un de ces trois-mâts, et moi-même, en regardant leurs mâts si hauts, je voyais, je m'imaginais voir cette géographie qui m'avait été pauvre-ment enseignée à l'école, qui tout à coup prenait corps sous mes yeux.

L'école et la maison s'éloignaient, et leur influence sur nous semblait diminuer.

Nous traversâmes le Liffey par le bac, et, acquittant notre péage, fûmes transportés en compagnie de deux ouvriers et d'un petit juif avec un sac. Nous étions sérieux jusqu'à la solennité, mais une fois, durant le court voyage, nos yeux se rencontrèrent et nous nous mîmes à rire. En abordant, nous allâmes voir décharger le gra-cieux trois-mâts que nous avions remarqué de l'autre quai. Un spectateur déclara que c'était un bateau norvé-gien. J'allai jusqu'à la poupe pour essayer de déchiffrer son nom, mais sans succès ; et je revins inspecter les marins étrangers, pour tâcher de voir si l'un d'eux aurait, par hasard, des yeux verts, car j'avais comme une vague notion… mais les yeux des marins étaient bleus, gris, ou même noirs. Le seul des marins dont on aurait pu dire que ses yeux semblaient verts était un homme grand qui amusait la foule sur le quai, en criant joyeusement chaque fois que les planches tombaient : « Ça va ! Ça va ! »

Quand nous fûmes fatigués du spectacle, nous errâmes lentement dans Ringsend. La journée était devenue étouffante, et, dans les vitrines des épiciers, des biscuits moisis s'étalaient, tout blancs. Nous en achetâmes quelques-uns avec du chocolat, et nous les mangeâmes consciencieusement tout en déambulant au travers des rues crasseuses où vivent les familles des pêcheurs. Nous ne pûmes trouver aucune crémerie ; nous entrâmes à la place dans une boutique misérable et achetâmes chacun une bouteille de limonade framboisée. Rafraîchi, Mahony partit en chasse contre un chat qui filait dans une ruelle, mais il s'échappa dans un très grand champ. Nous nous sentions tous deux assez fatigués, et quand nous eûmes enfin atteint le champ, nous nous dirigeâmes immédiatement vers un talus en pente, par-dessus la crête duquel nous pouvions apercevoir la Dodder. Il était trop tard et nous étions trop las pour mettre à exécution notre projet de visiter le Pigeonnier. Il nous fallait être à la maison avant quatre heures, de peur que notre aventure ne se découvrît. Mahony regardait sa catapulte avec regret, et ce n'est qu'en suggérant que nous pourrions rentrer à la maison par le train que je fis revenir sa gaieté. Le soleil se cacha derrière des nuages, nous laissant avec nos pensées alourdies et les miettes de nos provisions.

Il n'y avait personne que nous dans le champ. Nous étions étendus depuis quelque temps sur le talus, sans parler, quand je vis, à l'autre bout du champ, un homme qui s'approchait. Je le regardai nonchalamment, tout en mâchonnant une de ces tiges vertes avec lesquelles les filles disent la bonne aventure. Il venait lentement le long du talus. Il marchait une main sur la hanche, et de l'autre il tenait une canne avec laquelle il tapait l'herbe légèrement. Il était pauvrement vêtu d'un complet noir verdâtre et était coiffé de ce que nous appelions un chapeau Jules, avec une haute calotte. Il avait l'air passablement vieux, car sa moustache était d'un gris de cendre. En passant à nos pieds, il leva rapidement les yeux sur nous, puis continua sa route. Nous le suivîmes des yeux et vîmes qu'après avoir marché environ une cinquantaine de pas, il tourna sur lui-même et rebroussa chemin. Il venait très lentement vers nous, tapant toujours le sol de sa canne, si lentement que je croyais qu'il cherchait quelque objet dans l'herbe.

Il s'arrêta quand il fut devant nous, et nous souhaita le bonjour. Nous le lui rendîmes, et il s'assit à côté de nous sur la pente, lentement et avec grand soin. Il commença à parler du temps, disant que l'été serait très chaud, ajoutant que les saisons avaient beaucoup changé depuis l'époque où il était petit écolier, il y avait longtemps de cela. Il dit que la période la plus agréable de la vie avait certainement été celle de l'école, et qu'il donnerait n'importe quoi pour être jeune de nouveau. Comme il exprimait ainsi ses sentiments, qui nous ennuyaient un peu, nous restâmes silencieux. Alors, il se mit à parler du collège et des livres. Il nous demanda si nous avions lu les poèmes de Thomas Moore ou les œuvres de Sir Walter Scott et de Lord Lytton. Je feignis d'avoir lu chacun de ceux qu'il mentionnait, tellement qu'à la fin il dit :

— Ah ! je peux voir que vous êtes un dévoreur de livres comme moi ; lui, ajouta-t-il en montrant du doigt Mahony qui nous regardait avec de grands yeux, c'est autre chose, il en tient pour les jeux.

Il nous dit qu'il avait tous les ouvrages de Sir Walter Scott et de Lord Lytton chez lui, et qu'il n'était jamais las de les relire.

— Naturellement, ajouta-t-il, il y a certains livres de Lord Lytton que les petits garçons ne doivent pas lire.

Mahony lui demanda pourquoi, ce qui m'agita et me peina, parce que j'eus peur que cet homme ne me crût aussi stupide que Mahony. L'homme, cependant, se contenta de sourire. Je vis qu'il avait de grands trous dans la bouche entre des dents jaunes. Puis il nous demanda lequel des deux avait le plus de bonnes amies. Mahony, négligemment, mentionna qu'il avait trois petites amies. L'homme me demanda combien j'en avais. Je répondis que je n'en avais pas. Il dit qu'il ne me croyait pas, et que sûrement j'en avais une. Je me tus.

— Dites-nous, fit Mahony avec impertinence, combien en avez-vous vous-même ?

L'homme sourit comme la première fois, et dit qu'à notre âge il avait quantité de petites amies.

— Il n'y a pas de garçon qui n'ait sa bonne amie, ajouta-t-il.

Sa manière d'envisager la question me frappa comme particulièrement large pour un homme de son âge. Je songeai en moi-même que ce qu'il racontait sur les jeunes garçons et leurs amies était fort raisonnable. Mais ces mots dans sa bouche me déplaisaient, et je fus étonné de le voir frissonner une ou deux fois comme s'il avait peur de quelque chose, ou qu'il sentît un froid subit. Comme il continuait à parler, je remarquai son bon accent. Il commença à nous parler des filles, disant combien leurs cheveux étaient jolis et doux, et douces leurs mains, ajoutant qu'elles n'étaient pas aussi sages qu'elles en avaient l'air, mais encore fallait-il le savoir. Il n'y avait rien qu'il aimât tant, disait-il, que de regarder une jolie jeune fille, et ses jolies mains blanches, et ses jolis cheveux si doux. Il me donnait l'impression de réciter une leçon qu'il aurait apprise par cœur, ou plutôt il semblait que la parole qu'il prononçait exerçant sur lui comme une passe magnétique, il laissât sa pensée tourner lentement dans le même cercle. A certains moments, il avait l'air de faire des allusions toutes simples à un fait que chacun connaissait ; et à d'autres, il baissait la voix et parlait aussi mystérieusement que s'il nous eût raconté quelque chose de tout à fait secret, que personne d'autre ne devait entendre. Il répétait ses phrases encore et encore, les variant, les enveloppant de sa voix monotone. Et je continuais à fixer le bas du talus, tout en écoutant ses propos.

Après un long moment, son monologue cessa. Il se leva lentement, disant qu'il était obligé de nous quitter pour une minute ou deux, quelques minutes à peine, et, sans changer la direction de mon regard, je le vis s'éloigner lentement vers l'extrémité du champ. Nous restâmes silencieux après son départ. Ce silence durait depuis quelques minutes, quand j'entendis Mahony s'exclamer :

— Non, mais, regarde ce qu'il est en train de faire !

Comme je ne répondais ni ne levais les yeux, Mahony s'écria de nouveau :

— Ecoute, c'est un rudement drôle de type !

— Au cas où il nous demanderait nos noms, dis-je, rappelle-toi que je suis Smith et toi Murphy.

Après quoi nous nous tûmes. J'en étais encore à me demander si j'allais partir ou rester, quand l'homme revint et s'assit de nouveau à nos côtés. Il y était à peine, que Mahony, apercevant le chat qui lui avait échappé, s'élançait à sa poursuite dans le champ. L'homme et moi, nous surveillâmes la chasse. Le chat lui échappant encore une fois, Mahony commença à lui jeter des pierres sur le mur où il s'était réfugié. Puis laissant ce jeu, il se mit à vagabonder sans but à l'autre bout du champ.

Après un intervalle de silence, l'homme parla. Il me dit que mon ami était un garçon mal élevé, et me demanda si on lui donnait souvent le fouet à l'école. J'avais bien envie de répondre, dans mon indignation, que nous n'étions pas de ceux qui fréquentaient l'école nationale et qui recevaient le fouet, comme il disait : mais je m'abstins. Alors, il s'étendit sur le sujet du châtiment des garçons. Son esprit, comme ensorcelé derechef par ses paroles, semblait graviter lentement vers ce nouveau centre. Il dit que quand les garçons étaient de cette espèce, on devait les fouetter vigoureusement ; que, quand un garçon était mal élevé et indiscipliné, rien ne pouvait lui faire plus de bien qu'une bonne et saine correction.

Une tape sur la main, ou les oreilles tirées, ça ne servait à rien : ce qu'il fallait, c'était une jolie et chaude correction. Je fus surpris de cette opinion : involontairement je levai les yeux vers lui, et, au même instant, mes yeux rencontrèrent le perçant regard de deux yeux vert bouteille qui me fixaient, derrière un front à tics. Je détournai de nouveau les miens.

L'homme continuait son monologue. Il semblait avoir oublié son récent libéralisme. Il disait que, si jamais il rencontrait un garçon en train de conter fleurette à une fille, ou ayant une bonne amie, il le fouetterait et le fouetterait encore, et que ça lui apprendrait à ne plus parler aux filles ; et que, si un garçon avait une fille comme bonne amie et s'en cachait par des mensonges, alors il lui donnerait la plus belle correction que jamais garçon eût reçue au monde. Il ajouta qu'il n'y avait rien qu'il aimerait autant. Et il me décrivit comment il s'y prendrait pour donner le fouet à ce garçon comme s'il me découvrait quelque grand mystère. Il aimerait ça, disait-il, mieux que tout au monde, et sa voix, pendant qu'il me conduisait avec monotonie à travers le mystère, devenait presque affectueuse, comme s'il eût voulu plaider sa cause afin que je pusse le comprendre.

J'attendis jusqu'à ce que son monologue prît fin. Alors, brusquement, je me levai. De peur de trahir mon agitation intérieure, je restai un instant encore, faisant semblant de rattacher mes souliers ; puis, prétextant que j'étais obligé de m'en aller, je lui dis au revoir. Je montai le talus calmement, mais mon cœur battait avec violence et j'avais peur qu'il ne me saisît par les chevilles. Quand j'eus atteint la crête, je me retournai, et, sans le regarder, j'appelai très fort à travers le champ : « Murphy ! »

Ma voix avait un accent de bravoure forcée, et j'étais honteux de ce mesquin stratagème. Il me fallut appeler une seconde fois avant que Mahony ne me vît et ne répondît par un « Ohé ! » Comme mon cœur battait, pendant qu'il traversait en courant le champ pour me rejoindre ! Il courait comme s'il venait à mon secours. Et j'étais plein de repentir ; car, tout au fond de mon cœur, je l'avais toujours un peu méprisé.

ARABIE

« NORTH RICHMOND STREET », finissant en impasse, était une rue tranquille, sauf à l'heure où les garçons sortaient de l'école chrétienne des frères. Une maison à deux étages, inhabitée, s'élevait au bout de l'impasse, séparée de ses voisines par un tertre carré. Les autres maisons de la rue, qui avaient conscience des vies décentes qu'elles abritaient, se regardaient, l'une l'autre avec des visages bruns imperturbables.

Le locataire qui nous avait précédés, un prêtre, était mort dans le salon du fond. Il flottait un air de moisi dans toutes les pièces fermées depuis longtemps, et la chambre de débarras, derrière la cuisine, était jonchée de vieilles paperasses inutiles. Je découvris dans le tas quelques livres brochés aux pages humides et repliées : *L'Abbé* de Walter Scott, *Le Dévot Communiant* et les *Mémoires* de Vidocq. Ce dernier était mon préféré à cause de ses feuilles jaunies. Le jardin à l'abandon derrière la maison comportait un pommier au milieu et quelques buissons épars ; et sous l'un d'eux, je découvris la pompe à bicyclette, toute rouillée, du dernier habitant. C'était un prêtre très charitable ; il avait laissé par testament tout son argent aux bonnes œuvres et son mobilier à sa sœur.

Avec les jours courts de l'hiver, le crépuscule tombait avant que nous ayons fini de dîner, et quand nous nous retrouvions dans la rue, les maisons étaient déjà toutes sombres. Le coin de ciel au-dessus de nous était d'un violet toujours changeant ; et vers lui les réverbères de la rue tendaient leurs faibles lanternes. L'air froid nous piquait et nous jouions jusqu'à ce que nos corps fussent tout échauffés. Nos cris se répondaient dans la rue silencieuse. Le cours de nos jeux nous entraînait, par les ruelles boueuses et sombres, jusque derrière les maisons, où nous portions des défis aux tribus qui peuplaient les masures ; jusqu'aux portes des jardins obscurs et mouillés, d'où montaient les odeurs des trous d'ordures ; jusqu'aux écuries noires et odorantes, où le cocher étrillait et lustrait le cheval, ou faisait sonner les harnais aux boucles métalliques ; et quand nous revenions vers la rue, la lumière, à travers les fenêtres des cuisines, débordait sur les petites cours. Si nous apercevions mon oncle en train de tourner le coin, nous nous cachions dans l'ombre jusqu'à ce que nous ayons eu la satisfaction de le voir pénétrer, sans dommage, dans la maison ; ou si la sœur de Mangan sortait sur le pas de la porte et appelait son frère pour le souper, de notre coin obscur nous la surveillions, tandis qu'elle inspectait la rue en tous sens. Nous attendions, pour voir si elle resterait ou s'en irait ; et, si elle s'obstinait, nous quittions notre noire cachette et marchions, résignés, vers la porte de Mangan. Elle nous attendait, sa silhouette dessinée par la lumière de la porte entrouverte. Son frère la taquinait toujours avant d'obéir, et je restais près de la grille à la regarder. Sa robe se balançait aux mouvements de son corps, et la tresse molle de ses cheveux battait de côté et d'autre.

Chaque matin, je m'asseyais sur le parquet du salon de devant, pour surveiller sa porte. Le store était baissé jusqu'à deux centimètres du châssis, de sorte que personne ne pouvait me voir. Quand elle apparaissait sur le seuil, mon cœur bondissait. Je courais vers le hall, saisissais mes livres et la suivais. Je ne perdais jamais de vue la silhouette brune ; et lorsqu'elle arrivait au point où nos chemins divergeaient, j'allongeais le pas afin de la dépasser. Ceci se renouvelait matin après matin. Je ne lui avais jamais parlé, sauf un petit mot quelconque par-ci par-là ; et cependant, à son nom, mon sang ne faisait qu'un tour.

Son image m'accompagnait partout, même dans les endroits les moins romantiques. Les samedis soirs, quand ma tante allait au marché, il me fallait l'accompagner pour porter les paquets. Nous marchions à travers les rues étincelantes, coudoyés par les hommes ivres et les femmes qui palabraient, au milieu des jurons des ouvriers, des cris aigus des garçons boutiquiers qui montaient la garde auprès des barils de têtes de porcs, et des notes nasillardes des chanteurs des rues, qui chantaient une chanson populaire sur O'Donovan Rossa ou une ballade sur les troubles de notre pays natal. Tous ces bruits convergeaient pour moi en une seule sensation, une sensation de vie ; je m'imaginais porter mon calice sain et sauf au milieu d'une foule d'ennemis. Son nom montait à mes lèvres par moments en prières étranges, et en louanges que moi-même je ne comprenais pas. Souvent, mes yeux s'emplissaient de larmes (je ne saurais dire pourquoi) ; et d'autres fois il y avait comme un flot qui partait de mon cœur pour aller se répandre dans mon sein. Je pensais peu à l'avenir. Je ne savais pas si je lui parlerais un jour, ou jamais ; ou, si je lui parlais, comment je lui exprimerais ma confuse adoration. Mais mon corps était comme une harpe ; ses mots et ses gestes, comme les doigts qui couraient sur les cordes.

Un soir, j'entrai dans le salon du fond, où le prêtre était mort. C'était un soir sombre et pluvieux, et il n'y avait aucun bruit dans la maison. Par un des carreaux cassés, j'entendais la pluie heurter la terre de ses petites aiguilles d'eau incessantes qui jouaient sur les plates-bandes trempées. A distance une lampe, ou une fenêtre éclairée brillait au-dessous de moi. J'étais reconnaissant de ne pas y voir davantage. Tous mes sens semblaient vouloir se voiler, et, sur le bord de l'évanouissement, je pressai mes paumes jusqu'à les faire trembler, en murmurant : « O amour ! ô amour ! » à plusieurs reprises.

Un jour enfin elle m'adressa la parole. Aux premiers

mots qu'elle me dit, je me sentis si troublé que je ne sus que répondre. Elle me demanda :

— Allez-vous à l'Arabie ?

Je ne me rappelle plus si je répondis oui ou non.

— Ce doit être une foire de charité splendide, dit-elle, et j'aimerais tant y aller.

— Et pourquoi ne pouvez-vous pas y aller ? demandai-je.

En parlant, elle faisait tourner sans cesse un bracelet d'argent à son poignet. Elle ne pouvait pas, dit-elle, parce que, pendant cette semaine, il devait y avoir une retraite à son couvent. Son frère et deux autres garçons se disputaient leurs casquettes à ce moment, et j'étais seul à la grille. Elle s'appuyait sur l'un des barreaux et penchait la tête vers moi. La lumière qui faisait face à notre porte éclairait la courbe blanche de son cou, enflammait ses cheveux, illuminait la main sur la grille, et tombait sur un côté de sa robe, éclairant l'ourlet blanc d'un jupon, juste visible, car elle s'appuyait négligemment.

— C'est vous qui devriez y aller, dit-elle.

— Si j'y vais, répondis-je, je vous rapporterai quelque chose.

Quelles folies sans nombre consumèrent les pensées de mes jours et de mes nuits à dater de ce soir-là ! J'aurais voulu annihiler l'intervalle monotone. Je m'irritais du travail de l'école. La nuit dans ma chambre et le jour en classe, son image s'interposait entre moi et la page que je m'efforçais de lire. Les syllabes du mot Arabie m'arrivaient à travers le silence dans lequel mon âme baignait luxueusement et projetaient comme un enchantement oriental tout autour de moi. Je demandai la permission d'aller à la foire le samedi soir. Ma tante en fut surprise, et dit qu'elle espérait que ce n'était pas pour quelque réunion de francs-maçons. Je répondais peu en classe. Je regardais le visage du professeur, qui, d'aimable, devenait sévère ; il espérait, disait-il, que je n'allais pas devenir paresseux. Il m'était impossible de rassembler mes idées vagabondes. Je n'avais presque plus de patience pour l'ouvrage sérieux de la vie, qui, maintenant

54

qu'il se mettait en travers de mes désirs, ne me paraissait plus qu'un jeu d'enfant, un jeu laid et fastidieux.

Le samedi matin, je rappelai à mon oncle que je désirais aller à la foire le soir. Il s'agitait auprès du portemanteau, cherchant la brosse à chapeau, et répliqua sèchement : « Oui, mon garçon, je le sais. » Comme il était dans le hall, je ne pus aller regarder par la fenêtre du salon. Je sentis une mauvaise humeur régner dans la maison, et je marchai lentement vers l'école. L'air était impitoyablement cru, et déjà mon cœur faiblissait.

Quand je rentrai pour dîner, mon oncle n'était pas encore revenu. Mais il était de bonne heure. Je m'assis et fixai quelque temps la pendule ; puis, son tic-tac finissant par m'énerver, je quittai la chambre. Je remontai l'escalier et gagnai la partie supérieure de la maison. Les pièces du haut, froides, vides et obscures, libérèrent mon âme, et je passais de chambre en chambre en chantant. De la fenêtre donnant sur la rue, je vis mes compagnons qui jouaient. Leurs cris me parvenaient, affaiblis, indistincts, et, appuyant mon front sur la vitre froide, je regardais en face la sombre maison où elle habitait. Je restai là bien une heure entière, mon imagination ne voyant qu'une silhouette en robe brune, qu'une lampe éclairant discrètement la courbe de la nuque, la main sur les barreaux et l'ourlet de la robe.

Quand je descendis de nouveau, je trouvai Mme Mercer assise devant le feu. C'était une vieille bavarde, la veuve d'un prêteur sur gages, qui amassait des timbres usagés pour quelque œuvre pieuse. Il me fallut endurer le caquetage autour de la table à thé. Le repas se prolongea plus d'une heure, et mon oncle n'arrivait toujours pas. Mme Mercer se leva pour s'en aller : elle était fâchée, mais ne pouvait attendre plus longtemps, car il était huit heures passées et elle n'aimait pas être dehors trop tard, l'air du soir étant mauvais pour elle. Quand elle fut partie, je commençai à arpenter la pièce de long en large, en serrant les poings. Ma tante dit :

— J'ai peur qu'il ne te faille renoncer à cette foire, en cette nuit de Notre-Seigneur.

A neuf heures, je perçus le bruit de la clef de mon oncle dans la serrure à la porte d'entrée. Il parlait tout seul, et j'entendis le portemanteau basculer sous le poids de son pardessus. Je pouvais interpréter ces signes. Quand il fut au milieu de son repas, je lui demandai de me donner l'argent pour aller à l'Exposition. Il avait oublié.

— Les gens sont au lit, et leur premier sommeil est passé, dit-il.

Je ne souriais pas. Ma tante lui dit avec énergie :

— Ne peux-tu pas lui donner l'argent et le laisser filer ? Voilà assez longtemps qu'il t'attend.

Mon oncle répondit qu'il était très fâché d'avoir oublié. Il dit qu'il croyait au vieil adage : « Rien que du travail et point de plaisir fait de Jack un ennuyeux garçon. »

Il me demanda où je comptais aller, et, quand je l'eus dit pour la seconde fois, il me demanda si je connaissais l'*Adieu de l'Arabe à son coursier*. Quand je quittai la cuisine, il commençait à en réciter les premières lignes à ma tante.

Je tenais un florin serré dans ma main, comme je déambulais le long de la rue Buckingham vers la gare. La vue des rues remplies d'acheteurs et brillantes de lumières me rappela le but de mon voyage. Je pris une place de troisième dans un train vide. Après une intolérable attente, le train démarra lentement. Il grimpait le long de maisons en ruine et par-dessus la rivière scintillante. A la gare de Westland Row, une foule de gens se pressaient aux portes des compartiments ; mais les porteurs les refoulèrent, disant que ce train-là était un spécial pour la foire, et je restai seul dans mon wagon vide. Quelques minutes plus tard le train s'arrêta devant une plate-forme en bois improvisée pour la circonstance. En arrivant dans la rue, je vis au cadran lumineux d'une horloge qu'il était dix heures moins dix ; et devant moi il y avait un grand bâtiment sur lequel s'étalaient les lettres magiques.

Je ne trouvai aucune entrée à six pence ; aussi de peur que la foire ne fermât, je passai rapidement par un tourniquet et tendis un shilling à un homme qui avait l'air fatigué. Je me trouvai dans un grand hall, ceinturé à la moitié de sa hauteur par une galerie. Presque toutes les boutiques étaient fermées et la plus grande partie du hall était dans l'obscurité. Le silence qui y régnait me paraissait semblable à celui d'une église après les offices. Je marchai timidement jusqu'au milieu du bâtiment. Quelques personnes étaient réunies autour des boutiques encore ouvertes. Devant un rideau, au-dessus duquel les mots CAFÉ CHANTANT étaient écrits en lampes de couleur, deux hommes comptaient de l'argent sur un plateau. J'écoutai le tintement de la monnaie qui tombait.

Me rappelant avec difficulté pourquoi j'étais venu, je m'approchai d'une des boutiques, et j'examinai des vases en porcelaine et des services à thé à fleurs. A la porte de la boutique, une jeune fille causait et riait avec deux jeunes gens. Je remarquai leur accent anglais et j'écoutai vaguement leur conversation :

— Oh ! je n'ai jamais dit chose pareille !

— Oh ! mais vous l'avez dit !

— Oh ! mais jamais de la vie !

— N'a-t-elle pas dit cela ?

— Oui. Je l'ai entendu.

— Oh !... quel... blagueur !

M'apercevant, la jeune fille vint vers moi et me demanda si je désirais acheter quelque chose. Le ton de sa voix n'était pas encourageant ; elle semblait ne m'avoir parlé que par acquit de conscience. Je regardai humblement les grandes jarres qui, comme des sentinelles orientales, s'élançaient de chaque côté de l'entrée sombre de la boutique et murmurai :

— Non, merci.

La jeune fille changea la position de l'un des vases et retourna vers les deux jeunes gens. Ils recommencèrent à parler du même sujet. Une ou deux fois, la jeune fille me regarda par-dessus son épaule.

Je m'attardai devant sa boutique, tout en sachant combien c'était inutile, afin de faire croire que je prenais un intérêt réel aux objets.

Puis, lentement, je m'en allai et marchai jusqu'au milieu du bâtiment. Je faisais sonner les deux pence avec les six pence dans ma poche. J'entendis une voix crier de l'autre côté de la galerie que la lumière était éteinte. La partie supérieure du hall était maintenant tout à fait noire.

Levant la tête pour regarder dans cette obscurité, il me sembla me voir moi-même, petite épave que la vanité chassait et tournait en dérision ; et mes yeux brûlaient d'angoisse et de rage.

ÉVELINE

ELLE était assise à la fenêtre et regardait le soir qui envahissait l'avenue. Sa tête s'appuyait contre les rideaux de la croisée, et dans ses narines montait l'odeur de la cretonne poussiéreuse. Elle était lasse.

Peu de gens passaient. L'habitant de la dernière maison regagnait son logis ; elle entendit ses pas qui claquaient le long des lourds pavés, et, plus loin, écrasaient les cendres du sentier, devant les nouvelles maisons rouges. Autrefois il y avait là un champ, dans lequel, chaque soir, elle jouait avec d'autres enfants. Et puis un homme de Belfast avait acheté le champ ; il y avait bâti ces maisons, — non pas de petites maisons brunes comme les leurs, mais des maisons en briques, brillantes, avec des toits luisants. Les enfants de l'avenue avaient l'habitude de jouer ensemble dans ce champ. Les Devines, les Waters, les Dinns, le petit Keogh l'infirme, elle, et ses frères et sœurs. Ernest, pourtant, ne jouait jamais : il était trop grand. Souvent son père les poursuivait et les chassait du champ avec sa canne en épine noire ; mais d'habitude, le petit Keogh montait la garde et criait, quand il voyait le père approcher. Toutefois il lui semblait qu'ils étaient plutôt heureux alors. Son père n'était pas encore aussi méchant ; et de plus, sa mère vivait. Il y avait longtemps de cela. Elle, ses frères et ses sœurs, étaient tous de grandes personnes à présent, et sa mère était morte. Tizzie Dun était morte aussi, et les Waters étaient repartis pour l'Angleterre. Tout change, et maintenant, elle allait partir comme les autres, quitter sa maison.

Sa maison ! Ses yeux firent le tour de la pièce, passant en revue les objets familiers qu'elle avait époussetés chaque semaine pendant tant d'années, se demandant toujours d'où pouvait bien venir toute cette poussière. Peut-être qu'elle ne reverrait plus ces objets familiers dont elle n'avait jamais rêvé qu'elle pût être séparée. Et cependant, tout au long de ces années, elle n'avait jamais appris le nom de ce prêtre, dont la photographie jaunie pendait au mur au-dessus de l'harmonium cassé, à côté de la gravure coloriée qui représentait les promesses faites à la bienheureuse Marguerite-Marie Alacoque. C'était un camarade d'école de son père. Chaque fois que son père montrait la photographie à un visiteur, il avait coutume d'ajouter négligemment.

— Il est à Melbourne, à présent.

Elle avait consenti à partir, à quitter son foyer. Etait-ce sage ? Elle essaya de peser le pour et le contre. Ici, tout au moins, elle avait l'abri et le couvert ; et ceux qu'elle avait vus autour d'elle toute sa vie. Certes, à la maison, le travail était dur, — et non moins comme vendeuse. Que dirait-on, au magasin, quand on découvrirait qu'elle s'était sauvée avec un homme ? Qu'elle était une sotte, peut-être ; une annonce dans le journal suffirait pour qu'elle soit remplacée. Miss Gavan serait contente. Elle l'avait toujours surveillée de près, surtout lorsqu'il y avait des gens à portée pour entendre ses réprimandes.

— Miss Hill, ne voyez-vous pas que ces dames attendent ?

— L'air aimable, je vous prie, Miss Hill ?

Elle ne verserait pas beaucoup de larmes en quittant le magasin.

Mais dans sa nouvelle demeure, dans ce pays inconnu et lointain, ce ne serait pas la même chose. Alors, elle serait aimée, elle, Eveline, et les gens la traiteraient avec respect. Pas comme sa mère avait été traitée. Même maintenant qu'elle avait plus de dix-neuf ans, elle se sentait parfois en danger devant la violence de son père.

60

Elle le savait, c'était ça qui lui avait donné ses palpitations. Durant leur enfance, il ne l'avait jamais malmenée comme il avait coutume de le faire avec Henri et Ernest, parce qu'elle était une fille ; mais, ces derniers temps, il s'était mis à la menacer, à lui dire que, n'était sa mère morte, il ne se gênerait pas pour lui faire son affaire. Et maintenant elle n'avait personne pour la protéger. Ernest était mort et Henri, qui travaillait à la décoration des églises, était presque toujours parti quelque part dans la campagne. De plus, les invariables disputes d'argent du samedi soir commençaient à la fatiguer d'une manière indicible. Elle donnait toujours ses gages en entier, sept shillings, et Henri envoyait toujours ce qu'il pouvait, mais la difficulté était d'obtenir quelque argent du père. Il prétendait qu'elle le gaspillait, qu'elle n'avait pas de tête, qu'il n'allait pas lui donner l'argent qu'il avait si péniblement gagné pour qu'elle le jetât à la rue, et bien d'autres choses encore, car d'habitude il était très mauvais le samedi soir. A la fin il lui donnait l'argent, et demandait si elle avait l'intention d'acheter le dîner du dimanche. Alors il lui fallait se précipiter dehors et faire son marché comme elle pouvait ; elle tenait serrée dans sa main la bourse en cuir noir, et se frayait des coudes un chemin à travers la foule ; puis elle revenait tard à la maison, courbée sous le poids de ses provisions. C'était un dur travail que de tenir la maison, de veiller à ce que les deux petits enfants laissés à sa charge aient leurs repas régulièrement et aillent à l'école de même. Oui, un dur travail une dure vie ; mais maintenant qu'elle était sur le point de la quitter, elle ne la trouvait pas entièrement dépourvue d'attrait.

Elle allait tâter d'une autre vie avec Frank. Frank était très bon, brave et généreux. Elle devait partir avec lui, sur le bateau du soir, pour être sa femme et vivre avec lui à Buenos Aires, où il avait une maison qui les attendait. Comme elle se souvenait bien de la première fois où elle l'avait vu ! Il logeait dans une maison de la grand-rue, où elle avait pris l'habitude d'aller le voir. Il semblait qu'il n'y eût que quelques semaines de cela. Il se tenait à la grille, sa casquette à visière était repoussée en arrière, et ses cheveux retombaient en avant sur son visage bronzé. Peu à peu, ils avaient appris à se connaître. Il venait la retrouver devant le magasin chaque soir et la raccompagnait à la maison. Il l'avait menée voir *La fille bohémienne*; et d'être assise avec lui à une place inaccoutumée, au théâtre, elle s'était sentie transportée. Il était passionné de musique, il chantait un peu. Les gens savaient qu'ils étaient amoureux, et, quand il chantait cette chanson sur la fille qui aimait un marin, elle se sentait agréablement confuse. Il l'appelait coquelicot, pour s'amuser.

Au début elle éprouvait l'excitation d'avoir un ami; et puis, elle avait commencé à l'aimer. Il racontait des histoires de contrées lointaines. Il avait commencé comme mousse, à une livre par mois, sur un bateau de l'Allan line, ligne du Canada. Il lui disait les noms des bateaux sur lesquels il avait été, et les noms des différentes compagnies. Il avait traversé le détroit de Magellan, il lui racontait des anecdotes sur les terribles Patagons. Il avait trouvé une bonne position à Buenos Aires, disait-il; il était revenu au vieux pays rien que pour les vacances. Naturellement, son père avait découvert toute l'histoire et lui avait défendu de lui reparler jamais. « Je les connais, tous ces marins », disait-il; un jour il s'était querellé avec Frank, et depuis elle ne pouvait revoir son amoureux qu'en secret.

Le soir s'épaississait dans l'avenue. La blancheur de deux lettres qu'elle tenait sur ses genoux devenait indistincte. L'une était destinée à Henri, l'autre à son père. Ernest avait été son préféré, mais elle aimait Henri aussi. Son père commençait à se faire vieux, elle l'avait remarqué; elle lui manquerait. Quelquefois, il pouvait être très gentil. Il n'y avait pas longtemps, elle était restée couchée un jour, et il lui avait lu tout haut une histoire de revenants, et lui avait grillé un toast devant le feu. Un autre jour encore, alors que sa mère était en vie, ils étaient tous partis en pique-nique jusqu'à la colline de

Howth. Elle se rappelait que son père s'était amusé à mettre le chapeau de sa mère, pour faire rire les enfants.

Le temps s'écoulait, mais elle continuait à rester assise à la fenêtre, appuyant sa tête contre le rideau, respirant l'odeur de la cretonne poussiéreuse. Très loin, au bas de l'avenue, elle entendait un orgue de Barbarie qui jouait. Elle connaissait l'air. Quelle chose étrange qu'il se fît entendre ce soir même pour lui remémorer la promesse qu'elle avait faite à sa mère, sa promesse de sauvegarder la maison aussi longtemps qu'elle le pourrait ! Elle se souvenait du dernier soir de la maladie de sa mère ; de nouveau, elle se voyait dans la chambre obscure et chaude, à l'autre bout du hall ; et au-dehors résonnait cet air italien mélancolique. On avait fait dire à l'homme de s'en aller, et on lui avait donné six pence. Elle se rappelait la démarche raide de son père, quand il était entré dans la chambre de la malade et qu'il avait dit :

« Ces damnés Italiens ! venir jusqu'ici ! »

Comme elle songeait ainsi, la vision pitoyable de la vie de sa mère instilla un ensorcellement jusqu'au vif de son être, — cette vie banale de sacrifices aboutissant à la démence. Elle trembla, crut entendre à nouveau la voix de sa mère répétant sans cesse avec une stupide insistance :

— *Derevaun Seraun ! Derevaun Seraun !*

Dans une subite impulsion de terreur elle se leva. S'enfuir ! Il lui fallait s'enfuir ! Frank la sauverait. Il lui donnerait la vie, peut-être l'amour aussi. En tout cas elle voulait vivre. Pourquoi serait-elle malheureuse ? Elle avait droit au bonheur. Frank la prendrait dans ses bras, l'envelopperait dans ses bras. Il la sauverait.

. . . .

Elle se tenait au milieu de la foule grouillante à la gare de North Wall. Il lui serrait la main, et elle se rendait compte qu'il lui parlait, lui disant, lui répétant quelque chose à propos de la traversée. La gare était pleine de soldats avec des bagages bruns. A travers les portes grandes ouvertes des hangars, elle entrevit la masse noire du bateau, s'allongeant à côté du quai, avec ses hublots illuminés. Elle ne répondait rien. Elle sentait que sa joue était pâle et froide, et, du fond d'un abîme de détresse, elle pria Dieu de la guider, de lui montrer où était son devoir. Le bateau lança dans le brouillard un long et funèbre appel.

Si elle partait, demain elle serait sur la mer avec Frank, en route vers Buenos Aires. Leurs places étaient retenues. Pouvait-elle reculer après tout ce qu'il avait fait pour elle ? Sa détresse lui donna comme une nausée, et elle continuait à remuer les lèvres, en fervente et silencieuse prière.

Une cloche qui sonnait retentit dans son cœur. Elle sentit qu'il lui prenait la main :

— Viens !

Toutes les mers du monde déferlaient autour de son cœur. Il la tirait pour l'y engloutir, elle s'y noierait. Des deux mains elle agrippa la rampe de fer.

— Viens !

Non ! Non ! non ! c'était impossible. Ses mains se cramponnaient à la rampe avec frénésie. Du sein des mers qui submergeaient son cœur, elle lança un cri d'angoisse !

— Eveline ! Evvy !

Il s'élança au-delà de la barrière et lui cria de le suivre. On le sommait de monter, mais il s'obstinait à l'appeler. Elle fixait sur lui un visage pâle : — passive, telle une bête désemparée, en ses yeux nul signe ni d'amour ni d'adieu · elle ne semblait point le reconnaître.

APRÈS LA COURSE

LES voitures roulaient vers Dublin à toute vitesse, lancées comme des boulets dans le sillon de la route de Naas. Au sommet de la colline d'Inchicore, des spectateurs s'étaient massés pour voir passer les voitures, et le continent déversait sa richesse et son industrie à travers cette banlieue pauvre et paresseuse. De temps à autre, s'élevait des groupes le hourra des opprimés reconnaissants. Leur sympathie, cependant, allait aux autos bleues, — les autos de leurs amis, les Français.

Les Français, au surplus, étaient virtuellement vainqueurs. Leur équipe avait fort bien terminé ; ils étaient classés seconds et troisièmes, et l'on disait que le conducteur de l'auto allemande gagnante était un Belge. De sorte que chaque auto bleue recevait une double mesure de joyeux hourras, à son arrivée au sommet de la colline ; et à chaque hourra, ceux qui étaient dans l'auto répondaient par des sourires et des saluts. Dans l'une de ces autos d'une carrosserie élégante se trouvaient quatre jeunes gens dont l'entrain semblait dépasser même celui qui est naturel à des Gaulois victorieux : en fait, ces quatre jeunes gens étaient presque dans un état d'hilarité. Il y avait Charles Ségouin, le propriétaire de l'auto ; André Rivière, un jeune électricien d'origine canadienne ; un énorme Hongrois qui s'appelait Villona, et un jeune homme de mise très correcte nommé Doyle. Ségouin était enchanté parce qu'on venait, inopinément,

65

de lui faire des commandes d'avance (il allait monter une affaire d'automobiles à Paris), et Rivière était de bonne humeur parce qu'il devait être nommé directeur de l'établissement ; ces deux jeunes gens, deux cousins, étaient aussi tout joyeux à cause de la victoire française. Villona était heureux parce qu'il avait eu un bon déjeuner ; et de plus, il était optimiste par nature. Le quatrième du groupe, lui, était trop excité pour être heureux aussi naïvement.

Il avait dans les vingt-six ans, une fine moustache d'un brun clair et des yeux gris au regard plutôt innocent. Son père, qui était entré dans la vie en nationaliste avancé, changea vite sa manière de voir. Il s'était enrichi comme boucher à Kingstown ; et en ouvrant des magasins à Dublin et dans les faubourgs, il avait doublé plusieurs fois sa fortune. Il avait eu aussi la chance d'obtenir quelques polices d'assurance, et à la fin il était devenu assez riche pour qu'on parlât de lui dans les journaux de Dublin, sous le titre de prince des marchands. Il avait envoyé son fils en Angleterre pour être élevé dans un grand collège catholique, et l'avait fait entrer ensuite à l'Université de Dublin en qualité d'étudiant en droit. Jimmy n'était pas très travailleur et même, pendant quelque temps, il eut de mauvaises fréquentations. Il était riche et très populaire et il partageait bizarrement son temps entre les cercles de musique et d'automobiles. Puis on lui offrit un trimestre à Cambridge, afin de connaître un peu la vie. Son père, tout en criant, mais secrètement flatté de ses extravagances, avait payé ses dettes avant de le ramener à la maison. C'est à Cambridge qu'il avait rencontré Ségouin.

Ils n'étaient guère que des connaissances encore, mais Jimmy prenait un grand plaisir dans la société de quelqu'un qui avait vu tant de pays et qui avait la réputation de posséder quelques-uns des plus grands hôtels de France. Un tel personnage (et là son père l'approuvait) était bon à connaître, même s'il n'eût pas été un aussi charmant compagnon. Villona aussi était amusant : brillant pianiste, mais, malheureusement, très pauvre.

L'auto courait allégrement avec sa charge de folle

jeunesse, les deux cousins par-devant, Jimmy et son ami hongrois par-derrière. Décidément Villona débordait d'entrain. Tout le long de la route, de sa voix de basse il ne cessait de fredonner un air ; les Français jetaient leurs rires et leurs mots légers par-dessus leurs épaules, et parfois Jimmy avait à se pencher pour saisir la plaisanterie au vol. Ce n'était pas toujours drôle, car le plus souvent il lui fallait faire semblant de comprendre et crier une réponse adaptée, malgré le grand vent qui fouettait la figure. D'ailleurs, le fredonnement de Villona aurait empêché n'importe qui de comprendre ; et le bruit de l'auto aussi.

Le mouvement rapide à travers l'espace transporte de joie, et aussi la notoriété, et non moins la possession de quelque argent. Trois bonnes raisons pour que Jimmy fût excité. Beaucoup de ses amis l'avaient vu, ce jour-là, en compagnie de ces Français du continent. Au contrôle, Ségouin l'avait présenté à l'un des coureurs français ; et, en réponse à ses félicitations embrouillées, la figure hâlée du coureur avait découvert une rangée de dents blanches et brillantes. Après un tel honneur, il était agréable de rentrer dans le monde profane des spectateurs au milieu des saluts et des regards significatifs. Quant à l'argent, il en avait vraiment une assez jolie somme. Ségouin, peut-être, ne la trouverait pas grosse ; mais Jimmy, malgré quelques erreurs momentanées, avait hérité de solides instincts, et savait au prix de quelles difficultés cette somme avait été amassée. Connaissance grâce à laquelle il n'avait contracté que des dettes raisonnables ; et, s'il avait déjà fait preuve d'une telle conscience de la valeur de l'argent lorsqu'il s'agissait de simples caprices, combien davantage l'avait-il aujourd'hui où il allait en engager la plus grande part dans cette affaire ! C'était pour lui une chose sérieuse.

Bien sûr, le placement était avantageux ; et Ségouin s'était arrangé pour donner l'impression de concéder une faveur en acceptant que cette bagatelle irlandaise fût englobée dans son capital. Jimmy avait un grand respect pour la perspicacité de son père en affaires ; et dans celle-ci, c'était son père lui-même qui avait suggéré le premier ce placement ; de l'argent mis dans des affaires d'automobiles ? Cela rapportait gros. D'ailleurs, Ségouin avait cette apparence de l'homme calé qui ne trompe pas. Jimmy se mit à calculer à combien de journées de travail reviendrait une auto merveilleuse comme celle-ci. Elle roulait si bien ! et avec quel chic ils étaient arrivés, courant le long des routes de la campagne ! Le voyage, de son doigt magique, avait accéléré le pouls de la vie chez le jeune homme ; et la machine humaine répondait galamment de toute la force de ses nerfs aux bonds magnifiques de cette rapide bête d'azur.

Ils descendirent Dame Street. Elle était animée d'un trafic inaccoutumé, bruyante des cornes des autos et des cloches des conducteurs de tramways impatients. Près de la banque, Ségouin s'arrêta, et Jimmy descendit avec son ami. Un petit attroupement se forma sur le trottoir pour acclamer l'auto trépidante. Ils devaient tous dîner le soir à l'hôtel de Ségouin ; et Jimmy et son ami (ce dernier à demeure chez Jimmy) devaient rentrer s'habiller. L'auto se dirigea lentement vers Grafton Street, les deux jeunes gens se frayant un chemin au milieu des badauds. Ils avançaient avec une étrange sensation de désappointement tandis que la ville suspendait ses globes de lumière pâle au-dessus d'eux dans la brume de ce soir d'été.

Chez Jimmy, on avait parlé de ce dîner comme d'une chose sensationnelle. Un certain orgueil se mêlait à l'agitation de ses parents enclins pour la circonstance à tourner comme des girouettes ; l'évocation des grandes villes étrangères a du moins cet effet. D'ailleurs, Jimmy avait fort bon air dans son habit de soirée, et, comme il se tenait dans le hall en train de mettre la dernière main à son nœud de cravate, son père pouvait se sentir satisfait, même commercialement parlant, de l'avoir nanti de qualités qui souvent ne se laissent pas acheter. C'est pourquoi il fut plus aimable avec Villona, et fit montre d'un véritable respect pour ses manières étrangères et accomplies ; mais il est probable que cette subtilité de son hôte échappa complètement au Hongrois qui commençait à sentir un urgent besoin de dîner.

Le dîner fut excellent, exquis. Jimmy décida que Ségouin avait un goût très raffiné. La bande s'était augmentée d'un jeune Anglais nommé Routh que Jimmy avait connu avec Ségouin à Cambridge. Les jeunes gens dînaient dans un petit salon confortable, éclairé par des candélabres à l'électricité. Ils parlaient avec volubilité et sans contrainte. Jimmy, dont l'imagination s'échauffait, voyait déjà la vivacité et la jeunesse des Français traçant une arabesque élégante sur le fond ferme et solide des manières de l'Anglais. C'était là, pensait-il, une image gracieuse qu'il avait trouvée, et juste avec cela. Il admirait la dextérité avec laquelle leur hôte dirigeait la conversation. Les cinq jeunes gens avaient des goûts variés, et leurs langues étaient déliées. Villona, avec un grand respect, commençait à découvrir à l'Anglais modérément étonné les beautés du madrigal anglais, tout en déplorant la perte des instruments anciens. Rivière, s'adressant à Jimmy, entreprit de lui expliquer à sa façon le triomphe des mécaniciens français. La voix tonitruante du Hongrois commençait à tourner en ridicule la technique bâtarde des peintres romantiques, quand Ségouin fit dévier la conversation sur la politique. C'était là un sujet qui leur agréait à tous. Jimmy, sous l'influence généreuse du bon dîner, sentit le zèle paternel se réveiller en lui ; il finit par secouer l'apathique Routh lui-même. L'atmosphère de la pièce devenait de plus en plus orageuse, et le rôle de Ségouin plus ardu à chaque instant : il y avait même danger qu'on en vînt aux mains. Aussi saisit-il la première occasion pour lever son verre en l'honneur de l'humanité ; et, quand tous eurent porté cette santé, il ouvrit toute grande une porte-fenêtre, d'un geste significatif.

Cette nuit, la ville avait le visage d'une capitale. Les cinq jeunes gens déambulèrent le long du Green Stephen dans un léger nuage de tabac odorant. Ils bavardaient gaiement, bruyamment, et leurs pardessus flottaient sur leurs épaules. Les gens s'écartaient sur leur passage. Au coin de Grafton Street, un homme court et gros mettait deux belles dames en auto, sous la garde d'un autre non moins corpulent. L'auto démarra et le petit homme gros aperçut la bande.

— André !

— C'est Farley !

Un flux de paroles suivit. Farley était Américain. Personne ne savait exactement de quoi l'on parlait. Villona et Rivière étaient les plus bruyants, mais tous étaient partis. Ils montèrent dans une auto, serrés comme des sardines, avec des rires sonores. Ils roulèrent dans cette foule aux couleurs estompées, se dirigeant vers le son de joyeuses cloches. Ils prirent le train à Westland Row, et il parut à Jimmy que quelques secondes seulement s'étaient écoulées lorsqu'ils se trouvèrent descendant à la gare de Kingstown. L'homme qui prenait les billets salua Jimmy ; il était vieux :

— Belle nuit, monsieur !

C'était une nuit d'été sereine ; le port, tel un miroir assombri, s'étendait à leurs pieds. Ils s'y rendirent bras dessus, bras dessous, chantant *Cadet Rousselle* en chœur, et frappant du pied à chaque refrain :

Ho ! Ho ! Hohé vraiment !

A l'embarcadère, ils montèrent dans un canot et ramèrent vers le yacht de l'Américain. On devait y souper, y jouer aux cartes, y entendre de la musique. Villona déclara avec satisfaction :

— C'èst délicieux !

Il y avait un piano dans la cabine. Villona se mit à jouer une valse pour Farley et Rivière, Farley faisant le cavalier et Rivière la dame. Puis ils dansèrent un quadrille improvisé, les hommes inventant au fur et à mesure des figures originales. Quel amusement ! Jimmy en prenait largement sa part, de toutes ses forces : ça, du moins, c'était vivre ! Farley, hors d'haleine, cria tout à coup : « Arrêtez ! » Alors, un homme apporta un souper léger, et les jeunes gens s'assirent pour la forme. Ils burent cependant, c'était vraiment la vie de bohème. Ils burent à la santé de l'Irlande, de l'Angleterre, de la France, de la Hongrie, des Etats-Unis, de l'Amérique. Jimmy fit un discours, un long discours, et Villona répétait : « Silence ! Silence ! » chaque fois qu'il s'interrompait. On l'applaudit à tour de bras quand il se rassit. Ça avait dû être un beau discours, car Farley lui tapait dans le dos en s'esclaffant. Quels joyeux camarades ! Quelle bonne compagnie c'était !

Des cartes ! Des cartes ! On débarrassa la table. Villona se remit tranquillement au piano et improvisa pour eux. Les autres jouèrent partie sur partie, se jetant audacieusement dans l'aventure. Ils burent à la santé de la reine de cœur et de la reine de carreau. Jimmy regrettait confusément l'absence d'un auditoire, car tous pétillaient d'esprit. Le jeu montait très haut, et les papiers commençaient à circuler. Jimmy ne savait pas exactement qui gagnait, il savait seulement qu'il perdait. Mais c'était sa faute, car il confondait souvent les cartes, et ses camarades devaient même compter ses points pour lui. C'étaient de rudes camarades, mais il avait envie de s'arrêter. Il se faisait tard. Quelqu'un proposa de boire à la santé du yacht *La Belle-de-Newport* et quelqu'un d'autre suggéra un grand jeu pour finir.

Le piano s'était tu. Villona avait dû monter sur le pont. Le jeu devenait terrible. Ils s'arrêtèrent un instant, juste avant la fin, pour boire à leur chance. Jimmy comprenait que la partie se jouait entre Routh et Ségouin. Quelle émotion ! Jimmy aussi était ému. Il était perdant, bien sûr. Mais pour quelle somme avait-il signé ? Les jeunes gens se mirent debout pour jouer les derniers coups, parlant et gesticulant. Ce fut Routh qui gagna. La cabine trembla sous les hourras des jeunes gens, et les cartes furent rassemblées. Ils commencèrent alors à récolter ce qu'ils avaient gagné. Farley et Jimmy étaient les plus gros perdants.

Il savait qu'il regretterait ce qu'il avait fait le lendemain matin ; mais pour l'instant il était heureux de ce repos, heureux de cette obscure stupeur qui s'abattait sur sa folie. Il mit ses coudes sur la table et sa tête dans ses mains, comptant les pulsations de ses tempes. La porte de la cabine s'ouvrit, et il vit le Hongrois se détacher sur une ligne de lumière grisâtre :

— L'aube, messieurs !

LES DEUX GALANTS

LE crépuscule d'août gris et tiède était descendu sur la ville et un air doux et tiède, comme un rappel de l'été, soufflait dans les rues. Les rues aux volets clos pour le repos du dimanche s'emplissaient d'une foule gaiement bigarrée. Pareilles à des perles éclairées du dedans, du haut de leurs longs poteaux, les lampes à arc illuminaient le tissu mouvant des humains qui, sans cesse changeant de forme et de couleur, envoyait dans l'air gris et tiède du soir une rumeur incessante, monotone.

Deux jeunes gens descendaient la pente de Rutland Square. L'un d'eux venait de terminer un long monologue. L'autre, qui marchait sur le bord du trottoir devait parfois sauter sur la chaussée à cause de l'impolitesse de son compagnon, l'écoutait, amusé. Il était râblé et rougeaud d'aspect. Une casquette de yacht était repoussée loin, derrière le front, et le récit qu'il écoutait provoquait constamment des vagues d'expression qui partant des coins du nez, des yeux et de la bouche s'étalaient sur tout son visage. Des fusées de rire s'échappaient de son corps, convulsé. Ses yeux, scintillant d'une joie maligne, se dirigeaient à tous moments sur le visage de son compagnon. Une ou deux fois, il réajusta l'imperméable léger qu'il avait jeté sur son épaule à la façon d'un toréador. Ses culottes, ses souliers blancs à semelles caoutchoutées et son imperméable flottant exprimaient la jeunesse. Par contre, ses hanches prenaient de la rondeur, ses cheveux étaient gris et clairsemés, et son visage, les ondes d'expression une fois passées, avait un air ravagé.

Quand il fut certain que le récit était terminé, il rit silencieusement durant une bonne demi-minute. Puis il dit :

— Ça, par exemple... c'est le bouquet !

La voix paraissait exempte de toute vigueur et, pour renforcer ses paroles, il ajouta avec humour :

— Ça, c'est le bouquet, et si j'ose m'exprimer ainsi, le bouquet du bouquet.

Il devint sérieux et se tut. Il se sentait fatigué d'avoir parlé tout l'après-midi dans un bar de Dorset Street. La plupart des gens considéraient Lenehan comme un souteneur ; mais en dépit de cette réputation, sa diplomatie et son éloquence avaient toujours empêché ses amis de se liguer contre lui. Il avait une façon dégagée de s'approcher d'un de leurs groupes dans un cabaret, de se maintenir habilement sur la lisière jusqu'à ce qu'on fît cercle autour de lui. C'était un joyeux drôle pourvu de tout un stock d'histoires, de bons mots et de devinettes, insensible à tous les genres d'impolitesse. Personne ne savait comment il résolvait le dur problème de la vie, cependant son nom se trouvait vaguement associé à des ragots de courses.

— Où l'as-tu levée, Corley ? demanda-t-il.

Corley passa rapidement la langue sur sa lèvre supérieure.

— Une nuit, vieux, dit-il, je descendais Dame Street lorsque j'aperçois une chic poule postée sous l'horloge de Waterhouse ; je lui dis bonne nuit, tu sais comment. Alors on est allé promener du côté du canal et elle me dit qu'elle était domestique dans une maison de Baggot Street. Ce soir-là, je lui ai serré un brin la taille. Alors, le dimanche suivant, je la rencontre sur rendez-vous. On se trimbale à Donybrook où je la mène dans un champ. Elle me dit qu'elle est avec un laitier...

» Epatant, mon vieux. Cigarettes tous les soirs qu'elle m'apportait et mon tram payé aller et retour, et une nuit

voilà-t-il pas qu'elle me donne deux fameux cigares. Oh !
de la bonne marque, tu sais, de ceux que le vieux bonze
avait l'habitude de fumer. J'ai eu peur, mon vieux, qu'elle
ne devienne enceinte. Mais elle connaît son affaire.

— C'est peut-être qu'elle croit que tu vas l'épouser, dit
Lenehan.

— Je lui ai dit que je chômais, dit Corley, je lui ai dit
que j'étais chez Pim. Elle ne sait pas mon nom. Je suis
trop bien dégourdi pour le lui sortir ; mais elle me croit un
peu un Monsieur, tu sais.

De nouveau Lenehan rit sans bruit.

— De toutes les bonnes histoires que j'ai entendues,
celle-là est la meilleure.

Corley se trémoussa de plaisir à la louange. Le dandine-
ment de son gros corps força son ami à sautiller à
plusieurs reprises du trottoir à la chaussée. Fils d'un
inspecteur de police, il avait hérité de la stature et de la
démarche de son père. Il marchait les mains sur les
hanches, droit et balançant la tête de droite à gauche. Sa
tête était large, sphérique, graisseuse ; elle suintait par
tous les temps, et son chapeau à larges bords posé de côté
ressemblait à un oignon qui aurait germé d'un autre. Il
regardait toujours devant lui comme s'il était à la parade ;
et lorsqu'il voulait suivre quelqu'un du regard, il fallait
qu'il se déhanchât. Pour l'instant il chômait. Chaque fois
qu'il y avait de l'ouvrage, un ami se trouvait toujours là
pour lui donner le mot de passe. On le voyait souvent
marcher en compagnie d'agents de police en civil et parler
avec animation. Il connaissait l'envers de toutes choses et
aimait à prononcer des jugements définitifs. Il parlait sans
écouter les propos de ses compagnons. Sa conversation
roulait principalement sur lui-même. Ce qu'il avait dit à
telle personne, ce que telle personne lui avait répondu et
ce qu'il avait dit pour régler l'affaire. Quand il répétait ces
dialogues, il aspirait la première lettre de son nom à la
façon des Florentins.

Lenehan offrit une cigarette à son ami. Comme les
deux jeunes gens avançaient à travers la foule, Corley de
temps à autre se retournait pour sourire à quelques-unes

des jeunes filles qui passaient ; quant à Lenehan, son regard fixait la grosse lune pâle, cerclée d'un double halo. Il suivait attentivement le passage du voile gris, le crépuscule sur la face lunaire. Finalement il dit :

— Alors... dis-moi, Corley, tu vas pouvoir t'en sortir, hein ?

Pour toute réponse, Corley eut un clignement d'œil expressif.

— S'y laissera-t-elle prendre ? demanda Lenehan incrédule. Avec les femmes, on ne sait jamais.

— Elle marchera, dit Corley ; je sais comment l'embobiner, vieux. Elle en pince un peu pour moi.

— Tu es ce que j'appelle un gai Lothario, dit Lenehan, et un Lothario de la bonne espèce.

Une nuance de moquerie atténua ce qu'il y avait d'un peu servile dans sa manière. Pour se relever à ses propres yeux, ses flatteries étaient toujours dites de telle sorte que l'on aurait pu les prendre pour des railleries. Mais Corley n'avait pas l'esprit subtil.

— Rien ne vaut une bonne servante, affirma-t-il ; ça, je te le garantis.

— La garantie de celui qui les a essayées toutes, dit Lenehan.

— J'ai commencé par aller avec les filles, tu sais, dit Corley se confiant, les filles du South Circular ; je les sortais, vieux, en tram, et je payais, je les menais écouter l'orchestre ou à quelque pièce de théâtre, ou bien je leur achetais du chocolat, des bonbons ou un rien de ce genre. J'ai dépensé assez d'argent pour elles, tu peux m'en croire — ajouta-t-il d'un ton persuasif, comme s'il avait conscience de n'être point pris au mot. Mais Lenehan le croyait volontiers ; il hocha la tête gravement :

— Je connais le truc, dit-il, et c'est un jeu de dupes.

— Que le diable m'emporte si j'en ai jamais retiré un liard, dit Corley.

— Moi pas davantage, dit Lenehan.

— Une seule exceptée, dit Corley.

D'un coup de langue, il humecta sa lèvre supérieure. Le souvenir rendit ses yeux brillants. Lui aussi contempla le disque pâle de la lune, à présent presque cachée, et parut réfléchir.

— C'était un beau morceau, dit-il avec une nuance de regret.

Il se tut de nouveau. Puis il ajouta :

— Elle est pourvue maintenant. Je l'ai vue l'autre soir qui roulait en voiture avec deux types.

— C'est à toi qu'elle le doit, je suppose, dit Lenehan.

— Il y en a eu d'autres avant moi, dit Corley avec philosophie.

Cette fois Lenehan fut tenté d'être incrédule. Il secoua la tête et sourit.

— Tu ne m'auras pas, tu sais, Corley.

— Parole d'honneur, c'est elle qui me l'a dit.

Lenehan eut un geste tragique.

— Sale cafard ! dit-il.

Comme ils passaient devant la grille de Trinity College, Lenehan sautilla sur la chaussée et leva les yeux vers l'horloge.

— Il est vingt, dit-il.

— Il y a le temps, dit Corley : elle sera là ; je la laisse toujours poireauter un peu.

Lenehan rit doucement.

— Pardieu, Corley, tu t'y connais, dit-il.

— Je connais tous leurs petits tours, avoua Corley.

— Mais, dis-moi, reprit Lenehan, es-tu sûr de pouvoir bien mener l'affaire ? Tu sais, c'est délicat, elles sont diablement serrées sur ce chapitre. Hein, quoi ?

Des petits yeux brillants il scruta la figure de son compagnon pour se rassurer. Corley balança la tête comme pour chasser un insecte tenace et fronça les sourcils.

— Je m'en charge, dit-il, laisse-moi faire, c'pas ?

Lenehan se tut. Il ne tenait pas à offenser son ami ni à être envoyé à tous les diables et s'entendre dire qu'on ne lui demandait pas son avis. Il fallait un peu de tact. Mais Corley ne tarda pas à se rasséréner. Ses pensées avaient pris un autre cours.

— Pour une chic et jolie poule, dit-il sur un ton de connaisseur, c'en est une.

Ils longèrent Nassau Street et tournèrent dans Kildare Street. Non loin de l'entrée du cercle, un harpiste jouait sur la chaussée à un petit cercle d'auditeurs. Il pinçait les cordes négligemment, de temps à autre, dévisageant un nouvel arrivant, de temps à autre regardant aussi, mais avec lassitude, le ciel. Sa harpe, comme indifférente à sa housse qui ne la recouvrait qu'à mi-corps, semblait lasse elle aussi des regards étrangers et du toucher de son maître. Une des mains jouait à la basse la chanson *Silent O Moyle,* tandis que l'autre cavalcadait dans l'aigu entre chaque groupe de notes. La mélodie résonnait grave et pleine.

Les deux jeunes gens marchèrent sans rien dire, le son mélancolique les accompagnait. Quand ils eurent atteint Stephen Green, ils traversèrent la rue.

Ici le bruit des trams, les lumières, la foule, leur firent rompre le silence.

— La voilà, dit Corley.

Au coin de Hume Street, une jeune femme attendait. Elle portait une robe bleue et un canotier blanc. Debout sur le trottoir, elle balançait son parapluie. Lenehan se ranima.

— Allons lui jeter un coup d'œil, Corley, dit-il.

Corley regarda son ami de côté et une grimace mauvaise passa sur son visage.

— Tu veux me la faire? demanda-t-il.

— Nom de Dieu, dit Lenehan hardiment, je ne tiens pas à être présenté, je veux seulement la regarder. Je ne te la mangerai pas.

— Oh !... si c'est seulement pour la regarder, dit Corley plus aimablement, alors voilà ce que nous allons faire. Je vais traverser pour lui parler et tu pourras passer devant nous.

— Bon, dit Lenehan.

Corley commençait à enjamber les chaînes lorsque Lenehan cria :

— Et après ? où se retrouve-t-on ?

— Dix heures et demie, répondit Corley, ramenant l'autre jambe.

— Où ?

— Au coin de Merrion Street. Nous reviendrons par là.

— Travaille bien, dit Lenehan en signe d'adieu.

Corley ne répondit pas. Il déambula à travers la chaussée, balançant la tête de droite à gauche. L'importance de sa personne, sa démarche dégagée et le craquement sonore de ses bottines lui donnaient quelque chose d'un conquérant. Il aborda la jeune fille et, sans la saluer, se mit aussitôt à lui parler. Elle accéléra les oscillations de son parapluie et pivota à plusieurs reprises sur ses talons. Une ou deux fois, il lui parla à l'oreille ; elle rit et baissa la tête.

Lenehan les observa pendant quelques minutes, puis vivement il longea les chaînes et traversa la route en biais. Comme il approchait, il huma dans l'air un lourd parfum et à la dérobée jeta sur la jeune fille un regard anxieux. Elle portait sa toilette des dimanches : une jupe de serge bleue retenue à la taille par une ceinture de cuir noir ; une grande boucle d'argent qui lui creusait le milieu du corps, mordant l'étoffe légère de la blouse blanche ; une veste noire et courte garnie de boutons de nacre et un boa fripé. Les bords de sa collerette de tulle avaient été soigneusement ébouriffés et, sur sa poitrine, les queues en l'air, un gros bouquet de fleurs rouges était piqué. Lenehan jugea en connaisseur son corps musclé qu'elle avait court et replet. Tout en elle révélait la santé, depuis ses joues rondes et rouges jusqu'à ses yeux bleus effrontés. Ses traits étaient grossiers, les narines bien découpées, la bouche irrégulière découvrait un sourire satisfait et deux dents de devant qui saillaient légèrement. En passant, Lenehan ôta sa casquette, dix secondes après environ Corley répondit au salut d'un air absent en portant deux doigts à son chapeau, le déplaçant ainsi de sa position primitive.

Lenehan poursuivit jusqu'au Shelbourne Hotel. Là il fit halte et attendit. Au bout d'un instant, il les vit qui avançaient dans sa direction et lorsqu'ils tournèrent à droite, il les suivit au pas feutré de ses souliers blancs, du côté de Merrion Square. Comme il marchait lentement, se réglant sur leur allure, il observait la tête de Corley qui se tournait à tout moment vers le visage de la jeune femme, comme un gros bilboquet sur son pivot. Il ne perdit pas le couple de vue jusqu'à ce qu'il le vît prendre le tram de Donnybrook ; alors il fit volte-face et reprit le chemin par lequel il était venu. Maintenant qu'il était seul, son visage semblait vieilli. Sa gaieté l'abandonna, et comme il arrivait devant les grilles de Duke's Lawn, il fit courir sa main le long des barreaux. Un rappel de la mélodie jouée par le harpiste commandait ses mouvements ; de ses pas amortis par les semelles de caoutchouc il marquait la mesure, tandis qu'indolemment ses doigts exécutaient traits et variantes sur les barreaux entre chaque groupe de notes.

Il marcha à l'aventure le long de Stephen Green, s'engagea dans Grafton Street. Bien que ses yeux distinguaient quantité de détails dans la foule, c'était de façon morose. Il trouvait vulgaire tout ce qui aurait dû le séduire et ne répondait pas aux œillades qui l'invitaient à être hardi. Il savait qu'il aurait à parler beaucoup, à se mettre en frais, à divertir, et son cerveau et son gosier étaient trop à sec pour ce genre de travail. Le moyen de tuer le temps jusqu'à l'heure de rejoindre Corley le tourmentait un peu. Il ne pouvait rien imaginer d'autre que de poursuivre sa promenade. Arrivé au coin de Rutland Square, il prit à gauche et se sentit plus à l'aise dans la rue obscure et tranquille dont l'aspect sombre convenait mieux à son humeur. Il s'arrêta finalement devant le carreau vitré d'une misérable boutique au-dessus de laquelle les mots *boissons et liqueurs* étaient inscrits en caractères blancs. Devant la vitre se balançaient deux petits écriteaux : *ginger beer* et *ginger ale*. Un jambon était exposé sur un grand plat bleu et à côté, sur un autre plat, se trouvait un morceau de plum-pudding d'assez piètre apparence. Il jeta un long regard avide sur ces victuailles, puis, après avoir inspecté la rue dans toute sa longueur d'un œil circonspect, il entra précipitamment dans le magasin.

Il avait faim ; car, à l'exception de quelques biscuits quémandés à deux garçons de café récalcitrants, il n'avait rien mangé depuis le matin. Il s'assit devant une petite table de bois sans nappe, en face de deux ouvrières et d'un mécanicien. Une servante malpropre le servait.

— Combien une assiettée de petit pois ? demanda-t-il.

— Trois demi-pence, monsieur, dit la fille.

— Apportez-moi une assiette de petit pois, dit-il, et une bouteille de bière.

Il parlait sur un ton bourru afin de démentir la distinction de ses manières, car son entrée fut suivie d'un silence. Il se sentit rougir. Pour paraître naturel, il repoussa sa casquette et planta ses coudes sur la table. Le mécanicien et les deux ouvrières l'examinèrent en détail, puis reprirent leurs discours à demi-voix. La servante lui apporta un plat de pois cassés chauds assaisonnés de poivre et de vinaigre, une fourchette et de la bière. Il mangea gloutonnement et trouva le plat si bon qu'il ne manqua pas de retenir le nom de la boutique. Lorsqu'il eut mangé tous les pois, il dégusta sa bière et songea quelque temps à l'aventure de Corley. Il vit en imagination la paire d'amants marcher le long de quelque chemin obscur, il entendit la voix de Corley émettre des galanteries énergiques et revit le sourire de la jeune femme. Cette vision lui fit sentir avec acuité la pauvreté de sa bourse et de son esprit. Il était las d'errer à l'aventure, de tirer le diable par la queue, de vivre d'intrigues et d'expédients. Il aurait trente et un ans en novembre. Ne trouverait-il jamais un métier ? Aurait-il jamais un foyer ? Il pensa combien ce lui serait agréable d'avoir un bon feu près duquel s'asseoir, un bon dîner devant lequel s'attabler. Il en avait assez de faire les rues avec les amis et les filles. Il savait ce qu'ils valaient et les uns et les autres. L'expérience lui avait aigri le cœur. Mais tout espoir ne l'avait pas abandonné. Il se sentit mieux après avoir mangé, moins las de la vie, moins abattu. Peut-être il pourrait encore s'installer dans quelque coin douillet et vivre heureux, si seulement il rencontrait quelque bonne fille simple avec un peu du nécessaire.

Il paya deux pence en sortant, à la servante débraillée, et reprit ses pérégrinations. Il s'engagea dans Capel Street et se dirigea vers le City Hall. Puis il tourna dans Dame Street. Au coin de George Street, il rencontra deux de ses amis avec lesquels il s'arrêta pour causer. Il était heureux d'un répit dans ses allées et venues. Ses amis lui demandèrent s'il avait vu Corley et quelles étaient les dernières nouvelles. Il répondit qu'il avait passé la journée avec Corley. Ses amis parlaient peu. Ils suivaient d'un œil morne des silhouettes dans la foule, faisant de temps à autre quelque observation. L'un d'eux dit qu'il avait vu Mac dans Westmoreland Street. A quoi Lenehan répondit qu'il avait passé la nuit avec Mac, chez Egan. Le même jeune homme demanda si c'était vrai que Mac avait fait un bon coup en pariant à un match de billard. Lenehan n'en savait rien : il dit que Holohan leur avait payé une tournée à tous chez Egan.

Il quitta ses amis à dix heures moins le quart, et monta George Street. Arrivé au City Market, il longea Grafton Street. La foule des jeunes filles et des jeunes gens avait diminué et il entendait sur son chemin bien des couples et des groupes qui se souhaitaient une bonne nuit. Il alla jusqu'à l'horloge du Collège des chirurgiens : dix heures allaient sonner. Il repartit d'un pas alerte du côté nord de Green, se hâtant dans la crainte que Corley ne fût déjà revenu. Au coin de Merrion Street, il se posta à l'ombre d'un réverbère, sortit une des cigarettes qu'il avait réservées et l'alluma. Il s'appuya contre le poteau, son regard fixé dans la direction où il pensait voir revenir Corley et la jeune femme.

Son esprit alors reprit son activité. Il se demanda si Corley s'en tirait avec succès. Il se demanda s'il lui avait déjà demandé ou s'il attendrait au dernier moment pour le faire. Il passa par toutes les angoisses, tous les frissons que comportait aussi bien la situation de son ami, que la sienne propre. Mais le souvenir de la tête de Corley dans son lent mouvement de rotation lui apporta un peu de calme : il ne doutait pas que Corley saurait manœuvrer. Soudain, il eut l'idée que peut-être Corley avait pris par un autre chemin pour lui donner le change. Ses yeux fouillèrent la rue : pas de trace du couple. Pourtant une demi-heure au moins s'était écoulée depuis qu'il avait regardé l'horloge du Collège des chirurgiens. Corley serait capable de ça ? Il alluma sa dernière cigarette, la fuma avec nervosité. Il regardait de tous ses yeux à chaque tram qui s'arrêtait au coin du square. Ils avaient dû rentrer chez eux par un autre côté. Le papier de sa cigarette se déchira et il la lança sur la chaussée avec un juron.

Tout à coup il les aperçut qui venaient dans sa direction. Il eut un sursaut de joie et, se serrant contre le réverbère, tâcha de déchiffrer le résultat à leur démarche. Ils avançaient vite. La femme à petits pas pressés, Corley réglant sur elle ses longues enjambées. Ils ne semblaient pas se parler. Un pressentiment sur l'issue de l'affaire le traversa à la manière d'un instrument pointu. Il savait que Corley échouerait, qu'il n'y avait rien de fait. Le couple tourna au coin de Baggot Street et aussitôt Lenehan se mit à leur suite mais sur le trottoir opposé. Ils s'arrêtaient, lui s'arrêtait aussi. Ils échangèrent quelques paroles avant que la jeune femme ne descendît dans un sous-sol. Corley, debout sur le rebord du trottoir, attendait à quelques mètres du perron. Plusieurs minutes s'écoulèrent. Alors la porte d'entrée s'ouvrit lentement, avec précaution. Une femme en sortit, descendit les marches en courant et toussa. Corley se retourna et s'avança à sa rencontre. Pendant quelques secondes, elle sembla disparaître, cachée qu'elle était par la large carrure de Corley ; mais elle reparut gravissant les marches en courant. La porte se referma sur elle et Corley d'un pas rapide se dirigea vers Stephen Green.

Lenehan se mit à sa poursuite. Quelques gouttes de pluie tombaient. Il les prit pour un avertissement et, après un coup d'œil vers la maison où la jeune femme était entrée, voyant qu'il n'était pas observé, il traversa la rue d'un pas pressé. L'anxiété et sa course rapide le faisaient haleter. Il cria :

— Hé, Corley !

Corley tourna la tête pour voir qui l'appelait mais n'interrompit pas sa marche. Lenehan lui courut après, tout en réajustant d'une main son imperméable sur les épaules.

— Hé, Corley ! répéta-t-il.

Il rejoignit son ami, le dévisagea avec attention mais sans rien pouvoir déchiffrer.

— Alors, dit-il, ça y est ?

Ils avaient atteint le coin d'Ely Place. Toujours sans répondre, Corley pivota sur la gauche et prit une rue latérale. Ses traits exprimaient un calme sévère. Lenehan emboîta le pas de son ami, reprenant péniblement son souffle. Il se sentit joué et une pointe de menace perça dans sa voix...

— Alors, dégoise donc ? Tu ne l'as pas tâtée ?

Corley s'arrêta au premier réverbère et d'un air renfrogné regarda droit devant lui. Alors d'un geste grave, il tendit une main sous la lumière et lentement, en souriant, l'ouvrit sous les yeux de son disciple.

Une petite pièce d'or brillait dans la paume.

LA PENSION DE FAMILLE

Mrs. MOONEY était la fille d'un boucher. C'était une femme tout à fait capable de garder ses réflexions : une femme décidée en somme.

Elle avait épousé le premier garçon de son père et ouvert une boucherie près de Spring Gardens. Mais Mr. Mooney, sitôt après la mort de son beau-père, se laissa aller à la dérive. Il but, pilla la caisse et s'endetta jusqu'au cou. C'était inutile de lui faire jurer de ne plus boire : il recommençait quelques jours après. Il se colletait avec sa femme en présence des clients, achetait de la viande gâtée, de sorte que son commerce périclita. Une nuit il menaça sa femme du couperet de la boucherie et elle dut se réfugier chez un voisin.

Après cela, ils vécurent chacun de leur côté. Elle alla trouver le curé, obtint la séparation et la charge des enfants. Elle ne voulut donner à son mari ni argent, ni nourriture, ni logement ; il ne lui resta plus qu'à s'enrôler parmi les hommes du shérif. C'était un petit ivrogne voûté, à l'air miséreux, au visage blanc, à la moustache blanche, aux sourcils blancs, et ceux-ci dessinés au-dessus de ses petits yeux striés de rouge et à vif ; tout le jour, il restait assis dans le bureau du bailli, attendant qu'on voulût bien lui donner quelque chose à faire. Mrs. Mooney, qui avait retiré de la boucherie le restant de son avoir et ouvert une pension de famille dans Hardwick Street, était une grande femme à l'aspect imposant. Sa pension

recevait des hôtes de passage : touristes venus de Liver-
pool et de l'île de Man et incidemment des artistes de
music-hall ; mais le fond stable de sa clientèle se composait d'employés de la ville. Elle dirigeait la pension avec
fermeté et adresse ; savait à quel moment faire crédit, à
quel moment tenir bon et quand fermer les yeux. Tous les
jeunes gens pensionnaires à demeure la désignaient sous
le nom de : la dame.

Les pensionnaires de Mrs. Mooney payaient quinze
shillings par semaine pour le logement et la nourriture
(bière ou stout non compris). Ils avaient les mêmes goûts,
les mêmes occupations et cela créait entre eux une grande
camaraderie. Ils discutaient l'un avec l'autre des chances
de tel favori ou de tel hôte de passage. Jacques Mooney,
le fils de la dame, employé d'un commissionnaire dans
Fleet Street, avait la réputation d'être un mauvais sujet. Il
aimait employer le langage obscène des soldats, et
généralement rentrait au petit matin. Lorsqu'il venait
rejoindre ses amis, il en avait toujours de raides à leur
raconter et croyait toujours connaître le bon tuyau : juste
le cheval qui devait gagner ou l'artiste en vogue. Il était
très prompt à se servir de ses poings et chantait des
chansons comiques. Souvent, les dimanches soirs on se
réunissait dans le salon de Mrs. Mooney. Les artistes de
music-hall voulaient bien prêter leur concours ; Sheridan
jouait des valses, des polkas et improvisait des accompagnements. Polly Mooney, la fille de la dame, chantait
aussi. Elle chantait :

> Je suis une vilaine fille,
> Ne prétendez pas le contraire,
> Vous le savez bien.

Polly était une mince jeune fille de dix-neuf ans ; elle
avait des cheveux légers et doux et une petite bouche
charnue. Ses yeux gris nuancés de vert avaient une façon
de regarder en l'air lorsqu'elle parlait qui la faisait
ressembler à une petite madone perverse. Mrs. Mooney
avait tout d'abord envoyé sa fille comme dactylographe

dans le bureau d'un négociant en grains, mais comme un des hommes du shérif, de mauvaise réputation, se présentait tous les deux jours au bureau sous prétexte de dire deux mots à sa fille, Mrs. Mooney l'avait reprise à la maison et occupée au ménage. Polly étant vive et gaie, on décida qu'elle s'occuperait des jeunes gens. D'ailleurs, les jeunes gens aiment à sentir autour d'eux la présence d'une jeune fille. Il va sans dire que Polly flirtait avec les pensionnaires ; mais Mrs. Mooney, en juge avisé, savait que ces jeunes gens se bornaient à tuer le temps : aucun d'entre eux ne nourrissait d'intentions sérieuses. Longtemps les choses allèrent ainsi et Mrs. Mooney songeait à renvoyer Polly à la dactylographie, lorsqu'elle remarqua qu'il devait se passer quelque chose entre Polly et un des pensionnaires. Elle observa le couple et se tint coite.

Polly se savait observée ; mais ne pouvait cependant pas se méprendre sur le silence obstiné de sa mère. Nulle complicité avouée entre la mère et la fille, nulle entente explicite, et bien que les pensionnaires commençassent à parler de l'affaire, Mrs. Mooney n'intervenait toujours pas. Polly devint un peu bizarre dans ses manières et le jeune homme paraissait inquiet. Enfin, ayant jugé le moment venu, Mrs. Mooney intervint. Elle traitait les problèmes moraux comme le couperet traite la viande, et, dans le cas présent, sa résolution était prise.

C'était un beau dimanche matin au début de l'été ; la journée promettait d'être chaude, mais pourtant avec une brise fraîche. Toutes les fenêtres de la pension étaient ouvertes et les rideaux de dentelle ballonnaient légèrement du côté de la rue au-dessous des châssis relevés des fenêtres à guillotine. Du beffroi de Saint-George partaient sans cesse des carillons et les fidèles isolés ou par groupes traversaient la petite place circulaire devant l'église, révélant leur destination à leur attitude réservée non moins qu'aux petits volumes qu'ils tenaient dans leurs mains gantées. A la pension, on avait fini de déjeuner et la table de la salle à manger restait couverte d'assiettes sur lesquelles se voyaient des traînées de jaune d'œuf, des restes de lard et de couenne. Mrs. Mooney, assise dans son fauteuil d'osier, surveillait Mary, la bonne qui débarrassait la table. Elle lui faisait ramasser les miettes et les croûtons de pain destinés au pudding du mardi. Une fois la table desservie, les croûtons ramassés, le sucre et le beurre sous clef, elle se remémora l'entretien qu'elle avait eu la veille au soir avec Polly. Les choses étaient comme elle les soupçonnait d'être ; elle avait été franche dans ses questions et Polly non moins franche dans ses réponses. Naturellement les deux s'étaient senties quelque peu gênées. La mère parce qu'elle ne voulait pas avoir l'air de recevoir la nouvelle de façon trop dégagée ni sembler trop complaisante. Polly parce que non seulement des allusions de ce genre l'embarrassaient toujours, mais aussi parce qu'elle ne voulait pas qu'on la crût capable, dans son innocence avertie, d'avoir pressenti les intentions de sa mère sous son apparente tolérance. Mrs. Mooney regarda instinctivement la petite pendule dorée sur la cheminée, sitôt qu'à travers sa rêverie elle se rendit compte que les cloches de Saint-George avaient cessé de sonner. Il était onze heures dix-sept, elle aurait largement le temps de vider la question avec Mr. Doran et d'être dans Malbourough Street à midi tapant. Premièrement, la balance de l'opinion sociale penchait pour elle : elle était une mère outragée. Elle l'avait autorisé à vivre sous son toit, présumant qu'il était un homme d'honneur et il avait tout simplement abusé de son hospitalité. Agé de trente-quatre à trente-cinq ans, la jeunesse non plus d'ailleurs que l'ignorance ne pouvaient donc être alléguées comme excuse, car il devait avoir quelque expérience du monde. Il avait profité de la jeunesse et de l'innocence de Polly, cela était évident. Comment ferait-il amende honorable ?

En pareil cas, le devoir est de réparer la faute. Pour l'homme, c'est fort facile : il peut aller son chemin comme si rien n'était, ayant eu son plaisir ; la femme, elle, par contre, doit en subir les conséquences. Il y avait des mères qui se contentaient d'une somme d'argent pour raccommoder ces sortes d'accidents ; elle connaissait des cas. Mais elle n'agirait pas de la sorte. Elle n'acceptait pour l'honneur de sa fille qu'une réparation : le mariage.

Elle s'assura encore des étouts qu'elle avait dans son jeu avant d'envoyer Mary prévenir Mr. Doran qu'elle désirait lui parler. Elle se sentait sûre de gagner sa cause. Le jeune homme était sérieux, point dissolu ni bruyant comme les autres. Avec Mr. Sheridan, Mr. Meade, ou Bantam Lyons, sa tâche eût été bien plus ardue. Mais elle ne croyait pas Mr. Doran de force à supporter un scandale. Tous les pensionnaires de la maison étaient quelque peu au courant de l'histoire ; même certains d'entre eux avaient inventé des détails. D'ailleurs, employé pendant treize ans dans le bureau d'un important marchand de vin catholique, un scandale signifierait peut-être pour lui son congé. Au contraire, s'il acceptait, tout pourrait s'arranger. Elle le soupçonnait de se faire de jolis mois chez son patron, d'avoir, comme on dit, du foin dans ses bottes.

Presque la demie ! Elle se leva et se regarda dans la glace à trumeau. L'expression résolue de sa large face épanouie la satisfit et elle songea à certaines mères qui n'arrivaient pas à se débarrasser de leurs filles.

Ce dimanche matin, en vérité, Mr. Doran se sentait fort anxieux. Par deux fois, il avait essayé de se raser ; mais sa main était si mal assurée qu'il dut y renoncer. Une barbe roussâtre de trois jours ornait ses mâchoires et toutes les deux minutes ses lunettes s'embuaient, de sorte qu'il lui fallait les ôter et essuyer avec son mouchoir. Le souvenir de sa confession de la veille lui causait une souffrance aiguë ; le prêtre lui avait soutiré jusqu'aux détails les plus ridicules de cette affaire et finalement avait amplifié son péché à un tel point qu'il était presque reconnaissant de se voir accorder quelque espoir de rémission. Le mal était fait. Hormis le mariage ou la fuite, que lui restait-il ? Il n'osait pas payer d'audace. L'affaire serait sûrement ébruitée et son patron informé. Dublin est si petite ville ; chacun sait ce qui se passe chez le voisin. Son cœur battait à se rompre, alors que dans son exaltation il s'imaginait entendre le vieux Leonard crier de sa voix rêche : « Envoyez-moi Mr. Doran, s'il vous plaît. »

Toutes ses longues années de service gaspillées ! Son zèle, son assiduité au travail sacrifiés ! Jeune homme, il avait jeté sa gourme ; il s'était vanté d'être libre penseur et avait nié l'existence de Dieu devant ses compagnons, dans les bistrots. Mais tout ceci était le passé maintenant ! ou presque. Il continuait à acheter un numéro du *Reynolds Newspaper* toutes les semaines, mais il n'en pratiquait pas moins ses devoirs religieux et les neuf dixièmes de l'année menait une existence régulière. Il ne lui manquait pas d'argent pour s'établir ; là n'était pas la question. Mais la famille traiterait la jeune fille de haut. En premier lieu il y avait ce père de réputation douteuse, ensuite la mère dont la pension commençait à avoir une certaine réputation. Il avait l'idée qu'on le roulait. Il se représentait ses amis déblatérant sur la chose et s'en moquant. Elle était un tantinet vulgaire et cela se trahissait par certaines erreurs de prononciation et de syntaxe.

Mais qu'importait la grammaire s'il aimait Polly réellement ! Il n'arrivait pas à démêler s'il devait l'aimer ou la mépriser pour ce qu'elle avait fait. Bien entendu, lui aussi était en cause. Son instinct lui soufflait de demeurer libre, de ne pas se marier ; une fois marié, c'en était fait de soi.

Tandis que dans son embarras il demeurait assis sur le bord du lit en pantalon et en manches de chemise, elle frappa un coup léger à la porte et entra. Elle lui dit tout ; qu'elle avait avoué à sa mère et que celle-ci avait l'intention de lui parler le matin même. Elle pleura et lui jeta les bras autour du cou en disant :

— Oh ! Bob ! Bob, qu'est-ce que je dois faire ?

Elle mettrait fin à ses jours, disait-elle.

Il la consola de son mieux, lui disant de ne pas pleurer, de ne pas avoir peur, que tout s'arrangerait. Il sentait contre sa chemise la gorge palpitante de la jeune fille.

Ce qui venait d'arriver n'était pas entièrement de sa faute. Il se souvenait bien, avec la mémoire bizarre et patiente propre au célibataire, des premières caresses fortuites, que par sa robe, son souffle, ses doigts, elle lui avait données. Puis une nuit, très tard, alors qu'il se déshabillait, timidement elle avait frappé à sa porte. Elle voulait rallumer à la sienne sa bougie éteinte par un coup de vent. C'était sa nuit de bain. Elle portait une camisole lâche et fendue en flanelle imprimée. Son cou-de-pied luisait blanc dans l'ouverture de ses pantoufles et le sang jouait derrière sa peau. De ses mains, de ses poignets aussi, tandis qu'elle allumait et raffermissait sa bougie, se dégageait un vague parfum.

Les nuits où il rentrait très tard, c'était elle qui lui réchauffait son dîner. Il se rendait à peine compte de ce qu'il mangeait à la sentir si près de lui seule, dans la pension endormie. En outre quelle sollicitude ne lui témoignait-elle pas ! Si la nuit était tant soit peu froide ou humide, s'il y avait du vent, il était sûr de trouver un petit gobelet de punch à son intention. Après tout, ils seraient peut-être heureux ensemble !...

Ils avaient coutume de monter tous deux sur la pointe des pieds, chacun avec sa bougie et, sur le troisième palier, à regret, de se souhaiter une bonne nuit. Ils s'embrassaient. Il se rappelait bien ses yeux, le contact de sa main, et l'enivrement qui s'emparait de lui...

Mais l'enivrement passe. Il répéta ce qu'elle venait de lui dire, l'appliquant à lui-même : *Qu'est-ce que je dois faire ?* L'instinct du célibat le mettait en garde, lui conseillait de se tenir à l'écart. Mais le péché était commis ; même son sentiment de l'honneur lui disait que pour un tel péché, il devait faire amende honorable.

Tandis qu'il était assis avec elle sur le bord du lit, Mary se présenta, et dit que madame attendait monsieur au salon. Il se leva pour passer son gilet et son veston, plus désemparé que jamais. Quand il fut prêt, il s'approcha d'elle pour la consoler. Tout s'arrangerait, il ne fallait pas avoir peur. Il la laissa pleurant sur son lit et gémissant doucement : « Oh ! mon Dieu ! »

En descendant l'escalier, ses lorgnons s'embuèrent à tel point qu'il dut les retirer pour les essuyer. Il aurait voulu traverser le toit et s'envoler vers un pays nouveau où il n'entendrait plus jamais parler de ses ennuis et pourtant, de marche en marche, une force le poussait à descendre.

Les visages implacables de son directeur et de la patronne considéraient sa déconfiture. Au dernier étage, il passa devant Jacques Mooney qui remontait de l'office étreignant deux bouteilles de stout. Ils se saluèrent froidement ; et les yeux de l'amant s'attardèrent un moment sur un visage de bull-dog, sur une paire de bras courts et trapus. Lorsqu'il eut atteint le bas de l'escalier, il regarda en l'air et vit Jack qui, de la porte de l'entresol, le suivait des yeux.

Soudain il se remémora une nuit où, un des artistes du music-hall, un petit blond londonien, s'était permis quelque liberté avec Polly. La réunion faillit être interrompue par la fureur de Jacques. Tout le monde s'ingénia à le calmer. L'artiste du music-hall, un peu plus pâle qu'à l'ordinaire, continuait à sourire protestant qu'il n'avait aucune mauvaise intention ; mais Jack, lui, continuait de faire entendre un joli concert et déclarait que le premier qui le prendrait sur ce ton avec sa sœur il lui ferait rentrer les dents dans les amygdales, foi de Jack qu'il le ferait

. . . .

Polly demeura assise quelque temps sur le bord du lit, à pleurer. Puis elle s'essuya les yeux et se dirigea vers le miroir. Elle plongea le coin d'une serviette dans le pot à eau et se rafraîchit les yeux à l'eau froide. Elle s'examina de profil et fixa une épingle à cheveux au-dessus de l'oreille. Elle revint s'asseoir au pied du lit. Elle contempla les oreillers un bon moment, et leur vue éveilla en son esprit d'aimables, d'intimes souvenirs. Elle laissa reposer sa nuque contre les barreaux froids et se prit à rêvasser. Toute agitation avait disparu de son visage.

Elle attendait, patiente, presque joyeuse, elle n'avait pas peur ; ses souvenirs allaient s'effaçant peu à peu, devant des espérances, des visions d'avenir. Espérances et visions s'étaient si bien confondues, qu'elle ne voyait plus les oreillers blancs que fixaient ses regards, ne se souvenait plus qu'elle était dans l'attente de quelque chose.

Enfin elle entendit sa mère appeler. Elle bondit à la rampe.

— Polly, Polly !

— Oui, maman.

— Descends, ma chérie, Mr. Doran veut te parler.

Alors elle se souvint de ce qu'elle attendait.

UN PETIT NUAGE

Huit ans auparavant, il avait pris congé de son ami, à la gare de North-Wall et lui avait souhaité bon voyage. Gallaher avait fait son chemin. Cela se voyait tout de suite à sa tournure de voyageur, à son complet de tweed irréprochable et à l'assurance de son parler. Peu d'hommes avaient ses capacités et moins encore étaient capables de se laisser aussi peu gâter par le succès. Gallaher avait le cœur bien placé et il avait mérité de réussir, — ça comptait d'avoir un pareil ami.

Les pensées du petit Chandler depuis le déjeuner avaient pour objet sa rencontre avec Gallaher, l'invitation de Gallaher, et la grande ville de Londres où Gallaher vivait. On l'appelait le petit Chandler, car bien qu'à peine légèrement au-dessous de la normale, il donnait l'impression d'être un petit homme. Ses mains étaient blanches et menues, sa carrure frêle, sa voix douce et ses manières raffinées. Il prenait le plus grand soin de sa moustache et de ses cheveux également blonds et soyeux, et parfumait discrètement son mouchoir. Ses ongles avaient des lunules parfaites et son sourire dévoilait une rangée de dents blanches et enfantines.

Tandis qu'il était assis à son pupitre au *King's Inns,* il songeait aux changements qu'auraient apportés ces huit dernières années. Cet ami qu'il avait connu râpé et d'aspect nécessiteux était devenu une des brillantes figures de la presse londonienne.

A diverses reprises, il laissa là son ingrate besogne pour regarder par la fenêtre de son bureau. Les derniers rayons d'un couchant d'automne nuançaient les pelouses et les allées. Il éclairait d'une lumière indulgente les nurses peu soignées et les vieux décrépits qui sommeillaient sur les bancs ; il papillotait sur toutes les formes mouvantes : enfants qui couraient en criant sur le gravier des allées, promeneurs attardés dans les jardins. Le petit Chandler observait cette scène et méditait sur la vie ; et comme toujours, de méditer sur la vie, le rendait triste. Une douce mélancolie s'emparait de lui. Il éprouvait toute la vanité de la lutte contre le destin ; sagesse pesante que lui avait léguée l'expérience des siècles.

Il se souvenait des livres de poésies alignés sur ses étagères à la maison. Il les avait achetés alors qu'il était garçon et, souvent le soir, assis dans la petite chambre attenant au vestibule, il avait été tenté d'en prendre un sur le rayon et d'en lire quelques passages à sa femme ; mais la timidité l'avait toujours retenu, si bien que les livres étaient restés à leur place. Parfois il s'en répétait certaines strophes et cela le consolait.

Quand l'heure de son départ eut sonné, il se leva, prit minutieusement congé de son pupitre et de ses collègues. Sa modeste silhouette de petit homme correct émergea de dessous l'arche féodale du *Kings's Inns* et descendit rapidement Henrietta Street. Le couchant doré s'estompait et l'air était devenu vif. Une bande d'enfants malpropres peuplaient la rue. Ils se tenaient debout ou couraient sur la chaussée, ou rampaient sur les marches devant les portes bâillantes, ou se blottissaient comme des souris, sur les seuils. Le petit Chandler ne s'en soucia point. Il se fraya un chemin habilement à travers ce grouillement de vermine, à l'ombre de hautes habitations spectrales où la vieille noblesse de Dublin avait mené joyeuse vie. Aucun souvenir du passé ne l'effleurait, tant son esprit était plein d'une joie présente.

Il n'avait jamais été chez « Corless », mais il en connaissait la réputation. Il savait que les gens y allaient, après le théâtre, manger des huîtres et boire des liqueurs, et il avait entendu dire que les garçons y parlaient français et allemand. Au cours de ses rapides promenades nocturnes, il avait vu devant la porte des « cabs » s'arrêter, des femmes, richement vêtues, en descendre escortées par leurs cavaliers, et pénétrer vite dans l'établissement. Elles portaient des robes bruissantes et des manteaux enveloppants. Leurs visages étaient poudrés et elles relevaient leurs robes, en touchant terre, comme des Atalantes apeurées. Toujours il avait passé sans se retourner. Il avait l'habitude de marcher vite dans la rue, même le jour, et, si d'aventure il se trouvait dans la rue à une heure tardive, il pressait le pas, craintif et nerveux. Parfois cependant, il caressait les causes de ses craintes. Il choisissait les passages les plus sombres et les plus étroits, et, comme il allait délibérément de l'avant, le silence qui s'étendait autour de lui l'inquiétait, les ombres errantes et silencieuses le troublaient et parfois le son fugitif d'un rire étouffé le faisait trembler comme une feuille.

Il tourna sur la droite vers Capel Street. Ignatius Gallaher dans la presse londonienne ! Qui l'aurait cru huit ans plus tôt ? Pourtant, maintenant qu'il évoquait le passé, le petit Chandler arrivait à se rappeler maints indices précurseurs de la grandeur future de son ami. Les gens avaient coutume de dire qu'Ignatius Gallaher était fou. Bien sûr, il fréquentait dans ce temps-là une bande de noceurs ; il buvait ferme et empruntait de tous côtés. A la fin, il avait été mêlé à quelque affaire louche, quelque transaction ; du moins, c'était une des versions qui avaient couru lors de sa fuite. Mais personne ne lui refusait du talent. Il y avait toujours un certain quelque chose chez Ignatius Gallaher qui vous impressionnait malgré vous. Même lorsqu'il était à bout de ressources et à court de moyens pour en obtenir, il faisait bonne figure. Le petit Chandler se souvenait (et ce souvenir lui faisait monter une bouffée d'orgueil au visage) d'un mot de Gallaher, lorsque celui-ci se sentait acculé :

« Minute, mes amis, disait-il plaisamment, laissez-moi trouver le filon. »

Voilà Gallaher tout entier, et, pardieu, on ne pouvait faire autrement que de l'admirer.

Le petit Chandler pressa le pas. Pour la première fois de sa vie, il se sentit supérieur aux gens qu'il côtoyait. Pour la première fois, son âme s'insurgeait contre la fade inélégance de Capel Street. Sans aucun doute, si l'on voulait réussir, il fallait partir. A Dublin, rien à faire. Comme il traversait Grattan Bridge, il jeta un coup d'œil en aval des quais et son cœur se serra à la vue des pauvres et chétives habitations.

Elles lui évoquaient une bande de chemineaux tassés le long des rives, leurs vieux manteaux couverts de poussière et de suie, comme stupéfiés par le panorama du couchant et attendant la première fraîcheur de la nuit qui leur intimerait l'ordre de se lever, de s'ébrouer et de partir. Il se demanda s'il saurait écrire un poème qui exprimerait son idée. Peut-être que Gallaher réussirait à le lui faire prendre dans quelque journal de Londres. Saurait-il écrire quelque chose d'original ? Il n'était pas sûr de l'idée qu'il désirait développer ; mais la pensée d'avoir été sensible à la poésie de l'heure prenait racine et germait en lui comme un espoir naissant. Il poursuivit hardiment son chemin.

Chaque pas le rapprochait de Londres, l'éloignait de son existence monotone dépourvue d'art. A l'horizon de son esprit, une lumière parut, vacillante. Il n'était pas si âgé : trente-deux ans ! Son tempérament pouvait être considéré comme touchant à la maturité. Il désirait mettre en vers tant d'impressions et de sentiments différents ! Il les sentait en lui ! Il essayait de peser son âme pour voir si c'était une âme de poète, il se disait que la mélancolie prédominait dans son caractère, mais c'était une mélancolie mitigée par des retours à la foi, à la résignation, à la joie pure. S'il pouvait exprimer ce sentiment dans un recueil de poèmes, peut-être que le monde l'écouterait. Jamais il ne serait populaire ; il le voyait bien. Il serait incapable de soulever la foule, mais il pourrait toucher un petit cercle d'esprits semblables au sien. Les critiques anglais le reconnaîtraient peut-être

97

pour un adepte de l'école celte à cause du ton mélancolique de ses poèmes ; en outre, il y glisserait des allusions. Il se mit à composer les phrases mêmes des articles que son livre susciterait. *M. Chandler a le don du vers aisé et gracieux. Une mélancolie nostalgique pénètre ses poèmes.* La « note celte ». Il était regrettable que son nom ne sonnât pas plus irlandais. Peut-être vaudrait-il mieux faire précéder son nom de famille de celui de sa mère : Thomas Malone Chandler ou mieux encore T. Malone Chandler. Il en parlerait à Gallaher.

Il poursuivait sa rêverie avec tant d'ardeur qu'il passa sa rue et dut rebrousser chemin. Comme il s'approchait de chez Corless, de nouveau l'inquiétude s'empara de lui et il s'arrêta devant la porte, indécis. Finalement, il l'ouvrit et entra.

La lumière et le bruit qui venaient du bar l'arrêtèrent un moment sur le seuil. Il regarda autour de lui, mais les reflets verts et rouges de nombreux verres lui brouillaient la vue. Le bar lui parut plein de monde, et il sentit que les gens l'observaient avec curiosité. Il jeta vivement un coup d'œil à droite, à gauche, fronçant légèrement les sourcils pour se donner une contenance ; mais quand il commença à y voir plus clair, il s'aperçut que personne ne s'était retourné pour le regarder ; et là, se trouvait Ignatius Gallaher en personne, le dos appuyé au comptoir, bien planté sur ses pieds.

— Hullo, Tommy, vieux brave, te voilà ! Qu'est-ce que tu prends ? Moi, je prends du whisky, meilleur que celui qui se boit là-bas. Soda ? Lithia ? Pas d'eau minérale ? Je suis comme toi. Ça m'en gâte le goût. Hé ! là ! garçon ! vieux, apportez-nous deux demi-malt whisky. Eh bien, qu'est-ce que tu as fichu depuis que je ne t'ai vu ? Bonté divine, ce qu'on prend de l'âge ! me trouves-tu vieilli ? Hein ? Quoi ? Le crâne un peu gris et clairsemé. Quoi ?

Ignatius Gallaher ôta son chapeau et découvrit une grosse tête aux cheveux rasés court. Son visage épais était pâle, imberbe. Les yeux, d'un bleu ardoise, éclairaient sa pâleur malsaine et se détachaient nettement au-dessus de l'orange éclatant de sa cravate. Entre ces tons heurtés, les lèvres semblaient très longues, informes, incolores. Il baissa la tête et effleura avec deux doigts compatissants les rares cheveux qui lui garnissaient le crâne. Le petit Chandler fit de la tête un signe de dénégation ; Ignatius Gallaher remit son chapeau.

— Cette vie de journaliste, ça vous démolit, dit-il ; toujours se hâter, se grouiller, rechercher de la copie pour souvent n'en point trouver. Et cependant, se voir réclamer toujours du nouveau. Peste soit, pour ces quelques jours, des épreuves et des imprimeurs ! Je suis diablement content, je t'assure, de revenir au pays. Un peu de vavances vous remonte un homme ; je me sens joliment mieux depuis que j'ai débarqué dans ce sale cher Dublin !... Voilà, Tommy. De l'eau ? Tu m'arrêteras.

Le petit Chandler le laissa abondamment mouiller son whisky :

— Tu ne sais pas ce qui est bon, mon vieux, dit Ignatius Gallaher ; je bois le mien sec.

. — Je bois très peu d'habitude, dit le petit Chandler modestement ; de temps en temps, un demi-verre lorsque je retrouve un des vieux copains, c'est tout.

— Eh bien, dit Ignatius Gallaher gaiement, à notre santé, aux bons vieux jours, aux vieilles amitiés !

Ils trinquèrent.

— J'ai rencontré quelqu'un de la bande aujourd'hui, dit Ignatius Gallaher. O'Hara me semble dans de mauvais draps. Qu'est-ce qu'il fait ?

— Rien ! dit le petit Chandler, c'est un homme fichu Mais Hogan a une belle situation, n'est-ce pas ?

— Oui, il est au *Land Commission*. Je l'ai rencontré un soir à Londres, il paraissait en fonds... Pauvre O'Hara : excès de boisson, je suppose...

— Oui, et autre chose aussi, fit le petit Chandler sèchement.

Ignatius Gallaher se mit à rire.

— Tommy, dit-il, je vois que tu n'as pas vieilli d'un poil ; tu es exactement le même garçon sérieux qui me sermonnait le dimanche matin quand j'avais mal aux cheveux et la langue empâtée. Tu as besoin de rouler ta bosse. N'es-tu jamais parti, même en excursion ?

— J'ai été à l'île du Man, dit le petit Chandler.

Ignatius Gallaher se mit à rire :

— L'île du Man ! dit-il, va à Londres ou à Paris : à Paris plutôt. Voilà qui te ferait du bien.

— Tu connais Paris ?

— Plutôt ! Y ai-je assez roulé !

— Et est-ce véritablement aussi beau qu'on le dit ? demanda le petit Chandler.

Il sirota un peu de sa boisson, tandis qu'Ignatius Gallaher vidait son verre d'un trait.

— Beau ? dit Ignatius Gallaher en pesant sur le mot et en s'attardant aux délices de son breuvage ; on ne peut vraiment dire que ce soit si beau ; certainement, c'est beau... Mais, enfin... C'est la vie de Paris qui compte. Ah ! il n'y a pas de ville comme Paris pour la gaieté, le mouvement, l'animation...

Le petit Chandler finit son whisky et non sans peine parvint à attirer l'attention du barman. Il commanda un second verre.

— J'ai été au Moulin-Rouge, continua Ignatius Gallaher, lorsque le barman eut enlevé leurs verres et j'ai été dans tous les cafés bohèmes. Entre nous, ce n'est pas de la petite bière ! Pas pour un dévot comme toi, Tommy !

Le petit Chandler se tut jusqu'au retour du barman avec les deux verres ; puis il toucha délicatement du sien le verre de son ami et lui rendit le toast à son tour. Il commençait à se sentir quelque peu déçu. Le ton de Gallaher et la façon qu'il avait de s'exprimer lui déplaisaient. Il y avait un je ne sais quoi de vulgaire chez son ami qu'il n'avait point encore observé. Mais peut-être n'était-ce que le résultat de sa vie à Londres parmi le tumulte et la rivalité de la presse. Sous ses nouvelles manières tapageuses, le vieux charme si personnel subsistait encore. Et, après tout, Gallaher avait vécu, il avait vu le monde. Le petit Chandler regarda son ami avec envie.

— Tout, dans Paris, est joyeux, dit Ignatius Gallaher, ils aiment vivre et n'ont-ils pas raison ? Si tu veux vraiment jouir de la vie, il faut aller à Paris. Et crois-moi, ils ont une grande sympathie pour les Irlandais. Quand ils ont appris que j'en étais, ils m'ont fait un accueil sensationnel.

Le petit Chandler but quelques gorgées.

— Dis-moi, demanda-t-il, est-ce vrai que Paris est aussi... immoral qu'on veut bien le dire.

Ignatius Gallaher esquissa du bras droit un geste plein d'onction.

— Il y a de l'immoralité partout, dit-il, bien entendu, à Paris, on en trouve de savoureuses. Va, par exemple, à un bal d'étudiants. On y rigole un peu, quand les cocottes commencent à se déchaîner. Tu sais ce que c'est, je suppose ?

— J'en ai entendu parler, dit le petit Chandler.

Ignatius Gallaher avala son whisky et secoua la tête.

— Ah ! soupira-t-il, on peut dire ce que l'on veut, mais il n'y a que la Parisienne pour l'entrain, pour le chic !

— Alors, c'est une ville immorale, insista le petit Chandler timidement, je veux dire comparée à Londres ? à Dublin ?

— Londres ! dit Ignatius Gallaher. C'est blanc bonnet, bonnet blanc. Demande à Hogan, je lui en ai fait voir quelques bons coins lorsque j'y étais ! Il te renseignera.. Dis donc, Tommy, ne traite pas ce vieux whisky comme un simple punch. Vide ton verre.

— Non, impossible...

— Allons donc, encore un verre ne te fera pas de mal. Qu'est-ce que tu prends ? Le même, je pense ?...

— Bien... bon.

— François, encore un !... Veux-tu fumer, Tommy ?

Ignatius Gallaher tira son porte-cigares. Les deux amis allumèrent leurs cigares et fumèrent en silence jusqu'à ce qu'on leur apportât leur whisky.

— Veux-tu mon avis ? dit Ignatius Gallaher, émergeant après un moment d'un épais nuage de fumée derrière lequel il s'était réfugié. C'est un drôle de monde Tu parles d'immoralité. On m'en a raconté des histoires à ce sujet. Que dis-je ? J'en ai vu, moi, de ces cas d'immoralité !...

Ignatius Gallaher, pensif, tira quelques bouffées ; puis, avec le ton calme de l'historien, il se mit à esquisser pour son ami quelques tableaux de cette corruption qui fleurissait là-bas. Il énuméra les vices de bien des capitales et semblait disposé à décerner la palme à Berlin. Il ne pouvait pas garantir certaines choses. Il ne les connaissait que par ouï-dire, mais pour d'autres, il en avait fait l'expérience personnelle. Il n'épargnait ni rang, ni caste. Il révéla le secret de bien des communautés religieuses sur le continent et décrivit quelques-unes des pratiques auxquelles se livrait couramment la haute société ; il finit par raconter en détail l'histoire d'une duchesse anglaise, histoire qu'il savait vraie. Le petit Chandler n'en croyait pas ses oreilles.

— Eh bien, dit Ignatius Gallaher, nous voici de nouveau dans ce bon vieux Dublin où on ne connaît pas un traître mot de ces choses.

— Comme tu dois le trouver monotone après tous les autres endroits que tu as connus !

— Mon Dieu, dit Ignatius Gallaher, c'est un repos de venir ici, tu sais. Et après tout, c'est le pays, comme on dit. On ne peut pas s'empêcher d'avoir un certain faible pour lui. C'est la nature humaine... Mais parlons de toi... Hogan me disait que tu as... goûté aux joies conjugales. Depuis deux ans, n'est-ce pas ?

Le petit Chandler rougit et sourit.

— Oui, dit-il, je me suis marié, il y a eu un an au mois de mai.

— J'espère qu'il n'est pas trop tard pour t'apporter mes meilleurs vœux, dit Ignatius Gallaher, je ne connaissais pas ton adresse ou je l'aurais déjà fait.

Il tendit sa main que le petit Chandler serra dans la sienne.

— Eh bien, Tommy, dit-il, je souhaite à toi et aux tiens toutes les joies de ce monde, mon vieux, de l'argent à la pelle et puissiez-vous ne jamais mourir jusqu'au jour où je vous tuerai ; voilà le souhait d'un sincère, d'un vieil ami. Tu le sais, n'est-ce pas ?

— Je le sais, dit le petit Chandler.

— Des gosses ? dit Ignatius Gallaher.

Le petit Chandler rougit de nouveau.

— Nous avons un enfant, dit-il.

— Garçon ou fille ?

— Un petit garçon.

Ignatius Gallaher lui allongea une vigoureuse bourrade :

— Bravo, dit-il, je ne doute pas de toi, Tommy.

Le petit Chandler sourit, regarda avec confusion son verre et mordit sa lèvre inférieure avec trois de ses blanches dents d'enfant.

— J'espère que tu passeras une soirée avec nous, dit-il, avant ton départ. Ma femme sera enchantée de te connaître. Nous pourrons faire un peu de musique et...

— Merci mille fois, mon vieux, dit Ignatius Gallaher, je regrette de ne pas t'avoir retrouvé plus tôt, mais je dois repartir demain soir.

— Alors, ce soir peut-être !...

— Je regrette beaucoup, mon vieux. Tu comprends, je suis ici avec un autre type, un jeune garçon intelligent, ma foi, et nous avons organisé une partie de cartes pour ce soir ; si ce n'était cela...

— Oh ! dans ce cas...

— Mais qui sait ? corrigea Ignatius Gallaher, peut-être pourrai-je, l'année prochaine, faire un saut jusqu'ici, maintenant que j'ai repris contact. Ce n'est que partie remise.

— Très bien ; la prochaine fois, tu nous réserveras une de tes soirées. C'est entendu, n'est-ce pas ?

— Oui, c'est entendu, dit Ignatius Gallaher, l'année prochaine, si je viens, parole d'honneur !

— Et pour conclure le marché, dit le petit Chandler, buvons encore un verre !

Ignatius Gallaher tira de sa poche une grosse montre en or.

— Le dernier, alors, n'est-ce pas ? parce que, tu sais, j'ai un rendez-vous...

— Oh oui ! certainement, dit le petit Chandler.

— Eh bien, alors, dit Ignatius Gallaher, buvons le coup de l'étrier ; c'est un bon terme pour un petit whisky, ma parole.

Le petit Chandler commanda les boissons. La rougeur qui lui était montée au visage quelques minutes auparavant s'y étendait. Un rien le faisait rougir à tous moments, et maintenant il avait très chaud et se sentait en train. Trois petits whiskys lui étaient montés à la tête et le fort cigare de Gallaher lui avait troublé l'esprit, car c'était une personne de constitution délicate et d'habitudes de tempérance. Le fait de rencontrer Gallaher après huit ans, de se trouver avec Gallaher chez Corless, entourés de lumière et de bruit, d'écouter les histoires de Gallaher et de partager pendant quelques minutes son existence, vagabonde et triomphante, bouleversait l'équilibre de sa nature si sensible. Il ressentait de façon aiguë le contraste entre sa propre vie et celle de son ami, et cela lui paraissait injuste. Gallaher était son inférieur de naissance et d'éducation. Il était sûr de pouvoir mieux faire que son ami n'avait fait jusqu'ici ou ne ferait jamais ; de s'élever, si seulement il en avait l'occasion, à quelque chose de supérieur à ces besognes de journalisme clinquant. Qu'est-ce qui l'en empêchait ? Sa malheureuse timidité. Il désirait, de quelque façon que ce fût, affirmer sa virilité. Il comprit ce qui avait poussé Gallaher à refuser son invitation. Gallaher jouait au protecteur en l'honorant de son amitié, comme il jouait au protecteur envers l'Irlande en l'honorant de sa visite.

Le barman apporta les boissons. Le petit Chandler poussa un verre du côté de son ami et se saisit de l'autre bravement :

— Qui sait ? dit-il, tandis qu'ils levaient leurs verres ; quand tu viendras l'année prochaine, j'aurai peut-être le plaisir de souhaiter longue vie et prospérité à M. et Mme Ignatius Gallaher.

Ignatius Gallaher, sur le point de se mettre à boire, lui

lança par-dessus bord une œillade expressive. Quand il eut bu, il fit claquer ses lèvres, posa son verre et dit :

— Ne t'en fais pas, mon vieux, je veux d'abord me donner du large avant de me fourrer la tête dans le sac, si cela m'arrive jamais.

— Un jour, tu y viendras, dit le petit Chandler avec calme.

Ignatius Gallaher tourna en plein sur son ami sa cravate orange et ses yeux bleu ardoise :

— Tu crois ?

— Tu mettras la tête dans le sac, répéta, crâne, le petit Chandler, comme tout le monde, si jamais tu trouves la fille.

Il avait donné quelque poids à ses paroles et comprenait qu'il s'était trahi, mais bien que le rouge de ses joues se fût accusé, il ne broncha pas sous le regard de son ami. Ignatius Gallaher l'observa quelques instants, puis dit :

— Si jamais cela m'arrive, tu peux parier ton dernier rond que cela se passera sans roucoulements au clair de lune. J'entends faire un mariage d'argent. Elle aura un compte en banque ou elle ne fera pas le mien.

Le petit Chandler secoua la tête.

— Mais, sapristi, dit Ignatius Gallaher avec véhémence, sais-tu que je n'ai qu'à parler ? et, demain, j'aurai la femme et l'argent. Tu ne le crois pas ? Eh bien, moi, je le sais. Il y a des centaines, que dis-je ? des milliers de riches Allemandes et des juives pourries d'argent qui ne seraient que trop heureuses... Attends un peu, mon garçon, tu verras si je ne joue pas bien mes cartes. Quand je m'occupe d'une chose, j'agis en homme d'affaires, je te dis. Attends un peu.

Il porta son verre à ses lèvres, le vida d'un trait et rit aux éclats. Puis il regarda pensivement devant lui et dit d'un ton plus calme :

— Mais je ne suis pas pressé. Qu'elles attendent ! Je ne me vois pas lié à une seule femme, tu sais.

Il imita avec sa bouche l'action de goûter et fit la grimace.

— Cela doit finir par être un peu rassis, je pense, dit-il.

Le petit Chandler était assis dans une chambre attenant au vestibule et tenait un enfant dans les bras. Par mesure d'économie, ils n'avaient pas de domestique ; mais Monique, la jeune sœur d'Annie, venait une ou deux heures matin et soir donner un coup de main. Mais il y avait longtemps que Monique était partie. Il était neuf heures moins le quart. Le petit Chandler était rentré tard pour le thé et, de plus, il avait oublié d'apporter à Annie le paquet de café de chez Bewley. Bien entendu, elle était de mauvaise humeur et lui répliquait sèchement. Elle déclara qu'elle se passerait de thé, mais quand approcha l'heure de la fermeture de la boutique du coin, elle décida qu'elle irait elle-même chercher un quart de livre de thé et deux livres de sucre. Habilement, elle lui posa dans les bras l'enfant endormi et dit : « Tiens. Ne le réveille pas. »

Une petite lampe sous un abat-jour de porcelaine blanche était sur la table et éclairait en plein une photographie dans un cadre de corne tournée. C'était le portrait d'Annie. Le petit Chandler le regarda, s'attardant devant les lèvres minces et serrées. Elle portait une blouse d'été bleu pâle qu'il lui avait offerte en revenant à la maison un samedi. Cela lui avait coûté dix shillings et onze pence, mais par quelle agonie d'appréhension il avait passé ! Comme il avait souffert ce jour-là, attendant devant la porte du magasin jusqu'à ce que celui-ci fût vide, se tenant debout devant le comptoir et s'efforçant de paraître à son aise tandis que la vendeuse empilait des corsages devant lui ; payant à la caisse et oubliant de reprendre l'unique sou de monnaie, rappelé par le caissier et finalement s'efforçant de dissimuler ses joues en feu, comme il quittait le magasin, en examinant le paquet pour vérifier s'il avait été bien ficelé ! Quand il lui apporta le corsage, Annie l'embrassa et lui dit qu'elle le trouvait très joli et à la mode, mais lorsqu'elle en sut le prix, elle le jeta sur la table et déclara que c'était une véritable escroquerie que de lui demander dix shillings et onze pence pour un article pareil. Tout d'abord elle voulut le rapporter, mais lorsqu'elle l'eut essayé, elle fut enchantée, surtout de la façon des manches, et elle embrassa le petit Chandler, disant qu'il avait été bien bon de penser à elle.

Hum !...

Il regarda avec froideur les yeux du portrait qui lui répondirent avec la même froideur. Certes, ils étaient jolis et le visage lui-même était joli. Mais il lui trouvait quelque chose de mesquin. Pourquoi avait-il l'air aussi indifférent, aussi distingué ? Le calme des yeux l'irritait. Ceux-ci le repoussaient, le défiaient, ils ne recelaient aucune passion, aucune envolée. Il songea à ce que Gallaher lui avait dit des juives riches. Ces sombres yeux d'Orient, pensait-il, sont pleins de passion, de désirs, de voluptés ! Pourquoi avait-il épousé les yeux du portrait ?

Il se ressaisit et jeta un coup d'œil inquiet autour de la chambre. Il trouvait quelque chose de mesquin au gracieux mobilier qu'il avait acheté à crédit pour sa maison. Annie elle-même l'avait choisi : il la lui rappelait. C'était trop pimpant, trop joli. Une morne exaspération s'éveillait en lui contre sa propre existence. Pourrait-il jamais s'enfuir de la petite maison ? Etait-il trop tard pour qu'il pût tenter de vivre courageusement comme Gallaher. Pouvait-il aller à Londres ? Le mobilier était encore à payer. Si seulement il pouvait écrire un livre et le faire publier, cela pourrait peut-être lui ouvrir une voie.

Sur la table, devant lui, traînait un volume de poèmes de Byron. Il l'ouvrit avec précaution de la main gauche pour ne pas réveiller l'enfant et se mit à lire le premier poème :

> Hushed are the winds and still the evening gloom,
> Not e'en a zephyr wanders through the grove,
> Whilst I return to view my Margaret's tomb,
> And scatter flowers on the dust I love (1).

(1) Les vents sont apaisés, le crépuscule est calme,
    Pas même un zéphyr n'erre à travers les buissons,
    Tandis que je retourne pour voir la tombe de ma Marguerite,
    Pour répandre des fleurs sur cette poussière que j'aime !

Il s'arrêta. Il sentit comme le rythme des vers épars dans la chambre. Quelle mélancolie ! Pourrait-il, lui aussi, écrire comme cela, exprimer en vers la mélancolie de son âme ? Il y avait tant de choses qu'il aurait voulu écrire. Par exemple les sensations qu'il avait éprouvées quelques heures plus tôt sur Crattan Bridge ! S'il pouvait revenir à cet état d'esprit !...

L'enfant s'éveilla et se mit à pleurer. Le petit Chandler lâcha la page et tenta de le calmer, mais l'enfant refusait de se laisser faire. Il commença par le bercer dans ses bras ; les gémissements ne s'en firent que plus aigus. Il le berça plus vite tandis que ses yeux continuaient à lire la seconde strophe :

> Within this narrow cell reclins her clay,
> That clay where once (1)...

C'était inutile ! Il ne pouvait pas lire. Il ne pouvait rien faire. Les cris de l'enfant lui perçaient le tympan. C'était inutile ! inutile ! Il était prisonnier pour la vie. Ses bras tremblaient de colère et tout à coup, se penchant sur le visage de l'enfant, il lui cria : « Tais-toi ! »

L'enfant se tut un instant, eut un spasme d'effroi et se prit à hurler. Le petit Chandler sauta de sa chaise et parcourut vivement la chambre de long en large, l'enfant dans les bras. Celui-ci commença à sangloter pitoyablement, perdant haleine pendant quatre ou cinq secondes puis éclatant de nouveau. Les minces cloisons de la chambre renvoyaient le son. Le petit Chandler essaya de le calmer, mais les sanglots se firent de plus en plus convulsifs. Il considéra la figure contractée et frémissante de l'enfant et commença à s'alarmer. Il compta sept sanglots sans un arrêt entre eux, et pris de peur il serra l'enfant contre sa poitrine. S'il allait mourir !...

(1) Dans ce caveau étroit repose sa forme,
  Cette forme où jadis...

108

Brusquement, la porte s'ouvrit et une jeune femme se précipita dans la pièce, haletante :

— Qu'est-ce qu'il y a ? Qu'est-ce qu'il y a ? cria-t-elle.

A la voix de sa mère, les sanglots de l'enfant atteignirent leur paroxysme :

— Ce n'est rien, Annie... ce n'est rien... Il s'est mis à pleurer...

Elle jeta ses paquets à terre, lui arracha l'enfant des bras :

— Qu'est-ce que tu lui as fait ? s'écria-t-elle, le dévisageant, le regard enflammé.

Le petit Chandler soutint un instant l'éclat de ses yeux et son cœur se serra à la vue de la haine qu'ils exprimaient. Il balbutia :

— Ce n'est rien... il... il s'est mis à pleurer... je ne pouvais pas... je n'ai rien fait... Quoi ?

Mais elle n'écoutait pas, elle marchait par la chambre, serrant étroitement l'enfant dans ses bras et murmurant :

— Mon petit ! Mon petit homme ! Il a eu peur, le chéri... là, là, mon amour... là... Lambabaum ! L'agneau de sa maman... Là, là !

Le petit Chandler sentit ses joues s'empourprer de honte et se retira hors du cercle lumineux de la lampe. Il écouta les sanglots de l'enfant diminuer peu à peu et des larmes de remords lui montèrent aux yeux.

CORRESPONDANCES

La sonnerie résonna furieusement, et, quand Miss Parker prit le récepteur, une voix irritée cria avec un fort accent du nord de l'Irlande :

— Envoyez-moi Farrington !

Miss Parker retourna à sa machine à écrire, disant à un homme qui écrivait devant un pupitre :

— M. Alleyne vous demande là-haut.

L'homme marmotta un « Que le diable l'emporte ! » et repoussa sa chaise pour se lever. Debout, il était haut de taille et de forte carrure. Il avait la figure flasque, couleur lie de vin, les sourcils blonds comme la moustache. Il avait les yeux un peu à fleur de tête et le blanc de l'œil sale. Il souleva le comptoir et, passant devant les clients, sortit du bureau d'un pas pesant.

Il gravit pesamment l'escalier jusqu'au deuxième palier où se trouvait une porte sur laquelle une plaque de métal portait l'inscription : *M. Alleyne*. Là il s'arrêta, haletant de fatigue et d'énervement, et frappa. La voix perçante cria :

— Entrez !

L'homme pénétra dans le bureau de M. Alleyne. Au même moment, M. Alleyne, un petit homme qui portait des verres cerclés d'or sur un visage glabre, darda la tête de dessus une pile de documents. La tête elle-même était si rose et si chauve qu'on aurait dit un gros œuf posé sur les papiers. M. Alleyne ne perdit pas un instant.

— Farrington ? Que veut dire ceci ? Pourquoi ai-je toujours à me plaindre de vous ? Puis-je vous demander pourquoi vous n'avez pas préparé une copie du contrat Bodley-Kirwan ? Je vous avais dit qu'il devait être prêt pour quatre heures.

— Mais M. Shelley m'a dit, monsieur...

— M. Shelley m'a dit, monsieur... Ayez la bonté de prendre note de ce que je vous dis et non pas de ce que dit M. Shelley. Vous avez toujours une raison ou une autre pour couper au travail. Permettez-moi de vous dire que si le contrat n'est pas copié avant ce soir, j'exposerai l'affaire à M. Crosbie... Vous m'entendez maintenant ?

— Oui, monsieur.

— Vous m'entendez maintenant ?... Ah ! encore une autre petite question ! Je pourrais aussi bien parler aux murs qu'à vous. Comprenez une fois pour toutes que vous avez une demi-heure pour votre déjeuner et non pas une heure et demie. Combien de plats vous faut-il ? j'aimerais bien le savoir... Vous m'entendez, hein !

— Oui, monsieur.

M. Alleyne courba de nouveau la tête sur sa pile de papiers. L'homme regardait fixement le crâne poli qui dirigeait les affaires Crosbie et Alleyne, jaugeant sa fragilité. Un spasme de rage le saisit à la gorge pendant quelques moments, puis disparut, lui laissant une âpre sensation de soif. L'homme reconnut la sensation et sentit qu'il lui fallait une nuit de solide ribote. La première moitié du mois était passée, et s'il pouvait avoir terminé sa copie à temps, M. Alleyne lui donnerait peut-être un bon payable à la caisse. Il demeurait immobile, considérant fixement la tête sur la pile de papier. Tout à coup, M. Alleyne se mit à bouleverser tous les papiers à la recherche de quelque chose. Puis, comme si jusque-là il avait ignoré la présence de l'homme, il dressa de nouveau la tête en disant :

— Eh bien ? allez-vous rester ici toute la journée ? Ma parole, Farrington, vous en prenez à votre aise.

— J'attendais pour voir...

— Parfait, vous n'avez pas besoin de voir. Descendez et faites votre ouvrage.

L'homme se dirigea pesamment vers la porte et, tandis qu'il sortait de la pièce, il entendit M. Alleyne lui crier que si le contrat n'était pas prêt pour le soir, M. Crosbie serait instruit de l'affaire.

Il retourna à son pupitre dans le bureau au-dessous, et compta les feuilles qui lui restaient à copier. Il prit sa plume et la trempa dans l'encrier ; mais il continuait à fixer stupidement les derniers mots qu'il avait écrits : *En aucun cas, ledit Bernard Bodley ne sera...* Le soir tombait et dans quelques minutes on allumerait le gaz ; il pourrait alors écrire. Il sentit qu'il lui fallait étancher cette soif qui lui brûlait le gosier. Il se leva de son pupitre et, soulevant le comptoir comme auparavant, sortit du bureau. Comme il s'en allait, le chef du bureau lui jeta un regard interrogateur.

— Ça va, monsieur Shelley, dit l'homme, désignant le but de son expédition.

Le chef de bureau jeta un coup d'œil sur le porte-chapeaux, mais la rangée étant au complet, il s'abstint de commentaires. Sitôt qu'il fut sur le palier, l'homme tira de sa poche un béret de berger en laine, se le mit sur la tête et descendit rapidement l'escalier branlant. Ayant franchi la porte d'entrée, il s'avança furtivement, rasant le mur, jusqu'au tournant où tout à coup il fonça sous une porte cochère. Il était maintenant à l'abri dans le cabinet particulier de la sombre boutique d'O'Neill et occupant de son visage enflammé, couleur de vin ou de viande, la petite fenêtre qui donnait dans le bar, il cria :

— Ici, Pat, servez-moi un verre de bière, mon brave ?

Le garçon le lui apporta. Il l'avala d'un trait et demanda un kummel. Il posa sa monnaie sur le comptoir et laissant l'employé tâtonner dans le noir pour la retrouver, il se retira de la boutique aussi furtivement qu'il y était venu.

L'obscurité accompagnée d'un épais brouillard prenait possession de ce crépuscule de février et les réverbères dans Eustache Street avaient été allumés. L'homme longea les maisons jusqu'à la porte du bureau, se demandant s'il pourrait finir sa copie à temps. Sur l'escalier, un parfum moite et pénétrant lui piqua les narines : évidemment Miss Delacour était venue tandis qu'il était chez O'Neill. Il fourra son béret dans sa poche, rentra dans le bureau, affectant un air détaché.

— M. Alleyne vous a fait appeler, dit le chef de bureau sévèrement, où étiez-vous ?

L'homme jeta un coup d'œil sur les deux clients qui se tenaient devant le comptoir comme pour signifier que leur présence l'empêchait de répondre. Comme les clients étaient tous deux des hommes, le chef de bureau se permit de ricaner :

— Je connais le truc, dit-il, cinq fois dans une journée c'est un peu… Eh bien, vous ferez mieux de vous remuer et d'apporter à M. Alleyne une copie de notre correspondance dans l'affaire Delacour.

Cette apostrophe en présence du public, sa course dans l'escalier et la bière qu'il avait avalée si vite, lui avaient brouillé les idées et en s'asseyant devant son pupitre pour chercher ce qu'on lui réclamait, il se rendit compte qu'il était inutile d'essayer de terminer l'exemplaire de son contrat pour cinq heures et demie. La nuit humide et sombre approchait et l'envie le prenait de la passer dans les brasseries à boire avec ses camarades, à la lueur du gaz et parmi l'entrechoquement des verres. Il s'empara de la correspondance Delacour et quitta le bureau. Il espérait que M. Alleyne ne s'apercevrait pas que les deux dernières lettres manquaient.

Le parfum moite et pénétrant traînait tout le long du chemin jusqu'au bureau de M. Alleyne. Miss Delacour était une femme entre deux âges, d'apparence juive. On disait que M. Alleyne lui faisait les yeux doux, à elle ou à son argent. Elle venait souvent à l'étude et y restait longtemps. Elle était assise en ce moment près du bureau de M. Alleyne, dans un arôme de parfums, caressant le manche de son parapluie et agitant la grande plume noire de son chapeau. M. Alleyne avait fait pivoter sa chaise pour la dévisager et croisé prestement son pied droit par-dessus son genou gauche. L'homme posa la correspondance sur le bureau et salua respectueusement. Mais ni M. Alleyne ni Miss Delacour ne firent la moindre attention à son salut. M. Alleyne tapota la correspondance d'un doigt, puis le pointa vers Farrington comme pour dire : *Ça va bien, vous pouvez vous retirer.*

L'homme retourna au bureau en dessous et se rassit devant son pupitre. Il fixa intensément la phrase inachevée : « In no case shall the said Bernard Bodley be (1)... », et pensa combien il était étrange que les trois mots commençassent par les mêmes initiales. Le chef de bureau se mit à bousculer Miss Parker, disant que les lettres ne seraient jamais tapées à temps pour le courrier. L'homme écouta le cliquetis de la machine pendant quelques minutes, puis se mit en devoir de terminer sa copie. Mais ses idées se brouillaient et sa pensée vagabondait vers l'éclat et le vacarme de la brasserie. C'était une nuit à s'appuyer des punchs chauds. Il continua à se débattre avec sa copie et quand la pendule sonna cinq heures, il avait encore quatorze pages à écrire. Malédiction ! il ne finirait jamais à temps. Il aurait voulu blasphémer, abattre son poing violemment sur quelque chose. Il était à ce point exaspéré qu'il écrivit Bernard Bernard, à la place de Bernard Bodley, et dut recommencer sur une feuille propre.

Il se sentait de force à faire place nette dans le bureau entier en un tour de main. Son corps le brûlait du désir de faire quelque chose, de se précipiter au-dehors, de se dépenser en violences. Les affronts qu'il avait subis depuis qu'il était au monde l'exaspéraient... Pouvait-il demander confidentiellement au caissier de lui faire une avance ? Mais rien à faire avec le caissier. Non, fichtre, rien à faire... Il savait où retrouver les camarades : Léonard et O'Halloran et Nosey Flynn. Le baromètre de sa nature émotive marquait : tempête.

Son imagination l'occupait à ce point qu'on dut l'appeler par deux fois avant qu'il ne répondît. M. Alleyne et

(1) « En aucun cas, ledit Bernard Bodley ne sera... »

Miss Delacour se tenaient en dehors du comptoir et tous les employés s'étaient retournés dans l'attente de quelque chose ! L'homme se leva. M. Alleyne entama un chapelet d'invectives, disant qu'il manquait deux lettres. L'homme répondit qu'il n'était pas au courant de la chose, qu'il avait exécuté fidèlement sa copie. Le chapelet se déroulait si amer, si violent, que l'homme eut peine à se tenir d'abattre le poing sur la tête du nabot qui était devant lui.

— Je ne sais rien au sujet de ces deux lettres, dit-il bêtement.

— Vous ne savez rien ? Bien entendu, vous ne savez rien, dit M. Alleyne. Dites-moi, poursuivit-il, guettant d'abord un regard approbateur de la dame à côté de lui. Me prenez-vous pour un imbécile ? Pour un imbécile ?

L'homme dirigea son regard du visage de la dame à la petite tête en forme d'œuf, puis retourna à son premier objectif ; et presque avant qu'il en eût pris conscience, il saisit l'instant propice.

— Je ne crois pas, monsieur, dit-il, que ce soit là une question à me poser à moi.

Il y eut une pause jusque dans la respiration des employés. Tous étaient stupéfaits (l'auteur de cette saillie non moins que ses voisins) et Miss Delacour, qui était une forte et aimable personne, esquissa un large sourire. M. Alleyne devint rose, comme une églantine et sa bouche se contracta d'une colère de gnome. Il secoua son poing à la face de l'homme jusqu'à le faire vibrer comme le bouton de quelque machine électrique :

— Grossier scélérat, grossier scélérat ! vous n'y couperez pas, attendez, vous allez voir ! Vous allez me faire vos excuses pour votre impertinence ou vous quitterez le bureau illico ! Vous sortirez d'ici, je vous dis, ou vous me ferez vos excuses !

. . . .

L'homme se tenait dans l'embrasure d'une porte d'entrée en face celle du bureau, guettant le caissier pour le cas où celui-ci sortirait seul. Tous les employés défilèrent.

Finalement, le caissier surgit avec le chef de bureau. Il était inutile de lui parler lorsqu'il était avec le chef de bureau. L'homme sentait le précaire de sa situation. Il avait été forcé de présenter d'abjectes excuses à M. Alleyne pour son impertinence ; mais il savait quel guêpier le bureau serait pour lui maintenant. Il se souvenait de la façon dont M. Alleyne avait chassé le petit Peake du bureau pour faire une place à son propre neveu. Il se sentait farouche, altéré, vindicatif, irrité contre lui-même et contre tous. Jamais M. Alleyne ne lui laisserait une heure de répit ; sa vie serait un enfer. Il s'était rendu ridicule cette fois. Ne pouvait-il tenir sa langue ? Dès le début, il ne s'était jamais entendu avec M. Alleyne, depuis le jour où M. Alleyne l'avait surpris contrefaisant son accent du nord de l'Irlande pour divertir Higgins et Miss Parker. Et voilà comment cela avait commencé. Peut-être aurait-il pu tirer quelque argent de Higgins, mais Higgins n'avait jamais rien pour lui-même. Un homme qui doit faire face de deux côtés ne peut naturellement pas...

Il sentit de nouveau son grand corps souffrir tant il aspirait à la consolation de la brasserie. Le brouillard commençait à le glacer et il se demandait s'il pourrait taper Pat chez O'Neill. Il ne pourrait pas le taper de plus d'une balle et une balle ne lui servirait à rien. Pourtant il fallait trouver de l'argent d'une façon ou d'une autre ; il avait dépensé son dernier sou pour le verre de bière et bientôt il serait trop tard pour trouver de l'argent où que ce soit. Tout à coup, comme il jouait avec sa chaîne de montre, il pensa à l'usurier Terry Kelly dans Fleet Street. Le filon ! Pourquoi n'y avait-il pas songé plus tôt ?

Il traversa rapidement l'étroit passage du Temple Bar, se marmottant à lui-même que tous les autres pouvaient bien aller au diable, mais que lui allait pouvoir s'en donner toute la nuit. L'employé de Terry Kelly dit : « Une couronne », mais le consignateur tint bon pour six shillings qui finalement lui furent octroyés. Il sortit de la boutique joyeusement, faisant un petit rouleau de ses piécettes entre le pouce et l'index. Dans Westmoreland

Street, les trottoirs fourmillaient de jeunes gens, de jeunes femmes qui revenaient de leur travail, et les gamins dépenaillés couraient ci et là criant les journaux du soir. L'homme traversa la foule, considérant le spectacle de haut avec une orgueilleuse satisfaction et jetant des regards dominateurs sur les filles de bureau. Dans sa tête résonnaient la corne des tramways, le grincement des trolleys et son nez flairait déjà les volutes du punch fumant. Tandis qu'il marchait, il réfléchit aux termes qu'il allait employer pour narrer l'incident aux camarades :

— Alors je le regardai, — froidement, vous savez, puis elle. Puis je le regardai lui encore..., prenant mon temps : « Je ne trouve pas que ce soit une question à me poser à moi », que je dis.

Nosey Flynn était assis dans son coin habituel chez Davy Byrne et lorsqu'il entendit l'histoire il lui paya un demi-verre disant que c'était là la plus verte réplique qu'il eût jamais entendue. Farrington paya une autre tournée. Peu après O'Halloran et Paddy Léonard entrèrent et l'histoire leur fut répétée. O'Halloran paya des demis débordants de malt chaud et leur dit la réponse qu'il avait faite lui aussi au chef de bureau alors qu'il était chez Callan' dans Fownes Street. Mais comme cette réponse rappelait la manière des libres bergers dans les églogues, il dut convenir qu'elle n'était pas aussi habile que celle de Farrington. Sur quoi Farrington répondit aux camarades de vider leur verre et d'en faire apporter d'autres.

Au moment où ils commandaient leurs poisons respectifs, qui est-ce qui fit son entrée ? Higgins ! Naturellement Higgins dut se joindre à eux. Les hommes lui demandèrent sa version de l'histoire et il s'exécuta avec une grande alacrité, car la vue des cinq petits whiskys bouillants était fort excitante. Tout le monde éclata de rire quand il montra la façon dont M. Alleyne avait secoué son poing à la face de Farrington. Puis il contrefit Farrington disant : « Et voilà mon bonhomme aussi placide que vous l'imaginez » ; tandis que Farrington considérait la compagnie de ses yeux lourds et sales, souriant et aspirant par intervalles à l'aide de sa lèvre inférieure les quelques gouttes de liqueur suspendues à sa moustache.

Quand cette tournée fut avalée, il y eut un arrêt. O'Halloran avait de l'argent, mais aucun des deux autres ne semblait en avoir ; aussi toute la bande quitta la boutique quelque peu à regret. Au coin de Dike Street, Higgins et Nosey Flynn biaisèrent à gauche tandis que les trois autres retournèrent à la ville. Une pluie fine tombait dans les rues froides, et, quand ils atteignirent le Ballast Office, Farrington proposa le Scotch House. Le bar était plein de buveurs et retentissait du bruit des voix et des verres. Les trois hommes bousculèrent les vendeurs d'allumettes qui geignaient devant la porte et se groupèrent dans un coin du comptoir. Ils se mirent à échanger des histoires. Léonard les présenta à un jeune homme nommé Weathers, qui faisait le chanteur, le diseur, l'acrobate et un peu de tout au Tivoli. Farrington paya des boissons à tous. Weathers dit qu'il prendrait un petit whisky irlandais et de l'apollinaris. Farrington, qui avait des notions bien définies sur l'étiquette, demanda aux camarades s'ils prendraient eux aussi un apollinaris ; mais les camarades dirent à Tim qu'ils prendraient leurs whiskys chauds. La conversation roula sur le théâtre. O'Halloran paya une tournée, alors Farrington en paya une seconde, Weathers protestant que leur hospitalité était par trop irlandaise. Il leur promit de les faire passer dans les coulisses et de les présenter à quelques jolies filles. O'Halloran dit que Léonard et lui iraient, mais que Farrington n'irait pas parce que c'était un homme marié ; et Farrington lorgna la compagnie du coin de ses yeux sales et lourds pour montrer qu'il comprenait la blague. Weathers leur offrit une dégustation à ses frais et leur promit de les retrouver plus tard chez Mulligan dans Poolbeg Street.

Quand le Scotch House ferma, ils firent un tour chez Mulligan. Ils passèrent dans la salle du fond et O'Halloran commanda des grogs extra, à la ronde. Ils commençaient tous à se sentir en train. Farrington venait justement de leur offrir une autre tournée lorsque Weathers revint. Au grand soulagement de Farrington, il but cette fois-ci un verre de bitter. Les fonds baissaient ; mais ils suffisaient encore pour leur permettre d'aller de l'avant. Bientôt deux jeunes femmes coiffées de grands chapeaux et un jeune homme vêtu d'un costume à carreaux entrèrent et s'attablèrent non loin d'eux. Weathers les salua et annonça à la bande qu'ils étaient du Tivoli. Farrington dirigeait son regard à tout moment vers une des jeunes femmes. Il y avait quelque chose dans son apparence qui attirait l'œil. Une immense écharpe de mousseline bleu paon s'enroulait autour de son chapeau et se nouait en un gros nœud sous son menton ; et elle portait de beaux gants jaunes qui lui montaient au coude. Farrington considérait avec admiration le bras replet qu'elle remuait fort souvent et avec beaucoup de grâce ; et lorsque, après un peu de temps, elle répondit à son regard, il éprouva encore plus d'admiration pour ses grands yeux bruns. L'oblique fixité de leur expression le fascinait. Elle lui lança une ou deux œillades et quand le groupe quitta la salle, elle frôla la chaise de Farrington et dit : « Oh ! pardon », avec un accent londonien. Il la suivit des yeux, tandis qu'elle sortait de la pièce, dans l'espoir qu'elle se retournerait, mais il fut déçu. Il maudit sa pénurie d'argent et maudit toutes les tournées qu'il avait offertes, en particulier les whiskys et les apollinaris qu'il avait payés à Weathers. Ce qu'il haïssait par-dessus tout, c'était un pique-assiette. Il était si fort en colère qu'il perdit le fil de la conversation générale. Lorsque Paddy Léonard l'interpella, il s'aperçut que l'on parlait de prouesses athlétiques, de tours de force. Weathers exhibait ses biceps à la compagnie et se vantait tant, que les deux autres en avaient appelé à Farrington pour soutenir l'honneur national. Farrington, effectivement, releva sa manche et exhiba ses muscles à la compagnie. Les deux bras furent examinés, comparés, et il fut finalement convenu qu'ils auraient à mesurer leur force. La table fut débarrassée et les deux hommes y appuyant leur coude s'étreignirent la main. Quand Paddy Léonard dit : « Allez ! » chacun devait tâcher d'abaisser la main de l'autre sur la table. Farrington avait un air sérieux et décidé.

L'épreuve commença. Au bout de trente secondes environ, Weathers fit fléchir la main de son adversaire lentement vers la table. La figure sombre et vineuse de Farrington s'assombrit encore de colère et d'humiliation, d'avoir été vaincu par un tel blanc-bec.

— N'y mets pas le poids de ton corps, joue franc jeu, dit-il.

— Qui ne joue pas franc jeu ? dit l'autre. Recommençons à qui gagnera deux fois sur trois.

L'épreuve recommença. Les veines saillaient sur le front de Farrington et la pâleur de Weathers tourna au ponceau. Leurs mains, leurs bras tremblaient sous l'effort. Après une longue lutte, Weathers ramena de nouveau la main de son adversaire lentement vers la table. Il y eut un murmure d'applaudissements parmi les spectateurs. Le garçon qui se tenait debout près de la table hochait sa tête rousse vers le vainqueur et dit avec une familiarité imbécile :

— Ah ! voilà le filon !

— Qu'est-ce que tu en sais ? dit Farrington se tournant vers l'homme avec fureur. Ta gueule !

— Sh, sh ! dit O'Halloran observant l'expression violente du visage de Farrington. Finissons, camarade ; encore un coup et démarrons.

Un homme au visage sombre se tenait dans un coin de O'Connell Bridge attendant le petit tram de Sandymount qui le transporterait à la maison. Un besoin de vengeance et une colère sourde l'envahissaient. Il se sentait humilié et mécontent ; il ne se sentait même pas pris de vin ; et il n'avait que vingt centimes dans sa poche. Il maudissait tout. Il s'était coulé au bureau, avait mis sa montre en gage, dépensé tout son argent et n'était même pas ivre. De nouveau la soif le gagnait et il était repris du désir de retourner dans l'atmosphère étouffante et enfumée de la brasserie. Il avait perdu sa réputation d'homme fort, ayant été battu deux fois par un jeune garçon. Son cœur se gonflait de fureur et quand il songea à la femme au grand chapeau qui l'avait frôlé en demandant pardon, sa fureur faillit l'étrangler.

Son tram l'arrêta à Shelbourne Road et il pilota son grand corps à l'ombre du mur des casernes. Il détestait revenir à la maison. Lorsqu'il entra par la petite porte, il trouva la cuisine déserte et le feu presque éteint. Il hurla :

— Ada, Ada !

Sa femme était une petite personne à la figure aiguë, qui malmenait son mari lorsqu'il était sobre et que son mari malmenait lorsqu'il était soûl. Ils avaient cinq enfants. Un petit garçon descendit l'escalier en courant.

— Qui est ça ? dit l'homme fouillant l'obscurité.

— Moi, p'pa.

— Qui est-ce toi ? Charley ?

— Non, p'pa. Tom.

— Où est ta mère ?

— Elle est à l'église.

— C'est bien... A-t-elle pensé à me laisser de quoi dîner ?

— Oui, p'pa. Je...

— Allume la lampe. Comment oses-tu me laisser dans le noir ? Les autres enfants sont couchés ?

L'homme s'assit lourdement sur une des chaises, tandis que le petit garçon allumait la lampe. Il se mit à contrefaire l'accent de son fils se disant à lui-même : « A l'église. A l'église, s'il vous plaît ! » Quand la lampe fut allumée, il tapa son poing sur la table et cria :

— Qu'y a-t-il pour mon dîner ?

— Je vais... le cuire, p'pa, dit le petit garçon.

L'homme bondit de sa chaise et désigna le feu.

— Sur ce feu-là ! tu as laissé le feu s'éteindre ! Nom de Dieu, je t'apprendrai à ne pas recommencer !

Il fit un pas vers la porte et saisit la canne appuyée contre elle.

— Je t'apprendrai à laisser le feu s'éteindre, dit-il roulant la manche de sa chemise afin de mieux dégager son bras.

Le petit garçon cria : « Oh ! p'pa », et courut autour de

la table en pleurnichant, l'homme le suivit et le saisit par le pan de sa jaquette. Le petit garçon jeta des regards égarés autour de lui et ne voyant aucun moyen d'évasion tomba à genoux.

— Ah ! tu laisseras le feu s'éteindre une autre fois ! dit l'homme le frappant vigoureusement avec son bâton. Attrape ça, animal !

L'enfant poussa un cri de douleur, comme la canne lui cinglait la cuisse. Il leva ses mains jointes et sa voix trembla de frayeur.

— Oh ! p'pa ! cria-t-il, ne me bats pas ! et je dirai pour toi un *Ave*... je dirai pour toi un *Ave*, p'pa, si tu ne me bats pas... je dirai pour toi un *Ave*...

CENDRES

La surveillante lui avait accordé une soirée de sortie sitôt après le thé des femmes et Ursule se réjouissait à cette perspective. La cuisine reluisait comme un sou neuf ; au dire de la cuisinière, on aurait pu se mirer dans les grands chaudrons de cuivre. Un bon feu flambait et sur un des dressoirs étaient posées quatre grosses galettes. Ces galettes semblaient n'avoir pas été coupées, mais de près on distinguait qu'elles avaient été partagées en longues tranches égales et épaisses, prêtes à être servies pour le thé. Ursule les avait coupées elle-même.

Certes, Ursule était une petite, très petite personne ; cependant elle avait un fort long nez et un menton non moins long. Elle parlait d'une voix légèrement nasillarde, toujours d'une façon conciliante : « Oui, ma chère », ou « Non, ma chère ».

On ne manquait jamais de la faire appeler lorsque parmi les femmes s'élevait une querelle au sujet de leurs baquets et toujours elle réussissait à faire régner la paix. Un jour la surveillante lui avait dit :

— Ursule, vous êtes une vraie pacificatrice.

Et la sous-directrice et deux des dames du comité avaient entendu le compliment. Aussi Ginger Mooney disait toujours : « Qu'est-ce qu'elle prendrait la sourde-muette qui s'occupe des fers, si Ursule n'était pas là ! »

Tout le monde adorait Ursule.

Les femmes prenaient le thé à six heures et ainsi Ursule

pourrait s'échapper avant sept heures. De Ballsbridge à la Colonne, vingt minutes ; de la Colonne à Drumcondra, vingt minutes, et vingt minutes pour ses emplettes. Elle serait rendue avant huit heures. Elle sortit son porte-monnaie au fermoir d'argent et relut ces mots : « Souvenir de Belfast ». Elle aimait beaucoup ce porte-monnaie parce que Joe le lui avait rapporté d'une excursion à Belfast avec Alphy, cinq ans auparavant, un lundi de Pentecôte. Son porte-monnaie contenait deux demi-couronnes et quelques sous. Il lui resterait cinq shillings net après avoir payé le tramway. Quelle bonne soirée on allait passer, avec les enfants chantant en chœur ! Elle espérait seulement que Joe ne rentrerait pas ivre. Il était si changé quand il était pris de boisson.

Souvent il avait témoigné le désir qu'elle allât demeurer chez eux ; mais elle aurait eu peur de les gêner (bien que la femme de Joe fût infiniment gentille pour elle), de plus elle s'était faite à la vie de la blanchisserie. Joe était un bon garçon. Elle l'avait élevé ainsi qu'Alphy et Joe disait souvent :

— Certes, maman est maman, mais Ursule est ma vraie mère.

Une fois la famille dispersée, les garçons lui avaient trouvé une situation dans la blanchisserie « A la lueur des Réverbères » et elle s'y plaisait. Elle avait autrefois très mauvaise opinion des protestants, mais à présent elle trouvait que c'étaient des gens fort agréables, un peu trop tranquilles et sérieux, mais tout de même très faciles à vivre. Et puis aussi elle avait des plantes à elle dans la serre, et elle aimait à les soigner. Elle avait de belles fougères et des ciriers et chaque fois que quelqu'un venait la voir elle lui donnait une ou deux boutures de sa serre. Il y avait une chose qu'elle n'aimait pas, c'étaient les petits traités de piété que l'on semait un peu partout. Mais la surveillante était une personne avec laquelle on entretenait de si bons rapports, elle était si comme il faut.

Quand la cuisinière vint l'avertir que tout était prêt, elle entra dans la salle des femmes et se mit à tirer la grosse cloche. Après quelques minutes, les femmes commencèrent à arriver par groupes de deux ou trois, essuyant leurs mains fumantes à leurs jupons, et rabattant les manches de leurs blouses sur leurs bras rouges, fumants eux aussi. Elles s'attablèrent chacune devant un énorme gobelet, que la cuisinière et la servante remplirent d'un thé chaud mélangé d'avance de lait et de sucre dans d'énormes brocs d'étain. Ursule dirigeait la répartition des galettes et veillait à ce que chaque femme eût ses quatre tranches. On rit et on plaisanta beaucoup pendant le repas. Lizzie Fleming dit qu'Ursule aurait sûrement la bague, et, bien que Fleming eût dit cela depuis bien des veilles de la Toussaint, Ursule fut forcée de rire et de dire qu'elle ne voulait ni bague, ni mari ; lorsqu'elle riait, dans ses yeux gris vert brillait une timidité déçue et le bout de son nez touchait presque le bout de son menton. Puis, Ginger Mooney, tandis que toutes les autres femmes faisaient claquer leurs pots sur la table, leva son pot de thé et proposa de boire à la santé d'Ursule, disant qu'elle regrettait de ne pas pouvoir trinquer avec une goutte de bière. Et Ursule se tordit de rire presque jusqu'à faire toucher le bout du nez et le bout du menton et presque jusqu'à rompre son corps menu en deux ; car elle savait que Mooney était pleine de bonnes intentions, quoique, bien sûr, ce n'était qu'une femme ordinaire. Mais quelle ne fut pas la joie d'Ursule lorsque, le goûter fini, la cuisinière et la souillon se mirent à desservir !

Elle entra dans la petite chambre à coucher et, se rappelant que le lendemain était un matin de messe, elle ramena l'aiguille de son réveil de 7 à 6. Puis elle ôta son sarrau et ses chaussons, étala sa plus jolie jupe sur son lit, au pied duquel elle déposa ses minuscules bottines de gala. Elle changea aussi de blouse, et, se tenant devant son miroir, elle songea à la façon dont elle s'habillait pour la messe le dimanche, alors qu'elle était jeune. Elle contempla avec une affection amusante ce corps en miniature qu'elle avait si souvent paré. Malgré les années c'était encore, selon elle, un gentil petit corps de femme, bien soigné.

Quand elle fut dehors, les rues ruisselaient de pluie et

elle se réjouit d'avoir pris son vieil imperméable marron. Le tram était bondé et elle dut s'asseoir sur la petite banquette à l'extrémité de la voiture, face à tout le monde, la pointe de ses pieds frôlant le sol. Elle combina tout ce qu'elle comptait faire et songea combien il était préférable d'être indépendante et d'avoir en poche de l'argent à soi. Elle espérait qu'on passerait une bonne soirée. Elle en était sûre, mais elle ne pouvait s'empêcher de regretter qu'Alphy et Joe ne se parlassent plus. Ils étaient toujours brouillés maintenant ; mais lorsqu'ils étaient enfants, c'était la meilleure paire d'amis ; ainsi va la vie.

Elle descendit de son tram à la Colonne et se fraya rapidement un passage à travers la foule. Elle entra chez Downes le pâtissier, mais il y avait tant de monde qu'elle dut attendre longtemps son tour. Elle acheta une douzaine de gâteaux assortis et quitta le magasin chargée d'un sac volumineux. Puis elle se demanda ce qu'elle pouvait bien acheter encore. Elle désirait acheter quelque chose de vraiment bon. Ils étaient sûrs d'avoir des pommes et des noix en quantité. C'était difficile de savoir quoi acheter : il ne lui venait à l'idée que des gâteaux. Elle se décida pour du plum-cake, mais chez Downes le plum-cake n'était pas recouvert d'un glacé d'amandes suffisant, aussi gagna-t-elle un magasin dans Henry Street. Là, elle mit du temps à trouver ce qu'il lui fallait et la jeune dame si élégante qui servait au comptoir et qui manifestait une légère impatience lui demanda si c'était un gâteau de noces qu'elle désirait acheter. Ursule rougit et sourit à la jeune dame, mais celle-ci prenait tout cela très au sérieux et finalement lui coupa une grosse tranche de plum-cake, en fit un paquet et dit :

— Deux shillings quatre pence, s'il vous plaît.

Elle crut qu'elle aurait à rester debout dans le tram de Drumcondra, parce que aucun des jeunes gens ne semblait remarquer sa présence, mais un monsieur d'un certain âge lui fit de la place. C'était un gros monsieur qui portait un chapeau melon brun ; il avait la figure carrée et rouge et une moustache grisonnante. Ursule trouvait que ce monsieur avait l'air d'un colonel et elle se dit qu'il était bien plus poli que ces deux jeunes gens qui se bornaient à regarder droit devant eux.

Le monsieur se mit à bavarder avec elle de la veille de la Toussaint et du temps pluvieux. Il soupçonna le sac d'être plein de bonnes choses pour les petits et déclara que c'était de toute justice que les gosses s'amusassent tant qu'ils étaient gosses. Ursule l'approuva et le gratifia de hochements de tête et de « hum... » timorés. Il était très gentil avec elle et lorsqu'elle arriva au point du canal, elle le remercia, en s'inclinant, et lui, lui rendit son salut, souleva son chapeau et sourit aimablement ; et tout en parcourant la terrasse, courbant sa tête minuscule sous la pluie, elle réfléchit qu'il était facile de reconnaître un gentleman même s'il a bu un coup.

Tout le monde dit : « Oh ! voilà Ursule ! » lorsqu'elle arriva chez Joe. Joe était là, rentré des affaires et tous les enfants avaient revêtu leurs habits du dimanche. Il y avait les deux grandes filles du voisin et les jeux allaient leur train. Ursule passa le sac de gâteaux à Alphy, le fils aîné, pour qu'il les distribuât et Mrs. Donnelly dit qu'Ursule était vraiment trop bonne d'apporter un aussi gros sac de gâteaux et fit dire « Merci Ursule » à tous les enfants.

Mais Ursule dit qu'elle avait apporté quelque chose de spécial pour papa et maman, quelque chose qu'ils aimeraient sûrement et elle se mit à la recherche de son plumcake. Elle inspecta le sac de Downes, puis les poches de son imperméable, puis l'entrée, mais sans résultat. Alors elle demanda aux enfants si l'un d'eux ne l'aurait pas mangé, par erreur bien sûr, mais les enfants répondirent tous que non et préférèrent avoir l'air de ne pas aimer les gâteaux si on devait les accuser de voler. Chacun donna sa solution du mystère et Mrs. Donnelly déclara que, de toute évidence Ursule avait dû le laisser dans le tram. Ursule se rappelant combien le monsieur à la moustache grisonnante l'avait émue rougit de honte, de dépit et de déception. A la pensée de l'échec de sa petite surprise et des deux shillings quatre pence, gaspillés, elle faillit se mettre à pleurer.

Mais Joe dit que cela n'avait aucune importance et la fit asseoir près du feu. Il fut plein d'attention pour elle. Il lui raconta tout ce qui se passait dans son bureau et lui rapporta une verte réplique qu'il avait faite au directeur. Ursule ne comprenait pas pourquoi Joe riait tant de sa repartie, mais elle dit que le directeur devait être une personne difficile à supporter. Joe répondit qu'il n'était pas si mal quand on savait le prendre, qu'il était assez convenable tant qu'on ne le maniait pas à rebrousse-poil. Mrs. Donnelly joua du piano pour les enfants et ceux-ci dansèrent et chantèrent. Puis les deux filles du voisin firent passer les noix à la ronde. Personne ne trouvait le casse-noix et Joe sur le point de se fâcher demanda si on s'attendait à ce qu'Ursule cassât les noix. A quoi Ursule répondit qu'elle n'aimait pas les noix et qu'il ne fallait pas se tourmenter pour elle. Alors Joe lui proposa une bouteille de stout, et Mrs. Donnelly dit qu'il y avait aussi du porto dans la maison si elle le préférait, mais Ursule dit qu'elle préférait qu'on ne lui offrît rien. Joe insista.

Alors Ursule le laissa faire et ils s'assirent devant le feu, parlant du bon vieux temps, et Ursule se dit qu'elle glisserait un mot en faveur d'Alphy. Mais Joe cria que Dieu pouvait bien le faire tomber raide mort si jamais il lui arrivait d'adresser la parole à son frère et Ursule dit qu'elle regrettait d'avoir parlé de cette affaire. Mrs. Donnelly dit à son mari que c'était grande honte pour lui de parler ainsi de quelqu'un qui était de sa chair et de son sang. A quoi Joe répondit qu'Alphy n'était pas un frère pour lui ; une scène faillit en résulter. Mais Joe déclara que ce n'était pas par une nuit comme celle-ci qu'il allait se mettre en colère et pria sa femme de déboucher encore une bouteille de stout. Les deux filles du voisin avaient organisé des jeux appropriés à une veille de la Toussaint et la gaieté ne tarda pas à régner de nouveau. Ursule était enchantée de voir les enfants si joyeux et Joe et sa femme de si bonne humeur. Les filles du voisin posèrent des soucoupes sur la table où elles conduisirent les enfants les yeux bandés. L'un d'eux eut le livre de prières et les trois autres l'eau ; et lorsqu'une des filles du voisin eut la bague, Mrs. Donnelly menaça du doigt la jeune fille rougissante, comme pour dire : « Oh ! je sais bien ce qui en est ! » Ils insistèrent alors pour qu'Ursule se laissât bander les yeux et conduire à la table voir ce qu'elle obtiendrait, et, tandis qu'on lui mettait le bandeau, Ursule riait, riait presque à faire toucher le bout de son nez et le bout de son menton.

On la conduisit à la table au milieu des rires et des plaisanteries et elle étendit la main dans le vide comme on lui disait de le faire. Elle la remua, de-ci de-là, et l'abaissant sur une des soucoupes, sentit sous ses doigts une substance sèche et poussiéreuse et s'étonna que personne ne parlât ni ne lui ôtât le bandeau. Il y eut un silence de quelques secondes, puis un grand remue-ménage, des chuchotements. Quelqu'un parla du jardin et finalement Mrs. Donnelly, d'une voix courroucée, dit quelque chose à une des filles du voisin et lui enjoignit d'aller vider la soucoupe sur-le-champ, que ce n'était pas du jeu ; Ursule comprit que cela ne comptait pas, qu'il fallait recommencer et cette fois-ci elle eut le livre de prières.

Après ça, Mrs. Donnelly joua pour les enfants la mazurka de Miss Mc Cloud et Joe fit boire un verre de vin à Ursule. Bientôt tout le monde fut rasséréné et Mrs. Donnelly déclara qu'Ursule allait entrer au couvent avant l'année accomplie, parce qu'elle avait eu le livre de prières. Ursule n'avait jamais vu Joe aussi prévenant pour elle que ce soir-là, aussi fertile en propos aimables et en souvenirs. Elle leur dit qu'ils étaient tous bien bons pour elle.

A la fin, les enfants donnèrent des signes de lassitude et de sommeil et Joe demanda à Ursule si elle voulait bien leur chanter une petite chanson, une des vieilles chansons, avant de partir. Mrs. Donnelly dit : « Je vous en prie, Ursule ! » Force fut donc à Ursule de se lever et de se placer près du piano. Mrs. Donnelly ordonna aux enfants de se tenir tranquilles et d'écouter la chanson d'Ursule. Puis elle joua le prélude et dit : « Commencez, Ursule. » Et Ursule, rougissant beaucoup, se mit à

129

chanter d'une voix fluette et chevrotante. Elle chanta :
J'ai rêvé d'une demeure.

Et quand elle en fut au deuxième couplet, elle reprit :

> I dreamt that I dwelt in marble halls
> With vassals and serfs at my side
> And of all who assembled within those walls
> That I was the hope and the pride.

*

> I had riches too great to count, could boast
> Of a high ancestral name,
> But I also dreamt, which pleased me most,
> That you loved me still the same (1).

Mais personne ne lui fit remarquer son erreur et, lorsqu'elle eut terminé, Joe parut très remué. Il dit que rien ne valait les jours d'antan et que pour lui aucune musique ne valait celle du pauvre vieux Balfe, quoi qu'on pût dire, et ses yeux se gonflèrent de larmes au point qu'il ne put trouver ce qu'il cherchait et que finalement il dut prier sa femme de lui dire où était le tire-bouchon.

(1) J'ai rêvé d'une demeure de marbre,
De vassaux, de serfs à mes côtés.
Et que de tous ceux assemblés en ces murailles
J'étais l'espoir, j'étais l'orgueil.

J'avais des richesses incalculables,
Je pouvais me réclamer d'une haute et noble lignée,
Mais j'ai aussi rêvé, ce qui me charma plus que tout,
Que votre amour n'avait pas changé.

PÉNIBLE INCIDENT

M. JAMES DUFFY habitait Chapelizod, parce qu'il désirait demeurer le plus loin possible de la ville dont il était citoyen et parce qu'il trouvait les autres faubourgs de Dublin misérables, modernes et prétentieux. Il vivait dans une vieille maison obscure, et de ses fenêtres son regard plongeait sur une distillerie désaffectée ou remontait le long de la rivière peu profonde sur les bords de laquelle s'élève Dublin. Il n'y avait pas de tapis dans sa chambre dont les murs très hauts étaient dépourvues de tableaux. Il avait acheté lui-même tous les meubles qui garnissaient la pièce : un lit de fer peint en noir, une toilette en fer, quatre chaises cannées, un séchoir, un seau à charbon, un garde-feu et des chenets, et les cases d'un double pupitre posées sur une table carrée. Une bibliothèque avait été aménagée dans une alcôve au moyen d'étagères en bois blanc. Le lit avait du linge blanc avec aux pieds une couverture noire et rouge. Une petite glace à main était suspendue au-dessus du lavabo et dans la journée une lampe avec son abat-jour blanc formait l'unique ornement de la cheminée. Les livres, sur les étagères de bois blanc, étaient rangés de bas en haut suivant leur format. Un Wordsworth complet s'alignait sur le rayon le plus bas et un exemplaire du *Maynooth Catechism,* cousu dans la reliure de toile d'un carnet de notes, était posé à une extrémité du rayon le plus élevé. Il y avait toujours sur le pupitre ce qu'il fallait pour écrire.

131

A l'intérieur du pupitre se trouvait le manuscrit d'une traduction du *Michel Kramer* de Hauptmann, dont les indications de scène étaient marquées à l'encre rouge ; et une mince liasse de feuillets retenus par une attache de cuivre. Sur ces feuillets, une phrase venait s'inscrire de temps à autre et, dans un moment d'ironie, l'en-tête d'une réclame de pilules pour la bile avait été collée sur la première page. Lorsqu'on soulevait le couvercle du pupitre, une faible émanation s'échappait, tantôt la vague odeur d'un crayon en bois de cèdre, tantôt d'une bouteille de colle, tantôt encore d'une pomme trop mûre qu'on avait laissée là et oubliée. M. Duffy abhorrait tout indice extérieur de désordre mental ou physique. Un docteur du moyen âge l'aurait qualifié de saturnien. Son visage, sur lequel se lisait la somme des années qu'il avait vécues, était de la coloration brune des rues de Dublin. Sur sa tête longue et plutôt forte poussaient des cheveux noirs et secs et une moustache fauve dissimulait mal une bouche sans aménité. Ses pommettes donnaient également à son visage un air dur ; mais il n'y avait pas de dureté dans ses yeux qui, regardant le monde de dessous leurs sourcils fauves, dégageaient l'impression d'un homme toujours à l'affût chez les autres des qualités qui pouvaient compenser leurs défauts, mais souvent déçu à cet égard. Il vivait un peu à distance de son propre corps, et les regards qu'il jetait sur ses propres actes étaient furtifs et soupçonneux. Il avait une bizarre manie autobiographique qui l'amenait de temps à autre à composer mentalement sur lui-même quelques brèves phrases renfermant un sujet à la troisième personne et un verbe toujours d'un temps passé. Il ne faisait jamais l'aumône et marchait d'un pas ferme, une grosse canne de coudrier à la main.

Pendant de longues années, il avait été le caissier d'une banque privée dans Baggot Street. Tous les matins, il partait de Chapelizod en tramway. A midi, il allait prendre son déjeuner chez Dan Burke : une bouteille de bière et une petite assiette de biscuits à l'avoine. A quatre heures, il était libéré. Il dînait dans un restaurant de George's Street où il se tenait à l'abri de la jeunesse dorée de Dublin et dont le menu lui agréait par sa frugalité de bon aloi. Ses soirées se passaient soit devant le piano de sa propriétaire, soit à errer dans les faubourgs de la ville. Son goût pour la musique de Mozart l'entraînait parfois à l'Opéra ou dans un concert : telles étaient les seules dissipations de sa vie.

Il n'avait ni compagnons, ni amis, ni église, ni foi. Il vivait sa vie spirituelle sans communion aucune avec autrui, rendant visite aux membres de sa famille à la Noël et les escortant au cimetière quand ils mouraient. Il accomplissait ces devoirs sociaux pour la sauvegarde de la traditionnelle dignité, mais n'accordait rien de plus aux conventions qui régissent la vie du citoyen. Il se permettait la pensée qu'en certaines circonstances il volerait sa banque, mais comme ces circonstances ne se présentaient jamais, sa vie s'écoulait uniforme, un récit sans aventures.

Un soir, il se trouva assis à côté de deux dames dans la « Rotunda ». La salle silencieuse et presque vide présageait lamentablement un insuccès. La dame assise à côté de lui jeta un ou deux coups d'œil sur la salle déserte, puis dit :

— Quelle dommage que la salle soit si peu remplie ce soir ! C'est si pénible pour les artistes de chanter devant des places vides.

Il prit cette remarque comme un encouragement à la conversation. Il fut surpris de ce que cette dame parût si peu embarrassée. Tandis qu'ils causaient, il tâchait de graver pour toujours son image dans son esprit. Quand il apprit que la jeune fille assise à côté d'elle était sa fille, il lui donna au jugé un ou deux ans de moins que lui. Son visage qui avait dû être beau restait intelligent. C'était un visage ovale aux traits fortement accusés. Les yeux d'un bleu très foncé étaient fixes. Leur regard au premier abord avait un air de défi qui paraissait se perdre en une fusion de l'iris et de la pupille, révélant, l'espace d'un instant, un tempérament d'une extrême sensibilité. Mais la pupille reprenait tout de suite sa forme première, cette nature entr'aperçue retombait sous le joug de la prudence et sa jaquette d'astrakan qui moulait une poitrine d'une certaine ampleur accentuait le ton de défi d'une façon encore plus nette.

Il la rencontra de nouveau quelques semaines plus tard dans un concert à Earlsfort Terrace et il saisit le moment où l'attention de la jeune fille était engagée ailleurs pour devenir plus intime. Elle fit une ou deux fois allusion à son mari, mais le ton de ses paroles n'avait rien d'alarmant. Elle s'appelait Mme Sinico. Le bisaïeul de son mari était originaire de Livourne. Son mari était capitaine d'un bateau marchand faisant le service entre Dublin et la Hollande ; ils n'avaient qu'un enfant.

Dans une troisième rencontre due au hasard, il eut le courage de lui fixer un rendez-vous. Elle s'y rendit. Ce fut le premier de beaucoup d'autres. Ils se retrouvaient toujours le soir et choisissaient les quartiers les plus tranquilles pour s'y promener. Toutefois, ces façons clandestines répugnaient à M. Duffy, et voyant qu'ils étaient contraints de se rencontrer en cachette, il obligea Mme Sinico à l'inviter chez elle. Le capitaine Sinico encouragea ses visites, voyant en lui un prétendant à la main de sa fille. Il avait pour son compte si sincèrement banni sa femme de la galerie de ses plaisirs qu'il ne pouvait soupçonner qu'un autre pût lui porter un intérêt quelconque.

Comme le mari s'absentait souvent et que la jeune fille sortait pour donner des leçons de musique, M. Duffy eut maintes fois occasion d'apprécier la compagnie de Mme Sinico. Pas plus que lui, elle n'avait encore eu semblable aventure et aucun des deux n'y voyait rien d'inconvenant. Petit à petit, il mêla ses pensées aux siennes. Il lui prêta des livres, lui fournit des idées, lui fit partager sa vie intellectuelle. Elle prêtait oreille à tout.

Parfois, en échange de ses théories, elle lui citait quelque fait de sa propre expérience. Avec une sollicitude quasi maternelle, elle l'exhortait à laisser sa nature s'ouvrir complètement : elle devint son confesseur. Il lui raconta que, pendant un certain temps, il avait assisté à des réunions d'un parti socialiste irlandais où il s'était senti seul de son espèce parmi une vingtaine de sobres ouvriers, réunis dans un grenier sous la lumière douteuse d'une lampe à huile. Quand la bande fut divisée en trois fractions, chacune sous son propre chef et dans son propre grenier, il cessa d'en faire partie. Les discussions des ouvriers, disait-il, étaient trop timorées : l'intérêt qu'ils portaient à la question des salaires démesuré. Il sentait qu'ils étaient des réalistes endurcis et qu'ils lui en voulaient d'une précision d'esprit qui demeurait le fruit d'un loisir hors de leur portée. Selon toute apparence, aucune révolution sociale n'était susceptible d'ébranler Dublin avant des siècles.

Elle lui demanda pourquoi il n'écrivait pas ses pensées. Pour quoi faire ? répondait-il avec un dédain étudié. Pour rivaliser avec des débiteurs de phrases incapables de penser soixante secondes d'une façon suivie ? Pour essuyer les critiques d'une bourgeoisie obtuse qui confiait sa moralité aux sergents de ville et s'en remettait pour les beaux-arts aux imprésarios ?

Il allait souvent la voir dans son petit cottage des environs de Dublin où ils passèrent plus d'une soirée en tête à tête. Petit à petit, leurs pensées se mêlant, ils abordèrent des sujets moins impersonnels. La société de Mme Sinico était à M. Duffy ce que la chaleur du sol est à une plante exotique. Maintes fois elle laissait l'obscurité les envahir, évitant d'allumer la lampe. La chambre tranquille et obscure, et leur isolement, la musique qui leur vibrait encore aux oreilles les unissaient. Cet accord exaltait l'homme, arrondissait les angles de son caractère, communiquait de l'émotion à sa vie mentale. Parfois il se surprenait à écouter le son de sa propre voix. Il eut l'intuition qu'aux yeux de Mme Sinico il assumerait la stature d'un ange et tandis que la nature ardente de Mme Sinico s'attachait de plus en plus à son compagnon, il entendit une étrange voix impersonnelle qu'il reconnut pour la sienne propre et qui insistait sur la solitude incurable de l'âme. Nous ne pouvons pas nous donner, disait cette voix ; nous n'appartenons qu'à nous-mêmes. La conclusion de ces discours fut qu'un soir où elle avait manifesté tous les signes d'une surexcitation inusitée,

Mme Sinico lui saisit la main avec passion et la pressa contre sa joue.

M. Duffy fut extrêmement surpris. La façon dont elle interprétait ses paroles le déçut. Il ne retourna pas la voir d'une semaine, puis il lui écrivit, lui demandant un rendez-vous. Comme il ne désirait pas que leur dernière entrevue fût troublée par l'atmosphère de leur confessionnal désormais profané, ils se retrouvèrent dans une petite pâtisserie à côté de la grille du parc. Il faisait un temps froid d'automne, mais en dépit du froid, ils arpentèrent de long en large les allées du parc pendant près de trois heures. Ils convinrent de couper court à leurs relations : tout lien, disait-il, vous lie à l'affliction. Quand ils sortirent du parc, ils se dirigèrent en silence vers le tramway ; mais alors, elle se mit à trembler si violemment que, craignant une nouvelle crise de sa part, il lui fit rapidement ses adieux et la quitta. Quelque jours plus tard, il reçut un paquet qui contenait ses livres et sa musique.

Quatre années s'écoulèrent. M. Duffy avait repris sa vie uniforme. Sa chambre témoignait toujours de son esprit d'ordre. Quelques nouveaux morceaux de musique encombraient le casier à musique de la pièce du bas et sur ses étagères se trouvaient deux volumes de Nietzsche : *Ainsi parlait Zarathoustra* et *Le Gai Savoir*. Il écrivait rarement sur les feuillets qui étaient dans son pupitre. Une des phrases notées deux mois après sa dernière rencontre avec Mme Sinico disait : « L'amour d'homme à homme est impossible parce qu'il ne faut pas qu'il y ait rapport sexuel et l'amitié entre homme et femme est impossible parce qu'il faut qu'il y ait rapport sexuel. » Il évitait les concerts dans la crainte de la rencontrer. Son père mourut ; le plus jeune associé de la banque se retira. Et toujours chaque matin il se rendait à la ville par le tramway et chaque soir rentrait chez lui à pied, après avoir dîné sobrement dans George's Street et avoir lu le journal du soir en guise de dessert.

Un soir, tandis qu'il portait à sa bouche un morceau de bœuf au chou, sa main s'arrêta brusquement. Ses yeux s'étaient arrêtés sur un entrefilet du journal du soir qu'il avait appuyé contre la carafe d'eau. Il replaça la bouchée sur son assiette et lut l'entrefilet attentivement. Puis il but un verre d'eau, écarta son assiette, plia son journal à plat devant lui entre ses coudes et lut et relut le passage. Du chou commençait à suinter sur son assiette une graisse blanche et froide. La servante vint s'informer si le dîner avait été mal cuit. Il répondit que le dîner était très bon et en avala quelques morceaux avec difficulté. Puis il paya l'addition et sortit.

Il marchait vite dans le crépuscule de novembre, sa forte canne de coudrier résonnant sur le pavé à intervalles réguliers, le coin jaunâtre du *Mail* pointait hors d'une poche de son pardessus. Sur la route solitaire qui mène de la grille du Parc à Chapelizod, il ralentit le pas. Sa canne résonnait avec moins d'assurance et son souffle s'échappant irrégulièrement, presque en soupirs, se condensait dans l'air hivernal. En atteignant la maison, il monta droit à sa chambre et sortant le journal de sa poche relut l'entrefilet devant la fenêtre dans la clarté du jour qui baissait. Il ne lisait pas à haute voix, mais remuait les lèvres comme fait le prêtre lorsqu'il marmotte son bréviaire. L'entrefilet était rédigé ainsi :

MORT D'UNE FEMME A SYDNEY PARADE
UN PÉNIBLE INCIDENT

Aujourd'hui, à l'hôpital de la ville de Dublin, le coroner adjoint (M. Leverett étant absent) fit une enquête sur le corps de Mme Amélie Sinico, âgée de quarante-trois ans tuée à la gare de Sydney Parade hier au soir. L'enquête a démontré que la défunte, tandis qu'elle s'apprêtait à traverser la voie, fut renversée par la locomotive du train omnibus de dix heures venant de Kingstown, et que des lésions à la tête et au côté droit entraînèrent sa mort.

James Lennon, le mécanicien, déclara qu'il était employé de la compagnie depuis quinze ans. Sur le coup de sifflet du chef de train, il mit la machine en marche, mais stoppa quelques secondes plus tard en entendant des cris. Le train marchait à allure modérée.

Le porteur P. Dunne déclara qu'au moment où le train s'ébranlait il remarqua une femme qui essayait de traverser la voie. Il courut au-devant d'elle en criant, mais avant d'avoir pu l'atteindre, elle fut happée par le heurtoir de la locomotive et jetée à terre.

Un juré. — Vous l'avez vue tomber ?

Témoin. — Oui.

Le brigadier Croly déposa qu'en arrivant sur les lieux il trouva la victime sur le quai, morte selon toute apparence. Il fit transporter le corps à la salle d'attente en attendant l'arrivée de l'ambulance. L'agent de police 57 E confirma la déposition.

Le docteur Halpin, aide-chirurgien à l'hôpital de la ville de Dublin, déclara que la victime avait eu les deux côtes inférieures fracturées et des contusions sérieuses à l'épaule droite. Le côté droit de la tête avait été atteint dans la chute. Les lésions ne suffisaient pas à expliquer la mort d'une personne normale. La mort à son avis provenait probablement du choc et d'un arrêt subit du cœur.

M. H. B. Patterson Finlay, au nom de la compagnie de chemin de fer, exprime ses profonds regrets au sujet de l'accident. La compagnie avait toujours pris les précautions nécessaires pour empêcher les gens de traverser la voie autrement que par les passerelles, d'une part en apposant à cet effet des avis dans toutes les gares, d'autre part en utilisant des barrières automatiques d'un modèle breveté aux passages à niveau. La défunte avait l'habitude de traverser les voies tard dans la nuit. Eu égard à d'autres particularités de l'affaire, il ne jugeait pas que les employés de chemin de fer eussent à encourir un blâme.

Le capitaine Sinico habitant à Léoville, Sydney Parade, mari de la défunte, déposa également. Il confirma que la victime était bien sa femme. Il ne se trouvait pas à Dublin au moment de l'accident, n'étant arrivé que le matin même de Rotterdam. Ils étaient mariés depuis vingt-deux ans et avaient vécu fort heureux jusqu'à il y avait environ deux ans, époque à laquelle sa femme avait commencé à prendre quelques habitudes d'intempérance.

Mlle Mary Sinico dit que sa mère, les derniers temps, avait l'habitude de sortir la nuit pour acheter de l'alcool. Elle avait souvent tenté de la raisonner et l'avait engagée à se faire membre d'une ligue antialcoolique. Elle n'était rentrée à la maison qu'une heure après l'incident.

Le jury rendit un verdict conforme à la déposition du médecin et déchargea Lennon de toute responsabilité.

Le coroner adjoint dit que c'était un pénible accident et exprima toute sa sympathie au capitaine Sinico et à sa fille. Il exhorta la compagnie à prendre des mesures énergiques pour empêcher que des accidents de ce genre puissent se reproduire. Personne n'était responsable.

M. Duffy quitta des yeux son journal et à travers la fenêtre laissa errer son regard sur le paysage morne du soir.

La rivière coulait calme le long de la distillerie déserte et de temps à autre une lumière apparaissait dans quelque maison sur la route de Lucan. Quelle fin !

Tout le récit de sa mort le révoltait et il se révoltait à la pensée de lui avoir jamais parlé de ce qu'il tenait pour sacré. Les phrases rebattues, les vains témoignages de sympathie, les paroles circonspectes du reporter soudoyé pour taire les détails d'une mort terre à terre et vulgaire, lui portaient sur l'estomac. Elle n'était pas seulement avilie elle-même, elle l'avait avili lui aussi, il vit le cortège des détails mesquins de l'ivrognerie de Mme Sinico, ce vice misérable et nauséabond. La compagne de son âme ! Il évoqua les malheureuses qu'il avait vues titubant, porter bidons et bouteilles pour les faire remplir par le barman. Juste Dieu ! Quelle fin ! Elle avait été évidemment une femme mal adaptée à la vie, sans volonté ni décision, toute prête à devenir la proie des habitudes, une de ces épaves sur laquelle la civilisation s'est édifiée. Mais qu'elle ait pu sombrer si bas ! Etait-il possible qu'il se fût illusionné à ce point sur son compte ? Il se remémora son élan dans cette fameuse nuit et l'interpréta plus durement encore qu'il ne l'avait jamais fait. Il se félicitait à présent, sans ressentir la moindre gêne, du parti qu'il avait pris.

Comme le jour tombait et que sa mémoire commençait à s'égarer, il crut sentir la main de la morte frôler la sienne. Le choc, qui tout d'abord lui avait porté sur l'estomac, lui portait maintenant sur les nerfs. Il mit vivement son chapeau et son pardessus et sortit. L'air froid le saisit sur le seuil de la porte et se coula dans ses manches. Quand il eut atteint le débit du pont de Chapelizod, il entra et se commanda un grog fumant.

Le patron le servit avec obséquiosité, mais ne s'avisa pas de lui parler. Il y avait dans la boutique cinq ou six ouvriers qui discutaient la valeur des terres d'un propriétaire du comté de Kildare. Ils buvaient par intervalles dans leurs immenses chopes et fumaient, crachant souvent par terre, ramenant parfois avec leurs lourdes chaussures la sciure du plancher pour recouvrir leurs crachats. Duffy était assis sur son tabouret et les fixait sans les voir ni les entendre. Ils sortirent au bout d'un moment et M. Duffy réclama son second grog. Cela le retint longtemps attablé. La salle était très tranquille. Le patron s'étalait sur le comptoir lisant son journal et bâillant. De temps à autre, on entendait au-dehors le tramway sur la route solitaire.

Comme il était assis là, revivant leur vie commune et évoquant alternativement les deux images qu'il se faisait d'elle à présent, il se rendit compte qu'elle était vraiment morte, qu'elle avait cessé d'exister, qu'elle était devenue un souvenir. Il commença à se sentir mal à l'aise. Il se demanda s'il aurait pu agir différemment. Il n'aurait pas pu soutenir avec elle cette comédie de la dissimulation ; il n'aurait pas pu non plus vivre ouvertement avec elle. Ce qu'il avait fait, c'était ce qui lui paraissait le mieux. En quoi était-il à blâmer ? Mais maintenant qu'elle était partie, il comprit à quel point sa vie avait dû être solitaire, assise nuit après nuit toute seule dans cette chambre. Sa vie à lui aussi serait solitaire jusqu'au jour où lui aussi mourrait, cesserait d'exister, deviendrait un souvenir — si quelqu'un se souvenait de lui.

Il était neuf heures passées quand il quitta la boutique. La nuit était froide et sombre. Il pénétra dans le parc par la première grille venue et déambula sous les arbres décharnés. Il parcourut les allées glacées où ils s'étaient promenés tous deux quatre ans plus tôt. Il lui semblait qu'elle marchait à côté de lui dans les ténèbres. Par moments il croyait sentir sa voix lui frôler l'oreille, sa main lui toucher la main. Il s'arrêta pour écouter. Pourquoi lui avait-il refusé la vie ? Pourquoi l'avait-il condamnée à mort ? Il sentait que toute sa nature morale s'en allait en morceaux.

Quand il fut arrivé au sommet du Magazine Hill, il fit une halte et du regard suivit la rivière jusqu'à Dublin dont les lumières brillaient rouges et hospitalières dans la nuit froide. Son regard descendit la pente et, tout en bas, dans l'ombre du mur du parc, il vit des formes humaines étendues. Ces amours furtives et vénales le remplirent de désespoir. Il était exaspéré par la droiture même de son existence. Il sentit qu'il avait été proscrit du festin de la vie. Un être humain avait paru l'aimer et il lui avait refusé la vie et le bonheur : il l'avait vouée à l'ignominie, à une mort honteuse. Il savait que les créatures vautrées au bas du mur l'observaient et désiraient qu'il s'en allât. Personne ne voulait de lui ; il était proscrit du festin de la vie. Il tourna les yeux vers la rivière grise et miroitante qui serpentait dans la direction de Dublin. Par-delà la rivière, il vit un train de marchandise onduler hors de la gare de Kingsbridge comme un ver à la tête de feu ondule à travers les ténèbres, tenace et laborieux. Le train lentement disparut ; mais le halètement poussif de la locomotive continuait à lui bourdonner aux oreilles répétant les syllabes du nom de Mme Sinico. Il reprit pour s'en aller le chemin par lequel il était venu, le rythme de la locomotive lui martelant toujours les oreilles. Il commença à douter de la réalité de ce que lui rappelait sa mémoire. Il s'arrêta sous un arbre et attendit que le rythme expirât. Il ne la sentait plus près de lui dans l'obscurité, sa voix ne résonnait plus à son oreille. Il attendit quelques minutes aux écoutes. Il n'entendit rien : la nuit était silencieuse. Il écouta encore : tout à fait silencieuse. Il sentit qu'il était seul.

ON SE RÉUNIRA LE 6 OCTOBRE (1)

LE vieux Jack racla les cendres avec un morceau de carton et les répandit judicieusement sur la coupole blanchissante du charbon. Une fois la coupole légèrement recouverte, sa figure s'évanouit dans l'obscurité, mais lorsqu'il se remit à attiser le feu, son ombre accroupie escalada le mur opposé et sa figure réémergea doucement à la lumière. C'était une face de vieillard osseuse et poilue. Ses yeux bleus, humides, clignotaient devant le feu et sa bouche humide aussi retombait de temps à autre en mâchonnant de façon mécanique lorsqu'elle se refermait. Après que le feu eut pris, il replaça le morceau de carton contre le mur, soupira et dit :

— Voilà qui est mieux, monsieur O'Connor.

M. O'Connor, un jeune homme à cheveux gris, défiguré par des verrues et des boutons, venait justement de rouler une cigarette ; mais lorsqu'il s'entendit interpeller, il défit son œuvre pensivement, puis toujours pensivement se remit à rouler son tabac et, après un moment de réflexion, se décida à humecter le papier.

(1) Le titre littéralement traduit serait « Jour du lierre dans la Chambre du Comité ».

On appelle ainsi le jour de l'anniversaire de la mort de Charles Steward Parnell parce que ses partisans qui étaient demeurés fidèles à sa mémoire après le scandale O'Shea arborèrent à leur boutonnière une symbolique feuille de lierre.

— M. Tierney a-t-il dit quand il allait revenir ? fit-il d'une voix de fausset enroué.

— Il ne l'a pas dit.

M. O'Connor mit sa cigarette à la bouche et commença à fouiller ses poches. Il en sortit un paquet de minces cartons.

— Je vais vous chercher une allumette, dit le vieil homme.

— Pas la peine, ceci fera l'affaire, dit M. O'Connor.

Il choisit une des cartes et lut ce qui y était imprimé.

ÉLECTIONS MUNICIPALES
ARRONDISSEMENT DE LA BOURSE

M. Richard Tierney P.L.G. vous prie respectueusement de favoriser de votre vote et de votre influence les prochaines élections de la Bourse.

M. O'Connor avait été engagé par un agent de Tierney pour solliciter les votes dans une partie de l'arrondissement ; mais le temps étant peu clément et ses souliers faisant eau, il passa une grande partie de la journée assis au coin du feu dans la salle du comité de Wicklow Street, avec le vieux concierge. Ils étaient demeurés ainsi depuis le crépuscule de cette journée si brève. On était au 6 octobre ; dehors, il faisait un temps froid, morne. M. O'Connor déchira une des cartes et après en avoir enflammé un morceau y alluma sa cigarette. Au geste qu'il fit, la flamme éclaira une feuille de lierre sombre et luisante au revers de son costume. Le vieux observa M. O'Connor avec attention, puis, se saisissant de nouveau du carton, commença d'éventer doucement le feu tandis que son compagnon fumait.

— Ah ! oui, dit-il continuant, ce n'est pas une petite affaire que d'élever les enfants. Qui aurait cru qu'il tournerait comme cela ? Je l'avais envoyé aux frères de l'école chrétienne et j'ai fait ce que j'ai pu pour lui et le voilà qui se vadrouille dans les bistrots. J'avais pourtant essayé d'en faire quelque chose de propre.

144

Il replaça le carton d'un geste las.

— Je suis un vieux maintenant, autrement je le ferais danser sur une autre musique, je lui administrerais une de ces raclées que j'en aurais le bras raide, comme je l'ai fait bien souvent. C'est la bourgeoise, vous savez, qui le pourrit joliment...

— C'est ce qui perd les enfants, dit M. O'Connor.

— Certainement, c'est ça, dit le vieux, et pour tout remerciement on n'a que de l'impertinence. Il a le dessus sur moi sitôt qu'il voit que j'ai bu un coup. Où allons-nous si les fils se mettent à parler comme ça à leur père ?

— Quel âge a-t-il ?

— Dix-neuf ans.

— Pourquoi ne lui faites-vous pas prendre un métier ?

— Est-ce que je n'ai rien fait pour ce soûlot depuis qu'il a quitté l'école ? « Je ne veux pas t'entretenir, que je lui dis, trouve-toi un métier toi-même » ; mais c'est pire lorsqu'il trouve à gagner quelque chose. Il le boit tout.

M. O'Connor hocha la tête en manière de commisération et le vieillard se tut, regardant distraitement le feu. Quelqu'un ouvrit la porte de la pièce et cria :

— Eh bien ! C'est donc une réunion de francs-maçons ici ?

— Qui est-ce ? dit le vieux.

— Qu'est-ce que vous fichez dans le noir ? demanda une voix.

— Est-ce vous, Hynes ? demanda M. O'Connor.

— Qu'est-ce que vous fichez dans le noir, dit M. Hynes, avançant dans la lumière du feu.

C'était un grand jeune homme svelte, à la moustache châtain clair. De minces gouttelettes de pluie perlaient au bord de son chapeau et le col de son veston était relevé.

— Eh bien, Mat, dit-il à M. O'Connor, comment ça va ?

M. O'Connor hocha la tête. Le vieux s'éloigna du foyer et après avoir tâtonné par la chambre revint avec deux chandeliers qu'il approcha l'un après l'autre du feu et posa sur la table. A la lumière apparut une chambre dénudée et le feu perdit tout son éclat joyeux. Les murs étaient nus, à l'exception de la copie d'un discours électoral. Au milieu de la pièce, sur une petite table, étaient empilés des papiers. M. Hynes s'appuya contre la cheminée et demanda :

— Est-ce qu'il vous a déjà payé ?

— Pas encore, dit M. O'Connor. Plaise à Dieu qu'il ne nous plante pas aujourd'hui.

M. Hynes se mit à rire.

— Oh ! il vous paiera, n'ayez crainte, dit-il.

— J'espère qu'il s'exécutera vite s'il est sérieux.

— Qu'en pensez-vous ? dit avec ironie M. Hynes, s'adressant au vieillard.

Le vieux reprit sa place au coin du feu et dit :

— Ce n'est pas la galette qui lui manque. Pas comme l'autre artiste.

— Quel autre artiste ? dit M. Hynes.

— Colgan ! dit le vieux sur un ton méprisant.

— C'est parce que Colgan est un ouvrier que vous dites ça ? Quelle est la différence entre un brave et honnête maçon et un marchand de vin, eh ? Est-ce qu'un ouvrier n'a pas autant de droit qu'un autre à faire partie du conseil municipal et même plus de droit qu'un de ces pique-assiettes qui sont toujours chapeau bas devant quelque gros monsieur avec un nom qui se dévisse ? N'est-ce pas vrai, Mat ? dit M. Hynes, s'adressant à M. O'Connor.

— Je crois que vous avez raison, dit M. O'Connor.

— L'un est un brave et honnête gaillard sans rien de louche. Il va représenter la classe ouvrière. Ce garçon pour lequel vous travaillez, vous autres, ne cherche qu'à dénicher un emploi quelconque.

— La classe ouvrière devrait être représentée, cela va sans dire, dit le vieux.

— L'ouvrier, dit M. Hynes, ne reçoit que des coups et pas un liard. Mais c'est le travail qui produit tout. L'ouvrier ne cherche pas de belles combines pour ses fils et toute sa smalah. L'ouvrier n'est pas prêt à traîner dans la boue l'honneur de Dublin, ni à faire plaisir à un monarque allemand.

146

— Comment cela ? dit le vieux.

— Savez-vous qu'ils veulent présenter un discours de bienvenue à Edouard roi s'il s'amène ici l'année prochaine ? Qu'avons-nous besoin de faire des salamalecs à un roi étranger.

— Notre homme ne votera pas pour le discours, dit M. O'Connor ; lui, marche avec le parti nationaliste.

— Vous en êtes sûr ? dit M. Hynes. Attendez-le à l'œuvre. Je le connais. Allez ! Il est bien Richard le Trichard.

— Bon Dieu ! Peut-être avez-vous raison, dit M. O'Connor ; enfin, pourvu qu'il nous apporte la galette !

Les trois hommes se turent. Le vieux recommença à racler les cendres. M. Hynes ôta son chapeau, le secoua, abaissa le col de son manteau, découvrant à ce geste une feuille de lierre sur le revers.

— Si celui-ci vivait, dit-il en montrant la feuille, il ne serait pas question de discours de bienvenue.

— C'est vrai, dit M. O'Connor.

— Ah ! ma mère ! Dieu était avec nous en ces temps-là, dit le vieux ; on vivait alors.

De nouveau le silence régna dans la pièce. Puis un petit homme remuant, reniflant, aux oreilles gelées, poussa la porte. Il se dirigea vivement vers le feu, se frottant les mains comme s'il pensait en faire jaillir une étincelle.

— Pas d'argent, mes enfants, dit-il.

— Asseyez-vous ici, monsieur Henchy, dit le vieux, lui offrant sa chaise.

— Ne bougez pas, Jack, ne bougez pas, dit M. Henchy.

Il salua sèchement M. Hynes d'un signe de tête et s'assit sur la chaise que le vieux venait de quitter.

— Vous avez distribué dans Augier Street ? demandat-il à M. O'Connor.

— Oui, dit M. O'Connor qui se mit à fouiller ses poches à la recherche de son carnet de notes.

— Avez-vous passé chez Grimes ?

— J'y suis passé.

— Bon. L'avez-vous tâté ?

— Il n'a rien promis. Il a répondu : « Je ne dirai à personne pour qui je vais voter. » Mais je crois que nous le tenons.

— Pourquoi ça ?

— Il m'a demandé les noms de la liste et je les lui ai donnés. Je lui ai mentionné le père Burke. Vous verrez que ça marchera.

M. Henchy se mit à renifler et à se frotter les mains au-dessus du feu à une vitesse vertigineuse, puis il dit :

— Pour l'amour du Ciel, Jack, apporte-nous un peu de charbon. Il doit en rester.

Le vieux sortit de la chambre.

— Rien à faire, dit M. Henchy, secouant la tête, j'ai interrogé le salaud, mais il m'a dit : « Pour sûr, monsieur Henchy, quand je verrai que l'ouvrage marche bien, je ne vous oublierai pas, je vous le promets. » Petit misérable ! Pardieu, comment pourrait-il être autre chose ?

— Qu'est-ce que je vous disais, Mat ? dit M. Hynes. Richard dit le Trichard.

— Oh ! tricheur comme personne ! dit M. Henchy. Ce n'est pas pour rire qu'il a ces petits yeux de cochon. Le diable l'emporte. Ne ferait-il pas mieux de payer comme un homme que de vous dire : « Oh ! voyons, monsieur Henchy, il faut que je parle à M. Fanning, j'ai dépensé des tas d'argent » ?

— Ah ! le rapiat, la graine de diable ! Il a oublié le temps où son brave homme de père tenait un décrochez-moi-ça à Mary's Lane.

— Mais, est-ce bien vrai ce qu'on dit là ? demanda M. O'Connor.

— Fichtre oui, dit M. Henchy. Vous ne l'avez jamais entendu dire ? Même que les gens y allaient le dimanche matin avant l'ouverture des bistrots, pour acheter un gilet ou un pantalon. Ouais, mais le bonhomme de père de Richard dit le Trichard nous avait un petit truc de petite bouteille noire. Vous comprenez, maintenant ? Et c'est là où notre Richard a vu le jour.

148

Le vieux revint avec quelques morceaux de charbon qu'il posa ci et là sur le feu.

— En voilà, une histoire ! dit M. O'Connor. Comment peut-il attendre que nous travaillions pour lui s'il ne veut pas casquer ?

— Je n'y peux rien, dit M. Henchy, je m'attends à trouver les huissiers chez moi en rentrant.

M. Hynes se mit à rire et, s'écartant de la cheminée par un mouvement d'épaule, se prépara à partir.

— Tout s'arrangera avec l'arrivée de ce bon roi Eddie, dit-il ; mes enfants, maintenant je vous lâche. A tout à l'heure. Au revoir !

Il sortit lentement de la chambre, ni M. Henchy ni le vieux ne lui répondirent ; mais à peine la porte se fut-elle refermée que M. O'Connor, qui, jusque-là, avait contemplé le feu d'un œil morne, s'écria tout à coup :

— Au revoir, Jo.

M. Henchy attendit quelques instants, puis, de la tête désignant la porte :

— Dites-moi, fit-il de l'autre côté de la cheminée, qu'est-ce qui nous amène notre ami ? Qu'est-ce qu'il veut ?

— Eh, parbleu ! le pauvre Jo, dit M. O'Connor jetant dans le feu son mégot, il est dans la purée comme nous tous.

M. Henchy renifla vigoureusement, puis cracha avec tant d'entrain qu'il manqua d'éteindre le feu, lequel émit un sifflement de protestation.

— A vous dire ma franche opinion, je le crois un homme de l'autre bord. Pour moi, c'est un espion de Colgan. Allez donc faire un tour par là-bas et cherchez à voir ce qu'ils fabriquent. Ils ne vous soupçonneront pas. Compris ?

— Ce pauvre Jo me paraît un bon bougre, bien honnête, dit M. O'Connor.

— Son père était un bien digne homme, reconnut M. Henchy. Pauvre vieux Larry Hynes ! Il en a fait plus d'une en son temps ; mais notre ami, lui, par contre, ne me paraît pas bien catholique. Vive Dieu ! j'admets à la rigueur qu'on soit dans la dèche ; mais pique-assiette, ça, je ne l'admets pas. Ne pourrait-il pas avoir un peu de cran et agir en homme, après tout ?

— Je ne le reçois pas très bien lorsqu'il vient, dit le vieux. Qu'il travaille pour son parti et qu'il ne vienne pas espionner chez les autres.

— Je ne sais pas, dit M. O'Connor d'un ton hésitant, tandis qu'il tirait son papier à cigarettes et son tabac. Moi, je crois que Jo Hynes est un homme loyal. De plus, il manie la plume assez bien. Vous rappelez-vous cette machine qu'il avait écrite ?

— Certains de ces intransigeants et « fenians » sont même un peu trop intelligents à mon avis, dit M. Henchy ; à vous dire ma franche opinion sur ces jeunes farceurs, j'estime qu'une moitié d'entre eux est soudoyée par le gouvernement anglais.

— C'est possible, dit le vieux.

— Oh ! mais c'est un fait, dit M. Henchy, ce sont les hommes de paille du gouvernement… je ne dis pas ça pour Hynes… non, par Dieu, j'estime qu'il est un degré au-dessus de ça ; mais celui auquel je fais allusion, un certain petit gentilhomme avec un œil qui louche, le patriote, vous savez…

M. O'Connor acquiesça de la tête.

— Vous en avez un là, de descendant de Major Sirr. C'est de l'extrait de patriote ! C'est un gaillard qui maintenant vendrait son pays pour huit sous — oui — et pas seulement ça, qui irait ensuite sur les genoux remercier le Tout-Puissant de lui avoir donné son pays à vendre.

Quelqu'un frappa à la porte.

— Entrez, dit M. Henchy.

Une personne ressemblant à un pauvre ecclésiastique ou à un acteur dans la dèche parut sur le seuil. Son habit noir était étroitement boutonné sur son petit corps et il était impossible de dire si c'était un ecclésiastique ou un laïque, car le col de son manteau râpé, sur les boutons duquel se jouait la lumière de la bougie, était relevé autour de son cou. Il portait un chapeau rond de feutre dur ; sa face, qui scintillait de gouttelettes de pluie, ressemblait à un fromage jaune et mouillé, sauf à l'endroit où deux taches rosées indiquaient les pommettes. Il ouvrit brusquement la bouche, qu'il avait très large, pour exprimer son désappointement et en même temps écarquilla les yeux, d'un bleu très clair, pour exprimer le plaisir et la surprise.

— Oh ! père Keon, dit M. Henchy en sautant de sa chaise, c'est vous ? Entrez donc.

— Oh ! non, non, dit vivement le père Keon, esquissant une moue comme s'il s'adressait à un enfant.

— Vous ne voulez pas entrer vous asseoir ?

— Non, non, non, dit le père Keon, s'exprimant d'une voix discrète, indulgente, veloutée, je ne veux pas vous déranger, je suis à la recherche de M. Fanning...

— Il est allé faire un tour à l'Aigle-Noir, dit M. Henchy ; mais ne voulez-vous pas entrer et vous asseoir une minute ?

— Non, non, merci, je n'avais que deux mots à lui dire, dit le père Keon. Merci mille fois.

Il s'éloigna du seuil et M. Henchy, prenant un des chandeliers, l'accompagna jusqu'à la porte pour l'éclairer dans l'escalier.

— Oh ! ne prenez pas cette peine, je vous en prie.

— Il n'y a aucune peine ; l'escalier est si noir.

— Non, non, j'y vois très bien... Merci mille fois.

— Vous y êtes ?

— J'y suis, merci... merci.

M. Henchy revint avec le chandelier et le posa sur la table, puis il s'assit de nouveau devant le feu ; il y eut quelques moments de silence.

— Ecoutez, John, dit M. O'Connor, tout en allumant sa cigarette avec un autre carton.

— Hein ?

— Qu'est-ce que c'est exactement que ce bonhomme-là ?

— Ma foi, je n'en sais trop rien.

— Fanning et lui semblent très copains. On les voit

souvent ensemble chez Kavanagh. Et d'abord, est-ce vraiment un curé ?

— Ou... oui, je crois que oui... il est ce qu'on appelle la brebis galeuse. Nous n'en avons pas beaucoup de cette espèce, Dieu merci, mais nous en avons quelques-uns. C'est une sorte de pauvre diable...

— Et comment se débrouille-t-il ? demanda M. O'Connor.

— Autre mystère, dit M. Henchy.

— Appartient-il à une chapelle, à une église, à une institution ?

— Non, dit M. Henchy, je crois qu'il voyage pour son propre compte... Dieu me pardonne, ajouta-t-il, lorsqu'il est entré je l'ai pris pour les bouteilles de stout.

— Est-ce qu'il va s'amener seulement, ce stout ? demanda M. O'Connor.

— Moi aussi j'ai le gosier sec, dit le vieux.

— Voilà trois fois que je demande à ce salaud, dit M. Henchy, de me faire porter douze bouteilles de stout. Je les lui ai redemandées tantôt, mais je l'ai trouvé debout devant le zinc, en manches de chemise, qui palabrait solidement avec Alderman Cowley.

— Pourquoi ne le lui avez-vous pas rappelé ? demanda M. O'Connor.

— Je ne pouvais vraiment pas l'interrompre tandis qu'il discourait avec Alderman Cowley. J'ai attendu qu'il me regarde et lui ai dit : au sujet de cette petite affaire dont nous avons parlé... « Compris, monsieur Henchy », m'a-t-il dit. Vous verrez que ce petit nabot aura carrément oublié.

— Il se passe quelque chose dans ce coin-là, dit M. O'Connor pensif. Je les ai vus tous les trois en grand conciliabule à l'angle de Suffolk Street.

— Je crois connaître leur petit jeu, dit M. Henchy. Si vous voulez devenir Lord Mayor, commencez à devoir de l'argent à toute la ville. Alors, ils vous feront Lord Mayor. Crénom, j'ai envie de m'en mettre, moi aussi. Qu'en pensez-vous ? Croyez-vous que je sois fait pour ça ?

M. O'Connor se mit à rire.

— Certainement, s'il ne s'agit que de devoir de l'argent.

— Sortant en voiture de la mairie, dit M. Henchy, avec mon col de *vermine* et Jack par-derrière en perruque poudrée, hein ?

— Et moi en qualité de secrétaire particulier, John ?

— Naturellement. Et le père Keon mon aumônier, cela va sans dire. En famille, quoi !

— Ma foi, monsieur Henchy, vous tiendriez mieux votre rang que beaucoup d'entre eux. Je parlais un jour au vieux Keegan le concierge et je lui disais : « Eh bien, mon vieux Pat, que pensez-vous de votre nouveau patron ? Vous n'avez pas de grand tralala en ce moment. » — « De tralala ! qu'i me dit. Je crois que, s'il pouvait, il vivrait de l'air du temps », et savez-vous ce qu'il m'a dit ? Non, devant Dieu qui m'entend, je ne l'ai pas cru.

— Que vous a-t-il dit ? s'écrièrent M. Henchy et M. O'Connor.

— Il m'a dit : « Que penseriez-vous d'un Lord Mayor de Dublin qui enverrait chercher une livre de côtelettes pour son dîner ? qu'i me dit. Vous parlez d'une grande vie ! » — « Hé, hé, que je lui dis, deux côtelettes arrivant à la Mansion house ! » qu'i me dit. « Hé, hé, que je lui dis, quelle sorte de gens nous gouvernent au jour d'aujourd'hui ! »

A ce moment, un coup fut frappé à la porte, et un gamin montra sa tête dans l'entrebâillement.

— Qu'est-ce que c'est ? dit le vieux.

— C'est de l'Aigle-Noir, — dit le garçon qui entra marchant de travers, et déposa sur le sol un panier d'où s'élevait un cliquetis de bouteilles. Le vieux aida le garçon à les sortir du panier, à les déposer sur la table, et vérifia si le compte y était. Mais quand les bouteilles furent en place, le garçon passa le panier à son bras et demanda les bouteilles.

— Lesquelles ? dit le vieux.

— Attendez d'abord que nous les vidions, dit M. Henchy.

— On m'a dit de redemander les bouteilles.

— Eh bien! reviens demain, dit le vieux.

— Dis donc, jeune homme, dit M. Henchy, fais un saut jusque chez O'Farrel et demande-lui de nous prêter un tire-bouchon. Dis que c'est pour M. Henchy! Dis-lui que nous n'en avons que pour cinq minutes. Laisse ton panier.

Le garçon sortit et M. Henchy se frotta joyeusement les mains en disant :

— Ah! bon, il n'est pas si méchant que ça, après tout. C'est un homme de parole en tout cas.

— Il n'y a pas de verres, dit le vieux.

— Bah! ne t'inquiète pas, Jack. Il y a eu bien des honnêtes gens avant nous qui ont bu à la bouteille.

— En tout cas, ça vaut mieux que rien, dit M. O'Connor.

— Il n'est pas si méchant qu'il en a l'air, si ce n'est que Fanning le tient sous sa patte. Ses intentions ne sont pas mauvaises à sa façon.

Le garçon revint avec le tire-bouchon, le vieux ouvrit trois bouteilles et s'apprêtait à restituer le tire-bouchon lorsque M. Henchy dit :

— Un petit coup, mon garçon?

— C'est pas de refus, répondit-il.

Le vieux ouvrit un peu à contrecœur une autre bouteille et la passa au garçon.

— Quel âge as-tu? demanda-t-il.

— Dix-sept ans.

Comme le vieux restait silencieux, le garçon prit la bouteille et dit :

— Tous mes respects à monsieur Henchy, — et vida la bouteille, la replaça sur la table et s'essuya la bouche du revers de sa manche. Puis il reprit le tire-bouchon et ressortit de sa même démarche de biais en marmottant quelque espèce de salutation.

— C'est comme ça que ça commence, dit le vieux.

— Un pied de pris, dit M. Henchy.

Le vieux distribua les trois bouteilles qu'il avait débouchées et les hommes se mirent à boire simultanément. Après avoir bu, chacun plaça sa bouteille sur la cheminée à portée de la main et poussa un long soupir de satisfaction.

— Eh bien ! je n'ai pas perdu ma journée aujourd'hui, dit M. Henchy, après un silence.

— C'est vrai, ça, John.

— Oui, je lui ai déniché deux ou trois bonnes occasions à Dawson Street, Crofton et moi. Entre nous, vous savez, Crofton est un honnête homme, mais il ne vaut rien comme agent électoral. Il ne sait pas parler aux gens. Il reste là, planté, il les regarde tandis que c'est moi qui fais l'article.

Ici, deux hommes entrèrent dans la chambre ; l'un d'eux était un homme très gras dont le costume de serge bleue semblait prêt à glisser des pentes de sa personne. Il avait une large figure dont l'expression rappelait celle d'un jeune bœuf, des yeux bleus fixes et une moustache grisonnante. L'autre individu, d'apparence plus jeune et plus frêle, avait le visage maigre et rasé. Il portait un col double très haut et un chapeau melon à larges bords.

— Hullo, Crofton, dit M. Henchy au gros homme, quand on parle du loup !

— D'où vient ce déluge de stout, est-ce que la vache a vêlé ?

— Oh ! Oh ! naturellement, Lyons voit tout de suite le liquide, dit M. O'Connor en riant.

— C'est de cette façon que vous faites votre propagande électorale, vous autres, pendant que Crofton et moi nous courons les rues au froid et à la pluie racolant des votes.

— Eh ! Ne vous en déplaise ! Je gagne plus de votes en cinq minutes que vous en une semaine.

— Ouvrez deux bouteilles de stout, dit M. O'Connor.

— Comment puis-je, dit le vieux, puisque je n'ai pas de tire-bouchon ?

— Attends, attends, dit M. Henchy, se levant précipitamment, as-tu vu faire ce petit tour ?

Il prit deux bouteilles sur la table et les plaça sur la grille au-dessus du feu. Puis il se rassit près de la cheminée et but encore un coup à même sa bouteille. M. Lyons s'assit sur le bord de la table, le chapeau repoussé en arrière, balançant les jambes.

— Quelle est ma bouteille ? demanda-t-il.

— Celle-ci, mon garçon, dit M. Henchy.

M. Crofton s'assit sur un coffre et regarda fixement l'autre bouteille devant lui. Son silence s'expliquait de deux façons. La première raison, suffisante en elle-même, était qu'il n'avait rien à dire. La seconde qu'il considérait ses compagnons comme radicalement inférieurs. Il avait été agent électoral pour Wikins le conservateur ; mais lorsque les conservateurs eurent retiré leur candidature et — choisissant des deux maux le moindre — donné leur appui au candidat nationaliste, il avait été engagé par M. Tierney.

Au bout de quelques instants, on entendit un « Pok ! » et le bouchon sauta de la bouteille destinée à M. Lyons. Celui-ci sauta à son tour de la table, prit une bouteille et retourna à sa place.

— J'étais justement en train de leur dire, Crofton, que nous avons gagné plusieurs électeurs.

— Qui ça avez-vous gagné ? dit M. Lyons.

— Eh bien, j'ai gagné Parkes primo, Atkinson secundo et puis Ward de Dawson Street. C'est un gaillard de bonne étoffe, bon camarade, vieux conservateur. « Est-ce que votre candidat n'est pas nationaliste ? » qu'il me dit, et je lui ai répondu : « C'est un homme respectable, il est favorable à tout ce qui sera utile à ce pays. C'est un gros contribuable. Il a de grands immeubles en ville, trois bureaux ; et est-ce que ce n'est pas son propre avantage de vouloir faire baisser les impôts ? C'est un citoyen éminent, que je lui dis, un administrateur de l'hospice, et il n'appartient à aucun parti, bon, mauvais ou indifférent. » Voilà la façon dont il faut lui parler.

— A propos de l'adresse au roi, dit M. Lyons, faisant claquer ses lèvres après avoir bu.

— Ecoutez-moi, dit M. Henchy ; ce que nous voulons

156

dans le pays, comme je disais au vieux Ward, c'est du capital. La venue du roi ici équivaut à un afflux d'argent dans le pays. La population de Dublin en profitera. Regardez toutes les usines fermées le long des quais. Regardez tout l'argent que l'on gagnerait si l'on faisait travailler les vieilles industries, les moulins, les hangars de constructions maritimes, les fabriques. Ce sont des capitaux qu'il nous faut.

— Cependant, John, dit M. O'Connor, pourquoi souhaiterions-nous la bienvenue au roi d'Angleterre ? Parnell lui-même n'a-t-il pas... ?

— Parnell, dit M. Henchy, est mort. Quant à mon point de vue, le voici : notre gaillard monte sur le trône après que sa bonne vieille femme de mère l'en a éloigné jusqu'à ce qu'il ait les cheveux gris. C'est un homme du monde et il est bien disposé à notre égard. C'est un chic type, si vous voulez mon avis, et il n'a pas un grain de sottise par la tête. Il doit se dire : « La vieille n'est jamais venue voir ces Irlandais intraitables et, pardieu, j'irai un peu voir de mes yeux ce qu'il en retourne. » Et nous, nous irions insulter cet homme, la fois qu'il vient justement nous faire une visite d'ami ? Eh ? N'ai-je pas raison, Crofton ?

M. Crofton hocha la tête.

— Mais après tout, dit Lyons sur un ton sentencieux, la vie du roi Edouard n'est pas tout ce qu'il y a de...

— Le passé est le passé, dit M. Henchy, j'admire cet homme en tant qu'individu, c'est un bon vadrouilleur comme nous deux... Il aime son verre de grog, il ne déteste pas la blague et c'est un bon sportsman. Pardieu, nous autres, Irlandais, ne pourrions-nous jouer franc jeu ?

— Ça, c'est très joli, dit M. Lyons, mais considérez le cas Parnell.

— Au nom du ciel, dit M. Henchy, quelle analogie établissez-vous entre les deux cas ?

— Ce que je veux dire, dit M. Lyons, c'est que nous avons notre idéal. Pourquoi irons-nous accueillir un homme pareil ? Pensez-vous maintenant qu'après ce qu'il

a fait, Parnell était l'homme indiqué pour nous diriger ?
Et pourquoi l'accepterions-nous d'Edouard VII ?

— C'est aujourd'hui l'anniversaire de Parnell, ne
réveillons pas de mauvais souvenirs, nous le respectons
tous maintenant qu'il est mort et enterré. Même les
conservateurs, ajouta-t-il en se tournant vers M. Crofton.

« Pok ! » Le bouchon récalcitrant sauta hors de la
bouteille de M. Crofton. M. Crofton quitta sa caisse et
s'avança vers le feu ; tout en revenant avec son butin, il dit
d'une voix de basse :

— Notre parti le respecte parce que c'était un gentleman.

— Vous avez raison, Crofton ! dit M. Henchy avec
fougue, c'est le seul homme qui savait dompter cette
ménagerie ! Couchez, chiens, couchez, sales roquets !
Voilà la façon dont il les traitait. Entrez, Joe, entrez
donc ! cria-t-il, apercevant M. Hynes sur le seuil.

M. Hynes entra à pas lents.

— Ouvre une autre bouteille de stout, Jack, dit
M. Henchy. Ah ! c'est vrai, j'oubliais qu'il n'y a pas de
tire-bouchon. Ici, passe-la-moi, je vais la mettre à côté du
feu.

Le vieux lui tendit une autre bouteille et il la plaça
contre la grille.

— Assieds-toi, Joe, nous sommes justement en train
de parler du patron.

— Hé ! hé ! dit M. Henchy.

M. Hynes s'assit sur le bord de la table, à côté de
M. Lyons, sans rien dire.

— Il y en a un, tout au moins, dit M. Henchy, qui ne l'a
pas renié. Pardieu, je le dis pour toi, Joe ! Pardieu, tu as
tenu pour lui jusqu'à la gauche !

— Dis donc, Joe, dit M. O'Connor tout à coup.
Exhibe-nous cette chose que tu avais écrite. Te rappelles-
tu ? Tu l'as sur toi ?

— Oh ! oui, dit M. Henchy. Donne-la-nous. Crofton ?
Ecoutez ça maintenant ; c'est magnifique.

— Allez-y, dit M. O'Connor, feu ! Joe.

M. Hynes ne parut pas se rappeler tout d'abord à quoi

158

on faisait allusion. Mais après un instant de réflexion, il dit :

— Ah ! c'est celle-là !... Bien vieux maintenant.

— Allons, dégoise, dit M. O'Connor.

— Chut ! chut, dit M. Henchy. Allons, Joe !

Hynes hésita encore un peu, dans le silence général, il ôta son chapeau, le posa sur la table et se leva.

Il semblait repasser dans son esprit les vers qu'il allait réciter. Après une pause assez longue, il annonça :

LA MORT DE PARNELL

6 OCTOBRE 1891

Il se racla la gorge et commença :

Il est mort. Notre roi sans couronne est mort.
O Erin, lamente-toi avec tristesse et douleur,
Car il gît mort, celui que la bande cruelle
Des hypocrites modernes a terrassé.

Il gît massacré par la meute lâche
Que de la boue il avait élevée jusqu'à la gloire ;
Et les espérances et les rêves de l'Irlande
Périssent sur le bûcher de son monarque.

Dans les palais, dans les chaumières, dans les cabanes,
Partout où il y a un cœur irlandais,
Ce cœur est brisé de souffrance —, car il s'en est allé
Celui qui aurait forgé son destin.

Il aurait fait resplendir de gloire son Erin,
Déployer triomphalement le drapeau vert,
Elever ses chefs, ses bardes et ses guerriers
Devant les nations de l'univers.

Il rêvait — hélas ! ce ne fut qu'un rêve —
De liberté : mais tandis qu'il essayait

D'embrasser son idole, la trahison
L'arracha à ce qu'il aimait.

Honte aux lâches, les ignobles mains
Qui frappèrent leur seigneur, ou le livrèrent
Dans un embrassement, à la tourbe
De prêtres flagorneurs, ses ennemis.

Qu'une honte éternelle consume
La mémoire de ceux qui tentèrent
D'avilir et de souiller le nom tant aimé
De celui qui les dédaigna dans son orgueil.

Il tomba comme tombent les puissants,
Fièrement indompté jusqu'au trépas.
Et la mort l'a uni maintenant
Aux antiques héros d'Erin.

Qu'aucune clameur de dispute ne vienne troubler son
    sommeil !
Calmement il repose : nulle souffrance humaine,
Nulle ambition exaltée ne le pousse maintenant
Vers les sommets de la gloire.

Ils sont arrivés à leur fin, ils l'ont abattu,
Mais écoute, ô Erin, son esprit peut
Se lever à nouveau, comme le phénix ressuscité des
    flammes
Quand point l'aube du jour.

De ce jour qui nous apportera le règne de la liberté.
Et en ce jour Erin pourra bien
Mêler à ses coupes qu'elle lève à la joie
La lie d'un amer calice — le deuil de Parnell.

   M. Hynes se rassit sur la table. Quand il eut fini, il y eut
un instant de silence, puis les applaudissements éclatè-
rent. M. Lyons lui-même applaudissait. Les applaudissements se prolongèrent quelques instants. Quand ils

eurent cessé, tous les auditeurs se mirent à boire à leur bouteille en silence.

« Pok ! » le bouchon sauta de la bouteille de M. Hynes, mais M. Hynes, rouge et nu-tête, demeura à sa place. Il semblait ne point avoir entendu l'invitation.

— Bien, vieux Joe, dit M. O'Connor sortant de sa poche ses papiers à cigarettes et sa blague à tabac afin de mieux dissimuler son émotion.

— Que pensez-vous de ça, Crofton ? s'écria M. Henchy. C'est-i beau ? hein ?

M. Crofton dit que c'était un très beau morceau de littérature.

UNE MÈRE

M. HOLOHAN, secrétaire adjoint de la société Eire Abu, depuis près d'un mois parcourait Dublin en tous sens, les mains et les poches bourrées de papiers sales, cherchant à organiser une série de concerts. Il était boiteux et à cause de cela ses amis le surnommaient Hoppy Holohan. Il allait et venait sans arrêt, se tenait des heures entières aux coins des rues, discutant et prenant des notes ; mais, en fin de compte, ce fut Mrs. Kearney qui organisa tout.

Miss Devlin était devenue Mrs. Kearney par dépit. Elle avait été élevée dans un couvent aristocratique où on lui avait appris le français et la musique. Comme elle était pâle de teint et raide dans ses manières, elle se fit peu d'amis à l'école. Quand elle fut en âge d'être mariée, on l'envoya en séjour chez un grand nombre de gens auprès de qui son jeu et ses façons ivoirines lui valurent beaucoup d'admiration ; assise au milieu du cercle glacial de ses talents, elle vivait dans l'attente de qui braverait le cercle et viendrait lui offrir une brillante existence. Mais les jeunes gens qu'elle rencontrait étaient ordinaires et elle ne leur donnait aucun encouragement, s'efforçant de consoler ses désirs romanesques en mangeant beaucoup de *rahat lokoum* en cachette. Toutefois, quand elle approcha de la maturité et que ses amis commencèrent à délier leur langue à son sujet, elle les réduisit au silence, en épousant M. Kearney, bottier sur le quai d'Osmond.

Il était beaucoup plus âgé qu'elle. Sa conversation toujours sérieuse prenait place, par intervalles, dans sa grande barbe brune. Après sa première année de mariage, Mrs. Kearney se rendit compte qu'un homme de ce genre serait de meilleur usage qu'un personnage romanesque, mais elle n'en mit pas pour cela de côté son propre romantisme. Il était sobre, économe et pieux. Il communiait chaque premier vendredi, quelquefois avec elle, plus souvent sans elle. Cependant elle ne faiblit jamais dans sa religion et fut une bonne épouse. Dans des réunions où ils étaient invités, à peine haussait-elle le sourcil, qu'il se levait et prenait congé, et quand la toux le tourmentait, elle lui couvrait les pieds d'un édredon et lui confectionnait un grog énergique. Quant à lui, c'était un père modèle. En versant chaque semaine une petite somme dans une société, il assurait à chacune de ses deux filles une dot de cent livres pour le jour où elles auraient leurs vingt-quatre ans. Il envoya sa fille aînée Kathleen dans un bon couvent où on lui apprit le français et la musique et plus tard lui paya ses inscriptions au Conservatoire. Chaque année, au mois de juillet, Mrs. Kearney trouvait le moyen de dire à une de ses amies :

— Mon brave époux nous expédie à Skerries pour quelques semaines.

Lorsque ce n'était pas à Skerries, c'était à Howth ou à Greystones.

Au temps où commençait à s'affirmer la renaissance irlandaise, Mrs. Kearney décida de profiter du nom de sa fille (1) et fit venir à la maison une institutrice irlandaise. Kathleen et sa sœur envoyaient des cartes postales irlandaises à leurs amis et leurs amis leur en renvoyaient de non moins irlandaises. Certains dimanches, alors que M. Kearney allait avec sa famille à la pro-cathédrale, un petit groupe se réunissait à la sortie de la messe au coin de Cathedral Street. Tous étaient des amis des Kearney, du Conservatoire ou du mouvement nationaliste, et, lorsqu'ils avaient échangé tous leurs potins, ils se serraient

(1) Kathleen est un nom essentiellement irlandais.

mutuellement la main, riant de voir tant de mains se croiser et se disant adieu en irlandais. Le nom de Miss Kathleen Kearney ne tarda pas à être sur toutes les lèvres. Les gens disaient qu'elle était une excellente musicienne, une très gentille fille et que de plus elle avait foi en la renaissance de la langue. De tout cela Mrs. Kearney se montrait très satisfaite. Aussi ne fut-elle nullement surprise lorsqu'un jour M. Holohan vint chez elle lui proposer de prendre sa fille comme accompagnatrice dans une série de quatre grands concerts donnés par sa société à la salle des Concerts d'Antiennes. Mrs. Kearney l'introduisit dans son salon, le fit asseoir et sortit un carafon et le seau à biscuits en argent. Elle entra cœur et âme dans les détails de l'entreprise, approuva ou critiqua ; finalement, un contrat fut dressé aux termes duquel Kathleen devait recevoir huit guinées à titre d'accompagnatrice pour les quatre grands concerts.

M. Holohan étant novice en des matières aussi délicates que celles de rédiger des prospectus, de disposer des numéros pour un programme, Mrs. Kearney vint à son aide. Elle avait du tact. Elle savait quels artistes devaient paraître en vedette et ceux qui devaient être inscrits en petits caractères. Elle savait que le premier ténor n'aimerait pas à passer après le comique M. Meade. Pour tenir l'assistance sans cesse en haleine, elle inséra les numéros douteux entre les favoris. Chaque jour, M. Holohan vint lui rendre visite pour avoir son avis sur quelque point. Elle était invariablement amicale et de bon conseil, accueillante en somme. Elle poussait devant lui le carafon en disant :

— Servez-vous, je vous en prie, monsieur Holohan.

Et pendant qu'il se servait elle disait :

— N'ayez pas peur, n'ayez pas peur, je vous en prie.

Tout se passa à merveille. Mrs. Kearney acheta une ravissante charmeuse rose chez Browne Thomas, destinée à renouveler le devant de la robe de Kathleen. Cela lui coûta une somme rondelette ; mais certaines occasions justifient une petite dépense. Elle prit une douzaine de billets à deux shillings pour le dernier concert et les distribua aux amis sur lesquels elle n'aurait pu compter sans cela. Elle n'oublia rien et, grâce à elle, tout ce qu'il y avait à faire fut fait.

Les concerts devaient avoir lieu le mercredi, jeudi, vendredi et samedi. Quand le mercredi soir Mrs. Kearney arriva avec sa fille à la salle des Concerts d'Antiennes, l'aspect des choses lui déplut. Quelques jeunes gens portant des insignes d'un bleu vif se tenaient désœuvrés dans le vestibule ; aucun d'eux n'était en tenue de soirée. Elle passa avec sa fille et un coup d'oeil jeté à travers la porte entrouverte de la salle lui expliqua la nonchalance des commissaires. Tout d'abord, elle se demanda si elle ne s'était pas trompée d'heure. Mais non, il était huit heures moins vingt.

Dans le foyer, derrière la scène, elle fut présentée au secrétaire de la société, M. Fitzpatrick. Elle sourit et lui serra la main. C'était un petit homme au visage blême, inexpressif. Elle remarqua qu'il portait son chapeau mou sur le côté de la tête et qu'il avait un accent traînant. Il tenait un programme et, tout en lui parlant, il en mâchonnait le bout, le réduisant en bouillie. Les désagréments ne paraissaient guère lui peser. M. Holohan entrait dans le foyer toutes les deux minutes, rapportant des nouvelles du guichet. Les artistes parlaient entre eux avec nervosité, se regardant de temps à autre dans la glace, roulant et déroulant leur cahier de musique. Quand il fut près de huit heures et demie, les quelques personnes qui se trouvaient dans la salle commencèrent à témoigner le désir qu'on s'occupât d'elles. M. Fitzpatrick entra, un sourire circulaire et niais aux lèvres :

— Eh bien ! mesdames et messieurs, nous ferions peut-être mieux d'ouvrir le bal.

Mrs. Kearney accueillit la chute languissante de cette phrase avec un bref regard de mépris, puis, s'adressant à sa fille, lui dit sur un ton d'encouragement :

— Etes-vous prête, ma chérie ?

A la première occasion, elle appela M. Holohan à l'écart et le pria de lui dire ce que tout cela signifiait. M. Holohan n'en savait rien. Il dit que le comité avait fait une erreur en organisant quatre concerts ; quatre étaient trop.

— Quant aux artistes, dit Mrs. Kearney, bien entendu ils font de leur mieux ; mais vraiment ils ne valent pas grand-chose.

M. Holohan admit qu'ils ne valaient pas grand-chose, mais le comité avait décidé de laisser aller les trois premiers concerts tant bien que mal et de réserver les valeurs pour le samedi soir. Mrs. Kearney ne dit rien ; mais, à mesure que les numéros médiocres se succédaient sur la scène et que les quelques rares spectateurs se raréfiaient encore, elle commença à regretter de s'être mise en frais pour un tel spectacle. Quelque chose lui déplaisait dans la tournure que prenaient les événements. Le sourire hébété de M. Fitzpatrick l'agaçait. Toutefois elle ne dit rien et attendit de voir la fin. La soirée s'acheva peu avant dix heures et tout le monde se dépêcha de rentrer à la maison.

Le concert du jeudi soir fut mieux suivi ; mais Mrs. Kearney vit de suite que la salle ne contenait que des billets de faveur. L'auditoire se conduisit de façon indécente comme si le concert n'avait été qu'une simple répétition en costumes. M. Fitzpatrick semblait s'amuser, tout à fait inconscient de ce que Mrs. Kearney fût en train de juger sévèrement sa conduite. Il se tenait au bord du rideau, avançant la tête de temps à autre et plaisantant avec deux amis qui se trouvaient au balcon. Dans le courant de la soirée, Mrs. Kearney apprit qu'on allait renoncer au concert du vendredi et que le comité allait remuer ciel et terre afin d'assurer une salle comble pour le samedi soir. Quand Mrs. Kearney l'apprit, elle saisit M. Holohan au passage comme il se hâtait en boitillant d'apporter un verre de limonade à une jeune dame, et lui demanda si la nouvelle était vraie. Oui, elle l'était.

— Mais bien entendu ceci ne change rien au contrat, dit-elle, le contrat portait sur quatre concerts.

M. Holohan parut pressé ; il lui conseilla de s'adresser à M. Fitzpatrick. Mrs. Kearney commençait à s'alarmer. Elle appela M. Fitzpatrick de derrière son rideau et lui dit que sa fille avait signé pour quatre concerts et que, bien entendu, conformément au contrat, il fallait qu'elle reçût la somme qui avait été stipulée à l'origine, que la société donnât ses quatre concerts ou pas. M. Fitzpatrick, qui n'était pas prompt à saisir le point en question, paraissait incapable de résoudre la difficulté et dit qu'il allait soumettre l'affaire au comité. La colère de Mrs. Kearney commençait à lui monter au visage et elle eut toutes les peines du monde à s'empêcher de demander :

— Et qui est le comité, je vous prie ?

Mais elle savait que ce n'eût pas été là agir en femme du monde, en conséquence elle se tut.

Des galopins furent envoyés dans les principales rues de Dublin, de bonne heure, le vendredi matin, avec des monceaux de prospectus. Des annonces spéciales dans les journaux du soir rappelaient au public, épris de musique, la joie qui leur était réservée le soir suivant. Mrs. Kearney fut quelque peu rassurée, mais elle crut bien faire en informant son mari de ses soupçons. Il l'écouta avec attention et dit que ce serait peut-être préférable qu'il l'accompagnât le samedi soir. Elle y consentit. Elle respectait son mari un peu de la même façon dont elle respectait le bureau de poste central ; à la manière d'une vaste administration, sûre et immuable ; et bien qu'elle reconnût le petit nombre de ses talents, elle appréciait sa valeur abstraite en tant que mâle. Elle était contente qu'il lui eût proposé de l'accompagner, et elle récapitula ses projets.

Le soir du grand concert vint. Mrs. Kearney avec son mari et sa fille arrivèrent dans la salle des Concerts d'Antiennes trois quarts d'heure à l'avance. Par malheur, la soirée était pluvieuse. Mrs. Kearney confia la garde des affaires et de la musique de sa fille à son mari et parcourut tout le bâtiment à la recherche de M. Holohan ou de M. Fitzpatrick. Elle ne trouva personne. Elle demanda aux commissaires si quelques-uns des membres du comité se trouvaient dans la salle. A grand-peine on finit par ramener une petite femme nommée Miss Beirne à laquelle Mrs. Kearney expliqua qu'elle désirait voir un des secrétaires. Miss Beirne les attendait d'un moment à l'autre et demanda s'il n'y avait rien qu'elle pût faire. Mrs. Kearney scruta le visage vieillot qui s'était recroquevillé en une expression de confiance et d'enthousiasme et répondit :

— Non, merci !

La petite femme exprima son espoir d'une salle bien garnie. Elle alla contempler la pluie jusqu'à ce que la mélancolie que dégageait la rue mouillée eût effacé toute la confiance, tout l'enthousiasme de ses traits recroquevillés. Puis elle exhala un petit soupir et dit :

— Enfin, nous avons fait de notre mieux, Dieu le sait.

Mrs. Kearney dut retourner au foyer. Les artistes arrivaient. La basse et le second ténor se trouvaient déjà là. La basse, M. Duggan, était un jeune homme mince, à la moustache noire et clairsemée. C'était le fils d'un concierge d'un grand bureau de la ville et tout enfant il filait des sons de basse qui se répercutaient dans la loge spacieuse. Il était sorti de cet humble état, jusqu'à devenir un artiste de premier ordre. Il avait déjà fait ses débuts dans l'opéra. Un soir, un artiste étant tombé malade, il avait assumé le rôle du roi dans *Maritana* au théâtre de la Reine. Il avait chanté son morceau avec beaucoup de sentiment et de puissance, et avait été chaleureusement applaudi par le poulailler. Mais par malheur, il effaça cette bonne impression en s'essuyant une ou deux fois le nez de sa main gantée, par distraction. Il était sans prétention et parlait peu. Il disait *voui* si doucement que cela passait inaperçu et jamais il ne buvait rien de plus fort que du lait à cause de sa voix. M. Bell, le second ténor, était un petit homme blond qui concourait chaque année pour le prix *Feis Ceol*. A la quatrième tentative, il lui fut octroyé une médaille de bronze. Il était extrêmement nerveux et fort jaloux des autres ténors et dissimulait nervosité et jalousie derrière une amitié débordante. Il tenait à ce que les gens sussent quelle épreuve lui était un concert. De sorte que lorsqu'il vit M. Duggan, il alla à sa rencontre et lui demanda :

— Vous en êtes, vous aussi ?

— Oui, dit M. Duggan.

M. Bell rit à son compagnon de souffrance, lui tendit la main et dit :

— Tope là.

Mrs. Kearney passa devant les deux jeunes gens et alla se placer derrière le rideau pour avoir un aperçu de la salle.

Les sièges se remplissaient à vue d'œil, des rumeurs de bon augure circulaient parmi l'assistance. Elle revint, et eut avec son mari un entretien confidentiel. Kathleen était évidemment le sujet du débat, car ils la regardaient souvent, tandis qu'elle bavardait avec une de ses amies nationalistes, Miss Healy, le contralto. Une inconnue solitaire, au visage pâle, traversa la pièce. Les femmes suivaient d'un regard scrutateur la robe bleue fanée tendue sur un corps étriqué. Quelqu'un dit que c'était Mme Glynn, le soprano.

— Je me demande où on l'a dénichée, dit Kathleen à Miss Healy, je suis sûre de n'avoir jamais entendu parler d'elle.

Miss Healy ne put s'empêcher de sourire. M. Holohan entra dans le foyer en clopinant et les deux jeunes filles lui demandèrent qui était l'inconnue. M. Holohan dit que c'était Mme Glynn de Londres. Mme Glynn se posta dans un coin de la pièce, tenant un rouleau de musique droit devant elle et de temps à autre déplaçant la direction de son regard effaré. L'ombre avait mis sa robe fanée à l'abri, mais en revanche tombait dans une petite salière près de la clavicule. Le bruit dans la salle se fit plus distinct. Le premier ténor et le baryton arrivèrent ensemble. Ils avaient tous les deux l'air satisfait, étaient gras, bien habillés, et apportaient avec eux comme un souffle d'opulence.

Mrs. Kearney leur amena sa fille et leur parla aimablement. Elle voulait demeurer en bons termes avec eux ; mais tandis qu'elle s'efforçait d'être polie, ses yeux suivaient M. Holohan dans ses pérégrinations boitillantes et sinueuses. Dès qu'elle le put, elle s'excusa et sortit derrière lui.

169

— Monsieur Holohan, j'ai à vous parler un moment, dit-elle.

Ils gagnèrent un coin écarté du corridor. Mrs. Kearney lui demanda quand sa fille allait être payée. M. Holohan répondit que c'était M. Fitzpatrick qui s'en occupait. Mrs. Kearney dit qu'elle n'avait rien à voir avec M. Fitzpatrick. Sa fille avait signé un contrat pour recevoir huit guinées et il fallait qu'on la payât. M. Holohan dit que ce n'était pas son affaire.

— Pourquoi n'est-ce pas votre affaire ? demanda Mrs. Kearney. N'est-ce pas vous en personne qui avez apporté le contrat ? En tout cas, si ce n'est pas votre affaire, c'est la mienne et je compte y veiller.

— Vous feriez mieux de vous adresser à M. Fitzpatrick, dit M. Holohan d'un air distant.

— Je n'ai rien à voir avec M. Fitzpatrick, répéta Mrs. Kearney, j'ai mon contrat et j'entends qu'il soit exécuté.

Quand elle revint au foyer, ses joues étaient légèrement colorées. L'animation régnait dans la pièce. Deux hommes en pardessus, adossés à la cheminée, parlaient familièrement avec Miss Healy et le baryton. C'étaient les reporters du *Freeman* et M. O'Madden Burke. Le reporter du *Freeman* était venu dire qu'il ne pouvait pas attendre le concert, ayant à faire le compte rendu de la conférence d'un prêtre américain, à la mairie. Il dit qu'on n'avait qu'à déposer le compte rendu au bureau du *Freeman* et qu'il veillerait à ce que cela parût. C'était un homme grisonnant au langage spécieux et aux manières prudentes. Il tenait un cigare éteint dont l'arôme flottait autour de lui. Son intention n'avait pas été de rester parce que concerts et artistes l'excédaient prodigieusement ; mais il n'en demeurait pas moins appuyé contre la cheminée. Miss Healy debout devant lui bavardait et riait. Il était assez âgé pour soupçonner la raison de cette amabilité, mais encore assez jeune d'esprit pour en faire son profit. La chaleur, le parfum et la couleur du corps de la jeune fille parlaient à ses sens. Il se plaisait à penser que la gorge qu'il voyait se soulever et retomber lentement se soulevait et retombait pour lui, que le rire, le parfum, les œillades lui étaient donnés en tribut. Quand il ne put rester davantage, il la quitta à regret.

— O'Madden Burke écrira la notice, expliqua-t-il à M. Holohan, et je veillerai à la faire passer.

— Merci beaucoup, monsieur Hendrick, dit M. Holohan, je sais que vous y veillerez. Ne prendrez-vous pas un petit quelque chose avant de vous en aller ?

— Je veux bien, dit M. Hendrick.

Les deux hommes parcoururent quelques couloirs tortueux, grimpèrent un escalier obscur et atteignirent une pièce retirée où un des commissaires débouchait des bouteilles pour quelques messieurs. Un de ces messieurs était M. O'Madden Burke qui avait découvert l'endroit d'instinct. C'était un homme suave, d'un certain âge, qui au repos balançait son imposante personne tout en s'appuyant sur son large parapluie de soie. Son nom pompeux des comtés de l'Ouest était comme le parapluie moral sur lequel il tenait en équilibre le délicat problème de ses finances. On le respectait à la ronde.

Tandis que M. Holohan entretenait le représentant du *Freeman,* Mrs. Kearney parlait avec tant d'animation à son mari qu'il dut la prier de baisser le ton.

La conversation générale dans le foyer devenait tendue. M. Bell, le premier numéro, se tenait prêt avec son cahier de musique. Mais l'accompagnatrice n'avait pas bougé. Evidemment, quelque chose n'allait pas. M. Kearney regardait droit devant lui, se caressant la barbe, tandis que Mrs. Kearney parlait à l'oreille de Kathleen avec une animation contenue. De la salle arrivaient des bruits d'impatience, des battements de mains, des trépignements. Le premier ténor, le baryton et Miss Healy attendaient tranquillement debout ; mais les nerfs de M. Bell étaient fortement agités par la crainte que l'assistance ne le crût en retard.

M. Holohan et M. O'Madden Burke entrèrent dans la chambre. En un clin d'œil, M. Holohan comprit ce qui se passait. Il se dirigea vers Mrs. Kearney et lui parla avec vivacité. Tandis qu'ils causaient, le bruit s'accrut dans la salle. M. Holohan devenait très rouge et s'agitait. Il parlait avec feu ; mais Mrs. Kearney répétait sèchement de minute en minute :

— Elle ne marchera pas. Il lui faut ses huit guinées.

M. Holohan désigna avec désespoir la salle où l'auditoire tapait des mains et trépignait. Il fit appel à M. Kearney et à Kathleen. Mais M. Kearney continuait à se caresser la barbe et Kathleen baissait les yeux et remuait la pointe de son soulier neuf ; elle n'y pouvait rien, Mrs. Kearney répétait :

— Elle ne marchera pas sans son argent.

Après un vif débat, M. Holohan, clopin-clopant, sortit de la chambre en toute hâte. Personne ne parlait. Quand le silence devint par trop insupportable, Miss Healy dit au baryton :

— Avez-vous vu Mrs. Pat Campbell cette semaine ?

Le baryton ne l'avait pas vue ; mais on lui avait dit qu'elle avait joué merveilleusement. La conversation n'alla pas plus loin. Le premier ténor baissa la tête et commença de compter les chaînons de sa chaîne d'or qui s'étalait sur son gilet. Il souriait et chantonnait quelques notes sans suite pour en étudier l'effet sur son sinus frontal. De temps à autre, on jetait un coup d'œil sur Mrs. Kearney.

Le bruit dans la salle devint une clameur lorsque M. Fitzpatrick se précipita dans la pièce suivi de M. Holohan pantelant. Les battements de mains et les trépignements dans la salle étaient ponctués par des sifflets. M. Fitzpatrick tenait quelques billets de banque. Il en compta quatre dans la main de Mrs. Kearney et dit qu'elle aurait la seconde moitié à l'entracte. Mrs. Kearney dit :

— Il manque quatre shillings.

Mais Kathleen rassembla ses jupes et dit « Allons, monsieur Bell ! » au premier numéro qui frissonnait comme un tremble.

Le chanteur et l'accompagnatrice sortirent ensemble. Le bruit de la salle s'apaisa. Il y eut quelques secondes de silence, puis le piano se fit entendre. La première partie du concert fut très réussie, à l'exception du numéro de Mme Glynn. La pauvre dame chantait *Killarney* d'une voix creuse et oppressée, avec tout un maniérisme désuet de nuances et de prononciation qui prêtait, selon elle, de l'élégance à son chant. Elle avait l'air d'avoir été ressuscitée d'une vieille garde-robe de scène et la galerie tournait en ridicule ses piaulements dans les notes aiguës. Toutefois, le premier ténor et le contralto firent crouler la salle. Kathleen exécuta un choix d'airs irlandais qui furent généreusement applaudis. La première partie s'acheva sur un monologue patriotique débité par une jeune demoiselle, organisatrice de représentations d'amateurs. Ce monologue fut dûment applaudi, et, quand ce fut fini, les hommes sortirent à l'entracte, satisfaits.

Entre-temps, le foyer était en effervescence. Dans un coin, se trouvaient M. Holohan, M. Fitzpatrick, Miss Beirne, deux des commissaires, le baryton, la basse et M. O'Madden Burke. M. O'Madden Burke dit qu'il n'avait jamais vu pareil esclandre. On demanda au baryton ce qu'il pensait de la conduite de Mrs. Kearney. Il ne tenait pas à se prononcer. Il avait été payé et désirait vivre en paix avec les hommes. Toutefois, il dit que Mrs. Kearney aurait pu prendre les artistes en considération. Les commissaires, les secrétaires déblatérèrent avec chaleur sur les mesures à prendre au moment de l'entracte.

— Je suis de l'avis de Miss Beirne, dit M. O'Madden Burke, ne lui payez rien.

Dans un autre coin, se tenaient Mrs. Kearney et son époux, M. Bell, Miss Healy et la demoiselle au monologue patriotique. Mrs. Kearney disait que le comité l'avait traitée honteusement. Elle ne s'était épargné ni peine ni dépense, voilà comment on la récompensait. Ils s'étaient dit qu'ils n'auraient eu affaire qu'à une jeune fille et que par conséquent ils pouvaient y aller. Mais Mrs. Kearney leur ferait bien voir qu'ils se trompaient. Ils n'auraient pas osé la traiter ainsi si elle avait été un homme ; mais elle serait là, elle veillerait sur les droits de sa fille ; elle ne se laisserait pas rouler. Si on ne la payait pas jusqu'au dernier centime, elle ferait du bruit dans Dublin. Evidemment, elle regrettait cet incident pour les artistes ; mais elle n'y pouvait rien. Elle fit appel au second ténor qui dit qu'à son avis elle n'avait pas été bien traitée. Puis elle en appela à Miss Healy. Miss Healy aurait bien voulu se rallier à l'autre groupe, mais elle avait des scrupules, parce que c'était une grande amie de Kathleen et les Kearney l'avaient souvent invitée chez eux.

Sitôt après la première partie, M. Fitzpatrick et M. Holohan se dirigèrent vers Mrs. Kearney et lui dirent que les quatre autres guinées lui seraient payées après la réunion du comité, le mardi suivant, et qu'au cas où sa fille ne jouerait pas dans la seconde partie, le comité considérerait le contrat comme rompu et ne paierait rien.

— Je n'ai pas vu de comité, dit Mrs. Kearney, ma fille a son contrat, vous lui compterez ses quatre guinées dans la main où elle ne posera pas le pied sur la scène que voici.

— Vous m'étonnez, Mistress Kearney, dit M. Holohan, je n'aurais jamais pensé que vous nous traiteriez de la sorte.

— Et de quelle sorte m'avez-vous traitée, moi ? demanda Mrs. Kearney.

Sur son visage se répandit une couleur menaçante ; on sentit qu'elle aurait pu en venir aux mains.

— Je réclame mes droits, dit-elle.

— Vous pourriez avoir quelque notion des convenances, dit M. Holohan.

— Ah ! vous trouvez ? Et lorsque je demande quand est-ce que ma fille sera payée, je ne parviens pas à obtenir une réponse polie.

Elle rejeta la tête en arrière et dit d'une voix arrogante :

— Il faut parler au secrétaire. Ce n'est pas mon affaire. Je suis un homme épatant, tra la ra lala.

— Je vous croyais une dame, dit M. Holohan la quittant brusquement.

Après cet incident, la conduite de Mrs. Kearney fut condamnée en tous points. Tout le monde approuvait ce qu'avait fait le comité. Elle se tint à la porte, égarée de rage, discutant avec son mari et sa fille, gesticulant. Elle attendit jusqu'au moment où la seconde partie allait commencer, dans l'espoir que les secrétaires l'aborderaient. Mais Miss Healy avait aimablement accepté de jouer un ou deux accompagnements. Mrs. Kearney dut se ranger pour permettre au baryton et à son accompagnatrice de passer sur la scène. Elle se tint un instant immobile, telle une image de pierre en courroux, et quand les premières notes de la chanson parvinrent à son oreille, elle s'empara du manteau de sa fille et dit à son mari :

— Appelez une voiture !

Il sortit aussitôt. Mrs. Kearney drapa sa fille dans son manteau et le suivit. Comme elle franchissait la porte, elle s'arrêta, et, dévisageant M. Holohan :

— Je ne vous ai pas dit mon dernier mot, dit-elle.

— Mais moi, je vous ai dit le mien, répliqua M. Holohan.

Kathleen suivit sa mère timidement. M. Holohan se mit à arpenter la chambre, afin de retrouver son sang-froid, car il se sentait fort échauffé.

— Pour une grande dame, dit-il, oh ! pour le coup, c'en est une !

— Vous avez fait ce qu'il fallait faire, Holohan, dit M. O'Madden Burke, appuyé sur son parapluie en signe d'approbation.

DE PAR LA GRÂCE

Deux messieurs qui se trouvaient au cabinet de toilette à ce moment-là essayèrent de le relever. Mais lui, semblait incapable de tout effort. Il gisait replié sur lui-même, au pied de l'escalier d'où il venait de tomber. Ils parvinrent à le retourner. Son chapeau avait roulé à quelques mètres plus loin, il avait les habits couverts de la saleté et de l'humidité gluante du sol sur lequel, la face contre terre, il était couché. Les yeux fermés, il respirait avec bruit. Du coin de la bouche s'échappait un mince filet de sang. Les deux messieurs et un des garçons le transportèrent au haut de l'escalier et l'étendirent de nouveau par terre dans le bar. En un instant, il fut entouré d'un cercle de spectateurs. Le patron du bar leur demanda son nom et qui l'accompagnait. Personne ne le savait ; mais un des garçons dit qu'il avait versé à ce monsieur un petit verre de rhum.

— Etait-il seul ? demanda le patron.

— Non, monsieur, deux messieurs l'accompagnaient.

— Et où sont-ils ?

Personne ne savait rien ; une voix dit :

— Donnez-lui de l'air. Il s'est évanoui.

Le cercle de spectateurs se détendit et se referma à la façon d'un élastique. Sur les dalles, près de la tête de l'homme, il s'était formé une sombre médaille de sang. Le patron, alarmé par la pâleur du visage de l'homme, fit appeler un sergent de ville. On défit son col et on dénoua sa cravate. Un instant, il ouvrit les yeux, soupira, puis les referma. Un de ceux qui l'avaient monté tenait dans sa main un haut-de-forme bosselé. Le patron demandait sans arrêt si on savait qui c'était, où se trouvaient ses amis. La porte du bar s'ouvrit et un immense agent de police fit son entrée, suivi d'une foule qui s'était massée derrière la porte, luttant à qui regarderait à travers les vitres.

Le patron se mit aussitôt à raconter ce qu'il savait. L'agent, un jeune homme, aux traits épais et immobiles, écoutait. Il tournait la tête avec lenteur tantôt vers le patron, tantôt vers le personnage allongé à terre, comme s'il redoutait quelque piège. Puis il retira un de ses gants, sortit un carnet de la poche de son gilet, humecta le bout de son crayon et se mit en devoir de rédiger un rapport. Il demanda, soupçonneux, avec un accent provincial :

— Quel est cet homme ? Quel est son nom et son adresse ?

Un jeune homme en costume de cycliste se fraya un passage à travers le cercle des assistants. Il s'agenouilla vivement auprès du blessé et réclama de l'eau. L'agent s'agenouilla aussi pour lui venir en aide. Le jeune homme lava le sang de la bouche et donna ordre qu'on apportât du cognac. L'agent répéta l'ordre d'une voix autoritaire jusqu'à ce qu'un garçon accourut avec le verre. On introduisit le cognac dans le gosier de l'homme. Au bout de quelques instants, il ouvrit les yeux et regarda autour de lui les visages qui l'entouraient. Il comprit ce qui se passait et tenta de se relever.

— Vous allez mieux maintenant ? demanda le jeune homme en tenue de cycliste.

— Pouh ! Pouh !... fait rien, dit le blessé, faisant des efforts pour se redresser.

On l'aida à se tenir debout. Le patron parla d'un hôpital, et quelques-uns des spectateurs donnèrent leur avis. Le haut-de-forme bosselé lui fut placé sur la tête. L'officier de police demanda :

— Où habitez-vous ?

L'homme, sans répondre, se mit à tortiller sa moustache. Il attachait peu d'importance à son accident. Ce n'était rien, disait-il, peu de chose. Il s'exprimait, la langue pâteuse.

— Où habitez-vous ? répéta l'officier de police.

L'homme demanda qu'on lui cherchât une voiture. A ce moment, du fond de la salle, arriva un grand homme svelte au teint clair, portant un long caoutchouc jaune. Voyant ce qui se passait, il cria :

— Eh bien, Tom, mon vieux, qu'est-ce qui t'arrive ?

— Peuh ! rien, dit l'homme.

Le nouveau venu considéra le piteux personnage qui se tenait devant lui, puis se tournant vers l'officier de police :

— Ça va bien, brigadier, je le ramène chez lui.

L'agent toucha son képi et répondit :

— Parfait, monsieur Power.

— Allons, venez maintenant, Tom, dit M. Power prenant son ami par le bras, rien de cassé ? Quoi ? Vous pouvez marcher ?

Le jeune homme en tenue de cycliste prit le blessé sous l'autre bras et la foule s'écarta.

— Comment avez-vous fait pour vous mettre dans cet état ? demanda M. Power.

— Monsieur est tombé dans l'escalier, dit le jeune homme.

— 'E 'ous 'uis 'rès o'ligé, 'onsieur, dit l'autre.

— Je vous en prie.

— 'i 'on 'enait un 'etit ?...

— Tout à l'heure, tout à l'heure.

Les trois hommes quittèrent le bar et la foule s'écoula dans le sentier. Le patron mena l'agent à l'escalier, pour l'inspection des lieux. Ils s'accordèrent pour dire que le monsieur avait fait un faux pas. Les clients retournèrent au comptoir et un garçon se mit à essuyer les traces sanglantes sur le sol.

Lorsqu'ils débouchèrent dans Grafton Street, M. Power héla une voiture. Le blessé dit de son mieux :

— 'e 'ous 'uis 'ien o'ligé, 'onsieur. 'espère 'ous 'evoi' 'ien'ô. 'on 'om est Kernan.

Le choc et la douleur naissante l'avaient en partie dégrisé.

— Je vous en prie, dit le jeune homme.

Ils se serrèrent la main. M. Kernan fut hissé sur la voiture et tandis que M. Power donnait des instructions au cocher, il exprima sa reconnaissance au jeune homme et son regret de n'avoir pas pu prendre un petit verre ensemble.

— Ce sera pour une autre fois, dit le jeune homme.

La voiture roula vers Westmoreland Street ; comme elle passait devant le bureau de Ballast, l'horloge marquait neuf heures et demie. De l'embouchure de la rivière un vent d'est pénétrant les fouettait au visage. M. Kernan grelottait, recroquevillé sur lui-même. Son ami le pria de lui raconter son accident.

— 'e 'e peux pas, répondit-il, j'ai ma' à 'a 'angue.

— Montrez.

L'autre se pencha par-dessus la banquette de la voiture et plongea son regard dans la bouche de M. Kernan ; mais il n'y voyait rien. Alors il prit une allumette et abritant la flamme dans le creux de sa main, fouilla à nouveau du regard la bouche de M. Kernan, que celui-ci maintenait ouverte docilement. Les cahots de la voiture faisaient entrer et ressortir l'allumette de la bouche. La mâchoire inférieure et les gencives étaient recouvertes de sang coagulé et un minuscule morceau de langue semblait arraché. L'allumette s'éteignit.

— C'est vilain, dit M. Power.

— Bah ! 'e 'est 'ien, dit M. Kernan, fermant la bouche et remontant le col de son veston autour du cou.

M. Kernan était un commis voyageur de la vieille école qui croyait encore à la dignité de la profession. On ne le rencontrait jamais dans la ville sans guêtres ni chapeau haut-de-forme pas trop abîmé. Grâce à ces deux détails de toilette, disait-il, un homme peut passer partout. Il continuait la tradition de son Napoléon (le grand Blackwhite) dont il faisait revivre le souvenir soit par des légendes, soit par imitation. Le système moderne des affaires ne lui avait permis qu'un petit bureau dans Crowe

Street sur le store duquel était inscrit le nom de sa maison de commerce et l'adresse : Londres E.C. A l'intérieur de ce bureau s'alignait un petit bataillon de boîtes de plomb et sur la table, devant la fenêtre, se trouvaient quatre ou cinq bols de porcelaine, habituellement à moitié pleins d'un liquide noirâtre. Il en prenait une gorgée, la dégustait, en saturait son palais, puis la rejetait dans l'âtre. Après quoi, il jugeait.

M. Power, un homme beaucoup plus jeune, était employé dans la gendarmerie royale de Dublin. La courbe suivant laquelle il s'élevait dans la société coupait celle que traçait le déclin de son ami ; mais la déchéance de M. Kernan se trouvait atténuée du fait que certains qui l'avaient connu à son apogée continuaient à le tenir pour une personnalité. M. Power était de ceux-là. Ses dettes inexplicables excitaient la risée de son milieu. Il passait pour un jeune homme débonnaire.

La voiture s'arrêta devant une petite maison sur la route de Glasnevin et on aida M. Kernan à entrer chez lui. Sa femme le coucha, tandis que M. Power, assis en bas dans la cuisine, questionnait les enfants sur leur école et sur leurs livres. Les enfants, deux filles et un garçon, sachant leur père impuissant contre eux et leur mère absente, cherchèrent à l'entraîner dans quelque jeu brutal. Leur prononciation et leurs manières le surprenaient et son front se rembrunit. Au bout d'un moment, Mme Kernan entra dans la cuisine en criant :

— Quel tableau ! Il en mourra un de ces jours, c'est comme je vous le dis. Il n'a pas dessoulé depuis vendredi.

M. Power eut soin de lui expliquer qu'il n'était en rien responsable de ce qui venait d'arriver, qu'il se trouvait sur place par le plus grand des hasards. Mme Kernan, se souvenant alors des bons offices rendus par M. Power pendant leurs querelles de ménage non moins que de ses prêts modestes mais opportuns, dit :

— Oh ! vous n'avez pas besoin de me le dire, monsieur Power. Je sais que vous êtes un de ses amis bien différent de quelques-uns qu'il fréquente. Ils se montrent parfaits tant qu'il a de l'argent en poche pour le tenir éloigné de sa femme et de ses enfants. De bons amis ! Avec qui était-il ce soir ? je voudrais bien le savoir.

M. Power remua la tête, mais ne dit rien.

— J'ai bien du regret, continua-t-elle, de n'avoir rien à vous offrir. Mais si vous attendez un moment, j'enverrai prendre quelque chose chez Fogarty juste au coin.

M. Power se leva.

— Nous attendions qu'il revienne avec l'argent, il n'a jamais l'air de songer qu'il a un chez lui.

— Allons, Mistress Kernan, dit M. Power, nous lui ferons faire peau neuve. J'en parlerai à Martin. C'est l'homme qu'il nous faut. Nous viendrons ici un de ces soirs causer de tout cela à fond.

Elle l'accompagna à la porte. Le cocher piétinait de long en large et balançait les bras pour se réchauffer.

— C'est très aimable à vous de l'avoir ramené à la maison, dit-elle.

— Je vous en prie, dit M. Power.

Il monta dans la voiture. Et comme il s'éloignait, il porta gaiement la main à son chapeau.

— Nous en ferons un autre homme, cria-t-il gaiement. Bonne nuit, Mrs. Kernan !

Mme Kernan, intriguée, suivit la voiture des yeux jusqu'à ce qu'elle eût disparu ; alors elle détourna son regard, rentra dans la maison et vida les poches de son mari.

C'était une femme active, pratique, d'un certain âge. Peu de temps auparavant, elle avait célébré ses noces d'argent et renouvelé l'intimité entre elle et son mari, en dansant avec lui sur un accompagnement de M. Power. A l'époque où il lui faisait la cour, M. Kernan ne lui avait point paru dépourvu de noblesse. Elle courait encore à la porte de la chapelle chaque fois qu'il y avait un mariage, et à la vue des mariés elle revivait avec une joie intense sa sortie de l'église de Stella Maris à Sandymount, au bras d'un homme jovial, bien en chair, élégamment vêtu d'une redingote et d'un pantalon couleur lavande, portant avec grâce un haut-de-forme en équilibre sur l'autre bras. Au bout de trois semaines, elle avait trouvé la vie d'épouse fastidieuse et plus tard, quand elle commença à la trouver insupportable, elle devint mère. Le rôle maternel ne lui parut nullement un obstacle impossible à surmonter, et pendant vingt-cinq ans elle sut tenir son ménage avec sagacité. Les deux fils aînés faisaient leur chemin : l'un placé chez un drapier à Glascow, l'autre chez un négociant en thé à Belfast. C'étaient de bons fils qui écrivaient régulièrement et parfois envoyaient de l'argent à la maison. Les autres enfants allaient encore à l'école.

Le lendemain, M. Kernan envoya une lettre à son bureau et garda le lit. Elle lui prépara un consommé et le tança vertement. Elle acceptait ses fréquents accès d'intempérance comme elle acceptait le climat, le soignant docilement chaque fois qu'il tombait malade, tâchant toujours d'obtenir qu'il mangeât son petit déjeuner. Comme époux, il y avait pire. Depuis que les garçons étaient grands il n'avait plus été violent et elle savait qu'il ferait Thomson Street à pied aller et retour pour la commande la plus minime.

Deux soirs après, ses amis vinrent le voir. Elle les fit monter à sa chambre qu'imprégnait une odeur personnelle et leur offrit des chaises auprès du feu. La langue de M. Kernan, que la douleur cuisante rendait quelque peu irritable pendant le jour, se fit plus courtoise. Assis dans son lit, soutenu par des coussins, le peu de couleur sur ses joues bouffies les faisait ressembler à des cendres chaudes. Il s'excusa du désordre de la pièce tout en regardant ses amis avec un soupçon d'orgueil : l'orgueil du vétéran.

Il ne se doutait pas qu'il était la victime d'un complot que ses amis, M. Cunningham, M. M'Coy et M. Power, avaient révélé au salon à Mme Kernan. L'idée venait de M. Power, mais M. Cunningham devait se charger du développement. M. Power était d'origine protestante et, bien qu'il se fût converti au catholicisme au moment de son mariage, il n'était pas revenu au sein de l'Eglise depuis vingt ans. De plus, il aimait à donner en sous-main des coups de lance au catholicisme.

M. Cunningham semblait donc l'homme indiqué pour la circonstance. C'était un collègue de M. Power, plus âgé

182

que lui, sa vie conjugale n'était pas très heureuse. On le plaignait beaucoup, car on le savait marié à une femme impossible, ivrogne invétérée. A six reprises, il lui avait remeublé sa maison et chaque fois elle avait engagé leurs meubles.

Tout le monde estimait le pauvre Martin Cunningham, homme de bon sens, intelligent et influent. La connaissance aiguë qu'il avait des hommes, une ruse native particularisée par un long contact avec des cas judiciaires, avait été atténuée par de brèves immersions dans les eaux d'une philosophie générale. Toujours bien informé, ses amis accueillaient ses opinions avec déférence et s'accordaient à lui trouver une certaine ressemblance dans la physionomie avec Shakespeare.

Après la révélation du complot, Mme Kernan avait dit :

— Je remets tout entre vos mains, monsieur Cunningham.

Après un quart de siècle de vie conjugale, il lui restait fort peu d'illusions. Pour elle, la religion était une habitude et elle se doutait bien qu'un homme de l'âge de son mari ne changerait guère avant sa mort. Elle était tentée de considérer cet accident comme venu fort à propos et n'eût été qu'elle n'eût point voulu passer pour un esprit sanguinaire, elle aurait déclaré à ces messieurs que la langue de M. Kernan ne souffrirait aucunement du fait d'avoir été raccourcie. Néanmoins, M. Cunningham était un homme compétent et la religion, c'était la religion. Si du complot il ne résultait aucun bien, du moins il n'en résulterait aucun mal. Elle ne possédait point de croyances extravagantes. Elle croyait fermement au Sacré-Cœur comme à la dévotion la plus utile de l'Eglise catholique et approuvait les sacrements. Sa foi était limitée par sa cuisine, mais si on la poussait à fond, elle voulait bien croire au *banshee* (1) et au Saint-Esprit.

Les hommes se mirent à parler de l'accident. M. Cunningham dit qu'il avait connu un cas semblable. Un homme de soixante-dix ans s'était coupé net un morceau

_____

(1) Sorte de fée qui prédit la mort dans les familles.

de langue dans une crise d'épilepsie et la langue avait repoussé sans laisser de traces.

— Eh bien, je n'ai pas soixante-dix ans, dit M. Kernan.

— A Dieu ne plaise ! dit M. Cunningham.

— Cela ne vous fait pas mal en ce moment ? demanda M. M'Coy.

M. M'Coy avait eu autrefois une certaine réputation de ténor ; sa femme, un ancien soprano, continuait à enseigner le piano aux enfants à des conditions modestes. Sa vie n'était pas allée sans accrocs suivant simplement la ligne la plus courte d'un point à un autre, et pendant de brèves périodes, il en avait été réduit à vivre d'expédients. Tour à tour employé dans les chemins de fer du Midland, agent de publicité pour l'*Irish Times* et pour *the Freeman's Journal,* commis voyageur pour une maison de commerce en charbon, agent de la police privée, secrétaire au bureau du sous-shérif, il venait d'être nommé secrétaire du coroner de la ville. Son nouvel emploi faisait qu'il portait un intérêt tout professionnel au cas de M. Kernan.

— Mal ? non pas très, répondit M. Kernan. Mais j'ai la nausée. J'ai envie de vomir.

— Ça, c'est la boisson, affirma M. Cunningham.

— Non, dit M. Kernan, je crois avoir pris froid dans la voiture. J'ai quelque chose qui ne cesse pas de remonter dans ma gorge. Des glaires ou du...

— Mucus, dit M. M'Coy.

— Cela remonte tout le temps du fond du gosier. Saleté !

— Oui, oui, dit M. M'Coy, c'est bien le thorax.

Il adressa à M. Cunningham et à M. Power le même regard de défi. M. Cunningham remua la tête vivement et M. Power dit :

— Tout est bien qui finit bien.

— Je vous suis infiniment obligé, vieux, dit le blessé.

M. Power fit un signe de la main.

— Ces deux hommes qui m'accompagnaient...

— Avec qui étiez-vous ? demanda M. Cunningham.

— Un type quelconque. Je ne sais pas son nom. Le

184

diable l'emporte, comment s'appelait-il ? Un petit homme roux...

— Et qui encore ?

— Harford.

— Hum ! dit M. Cunningham.

D'ordinaire, lorsque M. Cunningham faisait cette remarque, les gens se taisaient. On savait que l'orateur tirait ses informations de sources secrètes. Dans le cas présent, le monosyllabe ne comportait qu'une intention d'ordre purement moral. Le dimanche, M. Harford faisait parfois partie d'un petit détachement qui quittait la ville de bonne heure l'après-midi dans le but d'arriver le plus tôt possible dans quelque cabaret des environs où les membres du détachement se qualifiaient de voyageurs de *bona-fide*. Ses compagnons de voyage n'avaient pourtant jamais consenti à oublier son origine. Financier obscur dans ses débuts, il faisait alors aux ouvriers des prêts modestes à des taux usuraires. Plus tard, il devint l'associé d'un monsieur gros et court, M. Goldberg, dans la banque d'emprunt de Liffay ; bien qu'il se fût borné à adopter le code moral des juifs, ses compagnons catholiques, toutes les fois qu'il leur en avait cuit personnellement ou de façon détournée par ses exactions, parlaient de lui sur un ton amer, comme d'un juif irlandais, un illettré, et voyaient se manifester à travers la personne d'un fils idiot la réprobation divine de l'usure. A d'autres moments, on se rappelait ses qualités.

— Je me demande où il est passé, dit M. Kernan.

Il souhaitait que les détails de l'incident demeurassent vagues. Il aurait voulu que ses amis pensassent que M. Harford et lui s'étaient manqué. Ses amis, qui connaissaient parfaitement les habitudes de M. Harford lorsqu'il buvait, se taisaient. M. Power répéta :

— Tout est bien qui finit bien.

M. Kernan changea aussitôt de sujet :

— C'est un brave garçon que cet étudiant en médecine, dit-il, sans lui...

— Oh ! sans lui, c'était un cas passible de sept jours de prison, sans option d'amende, dit M. Power.

— Oui, oui, dit M. Kernan, faisant des efforts de mémoire, je me souviens maintenant d'un agent de police. Un garçon convenable, il m'a semblé. Mais en somme, qu'est-ce qui est arrivé ?

— Il est arrivé que tu étais rond comme une boule, Tom, dit M. Cunningham gravement.

— C'est vrai, dit Mme Kernan avec la même gravité.

— Je suppose que vous avez expédié l'agent de police, Jack, dit M. M'Coy.

M. Power ne goûtait guère l'emploi de son prénom. Il n'était pas formaliste, mais il n'oubliait pas que M. M'Coy était récemment parti à la recherche de valises et de sacs de voyage pour permettre à Mme M'Coy de remplir des obligations imaginaires à la campagne. Plus que du fait d'avoir été victime, il lui en voulait de la bassesse du jeu. En sorte qu'il répondit à la question comme si M. Kernan l'avait posée.

A ce récit, M. Kernan fut grandement indigné. Il avait très nettement conscience de ses devoirs de citoyen, désirait vivre en termes honorables avec sa ville et prenait en mauvaise part tout affront qui lui était fait par ceux qu'il qualifiait de rustres campagnards.

— C'est pour ces gens-là que nous payons nos impôts, s'écria-t-il. Pour vêtir et nourrir ces hobereaux ignorants, car c'est là tout ce qu'ils sont.

M. Cunningham se mit à rire. Il n'était employé du gouvernement qu'à ses heures de travail.

— Et que veux-tu qu'ils soient, Tom ?

Il assuma un fort accent provincial et dit d'un ton autoritaire :

— 65, attrape ton chou !

Tout le monde éclata de rire, M. M'Coy, qui voulait se glisser dans la conversation à tout prix, prétendit n'avoir jamais entendu raconter cette histoire. M. Cunningham dit :

— Ceci a lieu, du moins on le dit, au dépôt où l'on entraîne ces énormes paysans, vous savez bien, ces gobe-mouches, à l'exercice. Le sergent les fait mettre en ligne contre le mur et leur fait tendre leurs écuelles.

Il imageait son récit de gestes comiques.

— Alors, au moment du repas, il a une énorme platée de choux devant lui et une énorme louche. Il ramasse une feuille de chou, la promène autour de la salle et les pauvres diables de la saisir au vol sur leurs écuelles : 65, attrape ton chou !

Tout le monde se mit à rire, Kernan conservait un reste d'indignation. Il parlait d'adresser une lettre aux journaux.

— Ces macaques qui s'amènent ici, dit-il, croient qu'ils peuvent diriger le peuple. Je n'ai pas besoin de vous dire, Martin, ce que sont ces gens-là.

M. Cunningham opina de la tête.

— C'est comme tout ici-bas, il y a des bons et des mécréants.

— Oh ! oui, il y a des bons, je l'avoue, dit M. Kernan content.

— Il vaut mieux ne rien avoir à faire avec eux, dit M. M'Coy, c'est mon avis.

Mme Kernan entra dans la chambre et posa un plateau sur la table.

— Servez-vous, messieurs, dit-elle.

M. Power se leva pour officier et lui offrit sa chaise. Elle refusa, disant qu'elle vaquait au repassage en bas, et après avoir échangé un signe de tête avec M. Cunningham dans le dos de M. Power se disposa à quitter la chambre. Son mari l'interpella :

— Et tu n'as rien pour moi, ma petite poule ?

— Oh ! pour toi, le dos de la main.

Son mari cria après elle :

— Rien pour le pauvre petit mari ?

Il eut une expression et une voix si comiques que la distribution des bouteilles de stout se fit au milieu de l'hilarité générale.

Les hommes burent, posèrent leurs verres sur la table et soufflèrent un moment. Alors M. Cunningham se tourna vers M. Power et dit incidemment :

— Vous avez dit jeudi soir, n'est-ce pas, Jack ?

— Jeudi, c'est ça, dit M. Power.

— Très bien, dit M. Cunningham promptement.

— On peut se retrouver chez M'Auley, dit M. M'Coy, c'est l'endroit le plus commode.

— Il ne faut pas être en retard, dit M. Power, car il y aura beaucoup de monde.

— On peut se retrouver à sept heures et demie, dit M. M'Coy.

— Bon, dit M. Cunningham.

— Sept heures et demie chez M'Auley, ainsi soit-il.

Il se fit un court silence. M. Kernan attendait de voir s'il serait admis dans les confidences de ses amis. Puis il demanda :

— De quoi s'agit-il ?

— Oh ! rien, dit M. Cunningham, ce n'est qu'une petite affaire que nous arrangerons pour jeudi.

— Est-ce l'opéra ? demanda M. Kernan.

— Non, non, dit M. Cunningham sur un ton évasif. « C'est une petite affaire d'ordre spirituel. »

— Ah ! dit M. Kernan.

Il y eut un nouveau silence.

M. Power dit alors à brûle-pourpoint :

— A dire vrai, Tom, nous allons faire une retraite.

— Oui, c'est cela, dit M. Cunningham. Jack, moi et M'Coy ici présents, nous allons nous blanchir.

Il articula la métaphore avec une certaine énergie, et, encouragé par le son de sa propre voix, il poursuivit :

— Il faut bien le dire, nous sommes une collection de malandrins tous tant que nous sommes. Je dis bien : tous tant que nous sommes — ajouta-t-il généreusement d'un ton bourru, et, se tournant vers M. Power : — Allons, avouez-le.

— Je l'avoue, dit M. Power.

— Et moi je l'avoue, dit M. M'Coy.

— Nous allons donc nous blanchir, dit M. Cunningham.

Puis, comme frappé subitement par une idée, il se tourna vers le blessé et dit :

— Sais-tu, Tom, l'idée qui me vient ? Tu pourrais te joindre à nous et nous ferions une partie carrée.

— C'est ça, dit M. Power, tous les quatre.

M. Kernan restait silencieux. La proposition n'avait pour lui qu'un sens fort vague, mais comprenant que quelques facteurs spirituels allaient intervenir en sa faveur, il jugea qu'il devait à sa dignité de montrer une certaine résistance. Longtemps il ne prit aucune part à la conversation, mais écouta avec un air de calme hostilité, tandis que ses amis discutaient des jésuites. Finalement, il intervint :

— Je n'ai pas si mauvaise opinion des jésuites. C'est un ordre cultivé et je crois que leurs intentions sont bonnes.

— C'est le plus bel ordre de l'Eglise, Tom, dit M. Cunningham avec enthousiasme. Le général des jésuites vient immédiatement après le pape.

— Pas d'erreur, dit M. M'Coy, si vous voulez avoir une chose proprement faite, adressez-vous à un jésuite. Ça c'est des types qui ont de l'influence. A ce propos je vous raconterai un cas...

— Les jésuites forment un corps respectable, dit M. Power.

— Il y a un fait curieux chez les jésuites, dit M. Cunningham. Les autres ordres de l'Eglise ont tous dû être réformés une fois ou l'autre ; mais jamais celui des jésuites. Il n'a jamais faibli.

— C'est vrai, ça ? demanda M. M'Coy.

— C'est un fait, dit M. Cunningham, c'est de l'histoire.

— Voyez aussi leur église, dit M. Power, voyez leurs congrégations.

— Les jésuites pourvoient aux besoins de la haute société, dit M. M'Coy.

— Bien sûr, dit M. Power.

— Oui, dit M. Kernan, c'est pourquoi j'ai pour eux un faible. Ce sont quelques-uns de ces prêtres séculiers, ignorants, présomptueux qui...

— Ce sont tous de braves gens, dit M. Cunningham, chacun à leur façon. La prêtrise irlandaise est honorée dans le monde entier.

— Oh ! oui, dit M. Power.

— Pas comme quelques-uns de ces autres ordres du continent, dit M. M'Coy, qui sont indignes de ce nom.

— Peut-être avez-vous raison, dit M. Kernan, se radoucissant.

— Mais oui, j'ai raison, dit M. Cunningham, je ne suis pas au monde depuis tant d'années et n'ai pas vu bien des choses pour ne pas savoir juger d'un caractère.

Les uns après les autres, ces messieurs se remirent à boire. M. Kernan paraissait peser mentalement quelque chose. Il était impressionné. Il avait une haute opinion de M. Cunningham en tant que juge des caractères et physionomiste.

Il réclama des détails.

— Oh ! il ne s'agit que d'une retraite, vous savez, dit M. Cunningham, c'est le père Purdon qui la fait, pour les hommes d'affaires.

— Il ne sera pas trop sévère, Tom, dit M. Power persuasif.

— Le père Purdon ? le père Purdon ? dit le malade.

— Oh ! Vous devez le connaître. Tom, dit M. Cunningham hardiment. Un type épatant. C'est un homme du monde tout comme nous.

— Ah ! oui... Je le connais, je crois. Plutôt rougeaud, grand.

— Lui-même.

— Et dis-moi, Martin... C'est un bon prédicateur ?

— C'est-à-dire... que ce ne sera pas un sermon proprement dit. Ce sera une sorte d'entretien amical fait avec bon sens.

M. Kernan réfléchissait. M. M'Coy dit :

— Le père Tom Burke, ça, c'était un as.

— Oh ! le père Tom Burke, dit M. Cunningham, voilà un prédicateur-né. L'as-tu entendu, Tom ?

— Si je l'ai entendu, dit le malade piqué, plutôt !

— Et pourtant l'on dit que comme théologien il ne valait pas grand-chose, fit M. Cunningham.

— Vraiment ? dit M. M'Coy.

— Oh ! rien de mauvais, bien entendu. Mais on disait

que parfois ce qu'il prêchait n'était pas tout à fait orthodoxe.

— Ah!... C'était un homme extraordinaire, dit M. M'Coy.

— Je l'ai entendu une fois, continua M. Kernan. J'oublie en ce moment le sujet de son discours. Crofton et moi étions dans le fond au parterre... tu sais, la...

— La nef, dit M. Cunningham.

— Oui, dans le fond près de la porte. J'oublie en ce moment sur quoi... Ah! oui, ah! oui, sur le pape. Le dernier pape. Je me souviens parfaitement. Ma parole, quelle belle éloquence! Et sa voix. Nom de Dieu, quelle voix! Le Prisonnier du Vatican, qu'il l'appelait. Je me souviens que Crofton disait en sortant...

— Mais c'est un orangiste (1) Crofton, pas vrai? dit M. Power.

— Pour sûr que c'en est un, dit M. Kernan, et de plus un sacré honnête homme. Nous sommes entrés ensemble chez Butler dans Moore Street. Ma foi, j'étais profondément remué à te dire vrai, et je me rappelle textuellement ses paroles : « Kernan, qu'il me dit, nous sacrifions à des autels différents, mais, notre croyance est la même. » Cela m'a paru bien dit.

— Il y a pas mal de vrai là-dedans, dit M. Power. Les protestants venaient toujours en masse dans la chapelle lorsque le père Tom était en chaire.

— Les différences ne sont pas grandes entre nous, dit M. M'Coy, nous croyons tous deux au...

Il hésita un moment :

— ... au Rédempteur. Seulement eux ne croient ni au pape ni à la Mère de Dieu.

— Notre religion, dit tranquillement M. Cunningham, est, cela va sans dire, la seule bonne et vraie croyance.

— Il n'y a pas de doute, dit M. Kernan avec feu.

Mme Kernan se montra à la porte et annonça :

_____

(1) Membre d'une société créée en Irlande pour la défense et la propagation du protestantisme ou la cause de Guillaume d'Orange, et qui fut supprimée en 1830.

— Voici une visite pour vous.

— Qui est-ce ?

— M. Fogarty.

— Oh ! Entrez, entrez donc.

Un visage pâle, ovale, s'avança sous la lumière. La courbe de ses moustaches blondes se répétait sur ses sourcils blonds, arqués au-dessus d'une paire d'yeux agréablement étonnés. M. Fogarty était un modeste épicier. Il tenait dans la ville un commerce de spiritueux, mais ses affaires n'avaient pas prospéré, ses conditions financières l'ayant contraint à ne se lier qu'à des brasseurs et à des distillateurs de second rang.

Il avait ouvert un petit magasin sur Glasnevin Road où il se flattait que ses manières le feraient entrer dans les bonnes grâces des ménagères du quartier. Il se comportait avec une certaine aisance, complimentait les petits enfants et s'exprimait avec une grande netteté. Il ne manquait pas d'instruction.

M. Fogarty apportait un cadeau : un demi-litre d'un whisky spécial. Il s'enquit poliment de la santé de M. Kernan, posa son offrande sur la table et s'assit avec la compagnie sur un pied d'égalité. M. Kernan apprécia d'autant plus le cadeau qu'il réfléchissait à une petite facture en souffrance qu'il devait à M. Fogarty.

— Ah ! ça, de vous, je ne pouvais que m'y attendre ! Ouvrez-nous ça, Jack, n'est-ce pas ?

M. Power officia de nouveau. Les verres rincés, cinq petites mesures de whisky y furent versées. Cette nouvelle influence ranima la conversation.

M. Fogarty, assis sur le bord de sa chaise, se montrait particulièrement intéressé.

— Le pape Léon XIII, dit M. Cunningham, était une des lumières de son temps. Sa grande idée, vous savez, fut l'union de l'Eglise romaine et orthodoxe. Ce fut le but de sa vie.

— J'ai souvent entendu dire qu'il était un des hommes les plus intellectuels de l'Europe, dit M. Power. Je veux dire sans tenir compte qu'il était pape.

— En effet, dit M. Cunningham, sinon le plus intellectuel. Sa devise papale était : *Lux sur lux,* Lumière sur lumière.

— Non, non, dit M. Fogarty vivement, je crois que vous faites erreur. C'était *Lux in tenebris,* je crois, Lumière dans les ténèbres.

— Ah oui, dit M. M'Coy, *tenebræ.*

— Permettez, affirma M. Cunningham, c'était *Lux sur lux.* Et la devise de son prédécesseur était *Crux sur crux,* c'est-à-dire Croix sur croix. Pour montrer la différence de leurs deux pontificats.

L'affirmation fut admise. M. Cunningham continua :

— Le pape Léon XIII, vous savez, fut grand clerc et poète.

— Oui. Il avait un visage énergique.

— Oui, dit M. Cunningham. Il écrivait en vers latins.

— Vraiment ? dit M. Fogarty.

M. M'Coy sirotait son whisky avec satisfaction et remua la tête à double fin, disant :

— Ce n'est pas une plaisanterie, je puis vous l'affirmer.

— On ne nous apprenait pas ça, hein, Tom ? dit M. Power, suivant l'exemple de M. M'Coy, quand nous suivions l'école primaire.

— Il y a eu plus d'un honnête homme qui allait à l'école avec un carré de tourbe (1) sous le bras, dit M. Kernan d'un ton sentencieux. Le vieux système était le meilleur ; une éducation simple et honnête. Ne me parlez pas de la pacotille moderne.

— C'est juste, dit M. Power.

— Rien de superflu, dit M. Fogarty.

Il articula nettement le mot, puis gravement se mit à boire.

— Je me souviens d'avoir lu, dit M. Cunningham, qu'un des poèmes du pape Léon XIII traitait de l'invention de la photographie. En latin, naturellement.

— De la photographie ! s'exclama M. Kernan.

(1) Dans les écoles de campagne les écoliers payaient en portant au maître deniers, tourbe, œufs, poulets.

— Oui, dit M. Cunningham.

Lui aussi se mit à boire.

— Ne trouvez-vous pas que la photographie est une chose inouïe quand on y pense ? dit M. M'Coy.

— Oh ! oui, dit M. Power, les grands esprits savent regarder.

— Comme dit le poète, les grands esprits sont proches de la folie, dit M. Fogarty.

M. Kernan paraissait préoccupé. Il faisait effort pour se remettre en mémoire la doctrine de la théologie protestante sur quelques points épineux, et finit par s'adresser à M. Cunningham :

— Dis-moi, Martin, fit-il, certains papes, pas l'actuel bien entendu, ni son prédécesseur, mais certains de ceux de jadis n'étaient pas... tout à fait... à la hauteur ?

Il y eut un silence.

— Oh ! ça va sans dire, il y en avait qui ne valaient pas grand-chose ; mais l'étonnant, c'est que pas un d'entre eux, même l'ivrogne le plus invétéré, même la plus grande des brutes, ne professa jamais la moindre fausse doctrine *ex cathedra*. Renversant, n'est-ce pas ?

— En effet, dit M. Kernan.

— Oui, parce que lorsque le pape parle *ex cathedra,* il est infaillible.

— Oui, dit M. Cunningham.

— Oh ! je sais ce qui en est de l'infaillibilité du pape. Je me souviens, j'étais plus jeune alors... ou était-ce que... ?

M. Fogarty intervint. Il prit la bouteille et versa encore un peu de whisky à la compagnie. M. M'Coy, voyant qu'il n'en restait pas pour faire le tour, prétexta qu'il n'avait pas encore fini son premier verre.

Les autres acceptèrent en protestant. La musique légère du whisky qui coulait dans les verres créait une agréable diversion.

— Que disiez-vous, Tom ? demanda M. M'Coy.

— L'infaillibilité papale, dit M. Cunningham, ce fut certes la plus grande scène qui se vit dans toute l'histoire de l'Eglise.

— Comment cela ? demanda M. Power.

194

M. Cunningham leva deux doigts épais :

— Dans le Sacré Collège de cardinaux, archevêques et évêques, il y eut deux hommes qui prirent position contre l'infaillibilité, que soutenaient tous les autres. Le conclave, sauf ces deux, était unanime. Non ! eux ne voulaient pas en entendre parler !

— Ha ! dit M. M'Coy.

— Et il y avait un cardinal allemand du nom de Dolling... ou Dowling...

— Dowling n'était pas allemand.

— Eh bien ! ce grand cardinal allemand, quel que ce soit son nom, en était un... et John MacHale l'autre.

— Quoi ! s'écria M. Kernan, c'était Jean de Tuam ?

— Vous êtes certain de ce que vous avancez ? demanda M. Fogarty, je croyais que c'était quelque Italien ou Américain.

— Jean de Tuam, répéta M. Cunningham, c'était lui en personne.

Il but et les autres suivirent son exemple.

— Les voilà, tous se chicanant, cardinaux, archevêques, évêques venus des quatre coins du globe et ces deux chiens du diable jusqu'à ce que le pape lui-même se leva et déclara que l'infaillibilité constituait dorénavant un dogme de l'Eglise *ex cathedra*. A ce moment précis, Jean MacHale, qui avait été en train de discuter, se leva et cria d'une voix de stentor :

— *Credo !*

— Je crois ! dit M. Fogarty.

— *Credo !* dit M. Cunningham, et, montrant ainsi sa foi, il se soumettait dès que le pape parlait.

— Et Dowling ? demanda M. M'Coy.

— Le cardinal allemand refusa de se soumettre. Il quitta l'Eglise.

Les paroles de M. Cunningham avaient édifié la vaste image de l'Eglise dans l'esprit de ses auditeurs. Sa voix rauque, profonde, les avait fait frissonner comme elle émettait les mots de croyance et de soumission. Aussi lorsque Mme Kernan entra dans la salle en s'essuyant les mains, elle se trouva en compagnie solennelle. Sans troubler le silence, elle alla s'appuyer contre les barreaux au pied du lit.

— Jean MacHale, je l'ai vu une fois, dit M. Kernan, et je ne l'oublierai de ma vie.

Il se tourna vers sa femme pour chercher auprès d'elle une confirmation :

— Je vous en ai parlé souvent, n'est-ce pas ?

Mme Kernan acquiesça de la tête.

— C'était à l'inauguration de Sir John Grey. Edmund Dwyer Grey discourait, palabrait, et voilà ce vieux bonhomme qui me regardait de dessous ses sourcils touffus.

M. Kernan fronça les siens, baissa la tête comme un taureau furieux et dévisagea sa femme, le regard enflammé.

— Dieu ! s'écria-t-il, reprenant sa physionomie normale, je n'ai jamais vu un œil semblable dans une tête d'homme. Autant dire : « Moi, je vous tiens, mon vieux ! » Il avait un œil de faucon.

— Tous les Grey ont été des bons à rien, dit M. Power.

Il se fit un nouveau silence. M. Power se tourna vers M. Kernan et dit avec une jovialité bourrue :

— Eh bien, madame Kernan, nous allons faire de votre époux ici présent un honnête, pieux, saint et fidèle catholique romain !

Il eut un geste circulaire pour comprendre la compagnie.

— Nous allons tous, tant que nous sommes, faire une retraite et confesser nos péchés. Et Dieu sait que nous en avons besoin !

— Je n'y vois pas d'inconvénient, dit M. Kernan avec un sourire un peu inquiet.

Mme Kernan pensa qu'il serait plus sage de dissimuler sa satisfaction. Elle dit donc :

— Je plains le pauvre prêtre qui aura à entendre votre histoire.

M. Kernan changea de visage :

— Si ça ne lui plaît pas, fit-il sèchement, il peut aller se faire... Je lui raconterai mes petites histoires, je ne suis pas un mauvais garçon, après tout.

M. Cunningham se hâta d'intervenir.

— Nous allons renier le diable tous ensemble, sans oublier ses œuvres et ses pompes.

— *Vade retro me, Satanas,* dit M. Fogarty en riant et regardant les autres.

M. Power ne dit rien. Il se sentait complètement dépassé, mais une impression de satisfaction papillota sur son visage.

— Nous n'aurons rien à faire qu'à nous tenir debout, cierges allumés en main et à renouveler nos vœux baptismaux.

— Oh ! surtout n'oubliez pas les cierges. Tom, dit M. M'Coy.

— Quoi ? dit M. Kernan, il me faut un cierge ?

— Mais oui, dit M. Cunningham.

— Non, allez à tous les diables, dit M. Kernan non sans bon sens ; là je m'arrête. Je m'acquitterai assez bien du reste : retraite... confession, etc. Mais des cierges, non, sacré nom de Dieu, pas de cierge.

Il remua la tête avec une gravité comique.

— Ecoutez-moi ça, dit sa femme.

— Je supprime les cierges, dit M. Kernan conscient d'avoir fait son effet sur l'assistance et continuant à remuer la tête, je supprime ce genre de lanterne magique.

Tout le monde rit de bon cœur.

— Voilà un bon catholique, dit la femme.

— Pas de cierge, répéta M. Kernan, j'ai dit.

Le transept de l'église des jésuites dans Gardiner Street était presque plein ; et cependant des messieurs entraient à tous moments par la porte latérale ; guidés par un frère lai, ils marchaient sur la pointe des pieds le long des bas-côtés jusqu'à ce qu'ils eussent trouvé des places. Les hommes étaient tous bien mis et soignés. Les lampes de l'église versaient leur lumière sur une masse de drap noir et de cols blancs, contre laquelle se détachaient çà et là des costumes de tweed ; la versaient également sur des colonnes de marbre vert tacheté de noir et sur des toiles blafardes. Les messieurs, ayant remonté leur pantalon et mis leur chapeau à l'abri, demeuraient assis, se tenant bien droits et contemplant au loin avec un air de cérémonie le point rouge lumineux suspendu devant le grand autel. Sur un des bancs, près de la chaire, se trouvaient M. Cunningham et M. Kernan. Sur un banc derrière eux, M. M'Coy, tout seul et, derrière lui encore, M. Power et M. Fogarty. M. M'Coy avait en vain essayé de se faire une place parmi les autres, et lorsque la bande se fut installée en forme de quinconce, il avait essayé non moins vainement de placer quelque plaisanterie. Celle-ci n'ayant point reçu bon accueil, il s'abstint. Même lui était sensible à la pompe de l'atmosphère et commençait à répondre à cet appel religieux. A voix basse, M. Cunningham attira l'attention de M. Kernan sur M. Harford, le prêteur sur gages, assis à quelques pas de là, et sur M. Fanning, conseiller municipal, assis juste en dessous de la chaire, à côté d'un des conseillers nouvellement élus. A droite, il y avait le vieux Michel Grimes, le propriétaire de trois boutiques de prêts sur gages et le neveu de Dao Hogan qui était candidat au poste de Town Clerk. Plus loin, aux premiers rangs, étaient assis M. Hendrick, le reporter en chef du *Freeman's Journal*, et le pauvre vieux O'Carroll, un vieil ami de M. Kernan, qui à un moment donné avait été une figure considérable dans le commerce. A mesure qu'il retrouvait des visages familiers, M. Kernan se sentait plus à l'aise. Son chapeau remis à neuf par sa femme reposait sur ses genoux. Une ou deux fois, il tira ses manchettes d'une main, tandis que de l'autre il soulevait le bord de son chapeau.

Une figure puissante, le buste drapé d'un surplis blanc, s'apercevait faisant effort pour monter en chaire. Aussitôt il se fit un mouvement dans l'assemblée qui exhiba des mouchoirs et s'agenouilla dessus avec précaution. M. Kernan suivit l'exemple donné. En chaire, la silhouette du prêtre dressait les deux tiers de sa charpente, couronnée par une face massive et rubiconde, visible au-dessus de la balustrade.

Le père Purdon s'agenouilla et se couvrit la figure de ses mains pour prier. Après un moment, il se leva, le visage découvert. L'assemblée se releva également et se réinstalla sur les bancs. M. Kernan rendit à son chapeau sa position primitive sur son genou et tourna vers le prédicateur une figure attentive. Le prédicateur, d'un large geste étudié, retroussa les manches amples de son surplis et promena lentement son regard sur les rangées de visages. Puis il dit :

« Car les enfants du siècle sont plus habiles dans la conduite de leurs affaires que les enfants de lumière. Et moi, ajouta Jésus, je vous dis aussi : Employez les richesses d'iniquité à vous gagner des amis, afin que, quand vous viendrez à manquer, ils vous reçoivent dans les demeures éternelles. »

Le père Purdon développa le texte avec une assurance sonore. De toute l'Ecriture, disait-il, ce texte était un des plus difficiles à interpréter comme il faut. Pour l'observateur superficiel, ce texte pouvait sembler en désaccord avec la moralité élevée que prêchait ailleurs Jésus-Christ. Mais il déclara que le texte lui avait paru spécialement indiqué pour la gouverne de ceux à qui incombait le devoir de mener une existence mondaine et qui, cependant, ne voulaient pas mener cette existence à la façon des mondains. C'était un texte destiné aux hommes d'affaires et à ceux engagés dans la carrière libérale. Jésus-Christ, avec sa divine compréhension de tous les recoins de la nature humaine, savait que tous les hommes n'étaient point appelés à la vie religieuse, que la plus grande majorité était forcée de vivre dans le monde et jusqu'à un certain point pour le monde : et par ce verset il se proposait de leur donner un conseil en leur montrant comme modèle de la vie religieuse ces mêmes adorateurs de Mammon qui, de tous les hommes, étaient les moins préoccupés de questions religieuses.

Il dit à ses auditeurs qu'il n'était point venu ce soir dans un but extravagant ni terrifiant, mais comme un homme du monde qui parlerait à ses pairs. Il venait s'adresser à des hommes d'affaires et il leur parlerait avec le langage qui avait cours dans les affaires, et s'il osait leur passer cette métaphore, dit-il, comme leur comptable spirituel : il demandait à chacun de ses auditeurs d'ouvrir leurs livres, les livres de leur vie spirituelle et de voir s'ils correspondaient fidèlement avec leur conscience.

Jésus-Christ n'était point exigeant. Il comprenait nos petites défaillances, les faiblesses de notre misérable nature de pécheur, les tentations de ce monde. Nous avons tous pu avoir, nous avons eu de temps à autre des tentations : nous pourrions tous avoir, nous avons nos défaillances. Il ne demandait, disait-il, qu'une seule chose à ses auditeurs et c'était d'être franc et loyal devant Dieu. Si tous les comptes se balançaient exactement, de dire :

— Eh bien, j'ai vérifié mes comptes. Ils sont en règle.

Mais si, au contraire, comme cela se pouvait, il se trouvait que les comptes ne s'équilibraient pas, d'admettre la vérité, d'être franc et de dire bravement :

— J'ai vérifié mes comptes, je trouve des erreurs ici et là. Mais de par la grâce de Dieu, je rectifierai ceci et cela, je régulariserai mes comptes.

LES MORTS

LILY, la fille du concierge, n'en pouvait plus à force de courir. A peine avait-elle fait passer un invité dans l'office exigu derrière le bureau du rez-de-chaussée, aidé à ôter son pardessus, que la sonnette poussive de la porte d'entrée résonnait de nouveau et qu'il lui fallait galoper le long du corridor vide pour introduire un nouvel arrivant. Encore heureux qu'elle n'eût pas aussi à s'occuper des dames. Mais Miss Kate et Miss Julia, ayant pensé à cela, avaient converti en haut la salle de bains en un vestiaire pour dames. Miss Kate et Miss Julia s'y tenaient, qui potinaient et riaient, faisant mille embarras, se pourchassant jusqu'au sommet de l'escalier, et, plongeant du regard par-dessus la rampe, criaient à Lily de leur dire qui était venu.

C'était toujours une grande affaire que le bal annuel des demoiselles Morkan. Toutes les personnes qu'elles connaissaient y allaient, la famille, les vieux amis, les choristes de Julia, celles des élèves de Kate en âge d'être invitées, et quelques élèves de Mary Jane. Jamais ce bal n'avait été un four. Du plus loin qu'on s'en souvînt, il avait toujours brillamment réussi, depuis l'époque où Kate et Julia, après la mort de leur frère Pat, avaient quitté leur maison de Stoney Batter et recueilli Mary Jane, leur nièce unique, pour qu'elle vive avec elles dans la sombre et haute habitation de Usher Island, dont la partie supérieure leur était louée par M. Fulham, courtier en grains, qui vivait au rez-de-chaussée. De cela il y avait maintenant une bonne trentaine d'années. Mary Jane, alors une petite fille en jupes courtes, se trouvait, aujourd'hui, le principal soutien de la famille ; elle tenait l'orgue de Haddington Road. Elle avait passé par le Conservatoire et donnait chaque année une audition de ses élèves au premier étage de la salle des Concerts d'Antiennes. Nombre de ses élèves appartenaient à des familles de la meilleure société qui vivaient dans la banlieue. Tout âgées qu'elles fussent, ses tantes avaient aussi leur part de travail. Julia, malgré ses cheveux gris, était encore premier soprano dans l'église d'Adam et Eve ; et Kate, trop faible pour circuler beaucoup, donnait des leçons de musique à des débutants, sur le vieux piano carré de la chambre du fond. Lily, la fille du concierge, faisait leur ménage. Bien que leur existence fût modeste, elles attachaient une grande importance à bien manger, à avoir en toutes choses ce qu'il y a de mieux ; aloyau, thé à trois shillings le paquet, bière en bouteille de première qualité. Lily se trompait rarement dans l'exécution des ordres, de sorte qu'elle s'entendait bien avec ses trois maîtresses. Celles-ci étaient maniaques, voilà tout. La seule chose qu'elles ne toléraient pas, c'était qu'on leur répondît.

Bien sûr, il y avait de quoi faire des embarras un soir pareil. Il était dix heures passées et cependant ni Gabriel ni sa femme n'avaient encore paru. De plus, elles avaient affreusement peur que Freddy Malins ne se présentât complètement gris ; pour rien au monde elles n'auraient voulu qu'aucune élève de Mary Jane le vît pris de boisson, et dans cet état on en venait difficilement à bout. Freddy Malins arrivait toujours tard, mais elles se demandaient ce qui pouvait bien retenir Gabriel ; et voilà ce qui les amenait à tout instant à la rampe de l'escalier, pour demander à Lily si Gabriel ou Freddy étaient arrivés.

— Oh monsieur Conroy, dit Lily à Gabriel lorsqu'elle lui eut ouvert la porte, Miss Kate et Miss Julia croyaient que vous n'arriveriez jamais. Bonsoir, madame Conroy.

— Je comprends qu'elles l'aient cru, dit Gabriel, mais

elles oublient qu'il faut à ma femme ici présente trois interminables heures pour s'habiller.

Il se tenait sur le paillasson, raclant la neige de ses caoutchoucs, tandis que Lily conduisait sa femme au pied de l'escalier et appelait :

— Miss Kate, voici Mme Conroy.

Kate et Julia descendirent aussitôt en trottinant dans l'escalier obscur ; toutes deux embrassèrent la femme de Gabriel, déclarant qu'elle avait dû attraper la mort, et demandèrent si Gabriel l'accompagnait.

— Me voici sain et sauf, tante Kate. Montez. Je vous suis, cria Gabriel dans l'obscurité.

Il continua de se décrotter les pieds avec énergie, tandis que les trois femmes montaient en riant jusqu'au vestiaire des dames. Une légère frange de neige reposait ainsi qu'une pèlerine autour des épaules de son pardessus et en guise d'empeignes sur ses caoutchoucs ; les boutons de son pardessus glissaient en crissant à travers la frise durcie par la neige et il s'échappait de ses fentes et de ses plis comme une bouffée d'air glacé du dehors.

— Il neige encore, monsieur Conroy ? demanda Lily. Elle l'avait précédé dans l'office pour l'aider à retirer son pardessus. Gabriel sourit aux trois syllabes qu'elle avait appliquées à son nom et la regarda. C'était une fille svelte, en pleine croissance, au teint pâle et aux cheveux couleur de foin. Le gaz de l'office la pâlissait plus encore. Gabriel l'avait connue petite fille, assise sur la première marche de l'escalier, berçant une poupée en chiffons.

— Oui, Lily, répondit-il, et je crois que nous en avons pour la nuit.

Il regarda le plafond de l'office que les piétinements à l'étage au-dessus faisaient trembler. Il prêta l'oreille un moment au son du piano, puis jeta un coup d'œil sur la jeune fille qui pliait soigneusement son pardessus à l'extrémité d'une étagère.

— Dis-moi, Lily, fit-il d'une voix amicale, vas-tu toujours à l'école ?

— Oh ! non, monsieur, répondit-elle, j'ai fini avec l'école il y a plus d'un an déjà.

203

— Oh! alors, fit Gabriel gaiement, je suppose qu'un de ces jours nous irons te marier à ton promis, hein?

La jeune fille jeta un regard par-dessus son épaule et dit avec une grande amertume :

— Les hommes d'aujourd'hui, ça ne vous débite que des sornettes, et ils profitent de tout ce qu'ils peuvent tirer de vous.

Gabriel rougit comme s'il avait commis une bévue, et sans la regarder, d'un coup de pied repoussa ses caoutchoucs, et se mit à épousseter vigoureusement ses souliers vernis avec son cache-nez. C'était un homme jeune, gros, assez haut de taille. La coloration vive de ses pommettes s'étendait jusqu'à son front où elle se disséminait en quelques taches informes d'un rouge pâle ; sur sa figure imberbe scintillaient sans trêve les lentilles de verre poli et la monture dorée de ses lorgnons qui marquaient ses yeux délicats et inquiets. Ses cheveux noirs et lustrés, partagés par le milieu étaient ramenés en deux grandes ondes derrière l'oreille où ils bouclaient légèrement au-dessus de la rainure tracée par son chapeau. Quand il eut rendu à ses souliers vernis leur éclat, il se redressa et tira son gilet pour le mieux ajuster sur son corps replet. Puis il sortit vivement de sa poche une pièce de monnaie.

— Tiens, Lily, dit-il, lui glissant la pièce dans la main, c'est bien Noël, n'est-ce pas? Prends... un petit...

Il se hâta vers la porte.

— Oh! non, monsieur, s'écria la jeune fille sur ses trousses, vraiment, je ne pourrais pas, monsieur.

— C'est Noël! C'est Noël! dit Gabriel courant presque vers l'escalier et agitant la main en manière d'excuse.

Lily voyant qu'il avait rejoint l'escalier lui cria :

— Alors merci, monsieur!

Derrière la porte du salon, il attendit la fin de la valse, écoutant les jupes frôler la porte et les pas glisser sur le parquet. Il était encore troublé par la repartie si amère et si inattendue de cette fille. Une ombre planait sur lui à présent, qu'il tâchait de chasser, en fixant ses manchettes et le nœud de sa cravate. Il tira ensuite de la poche de son gilet une petite feuille de papier et donna un coup d'œil aux références qu'il avait préparées pour son discours. Il était indécis quant aux vers de Robert Browning, craignant qu'ils ne passassent par-dessus la tête de son auditoire. Quelques citations qui lui seraient plus familières étant de Shakespeare ou des mélodies de Thomas Moore vaudraient mieux. Le talon des hommes sur le plancher claquant de vulgaire façon, et le glissement de leurs semelles, lui rappelèrent que le niveau de leur éducation différait du sien. Il ne ferait que se rendre ridicule en leur citant des vers qu'ils ne pouvaient pas comprendre. Ils se diraient qu'il faisait montre de sa science. Il échouerait avec eux, comme il avait échoué en bas à l'office avec cette fille. Il n'avait pas su prendre le ton juste. D'un bout à l'autre, son discours sonnait faux. C'était un échec complet. A ce moment, ses tantes et sa femme sortirent du vestiaire des dames. Ses tantes étaient deux petites vieilles vêtues avec simplicité. Tante Julia dépassait sa sœur d'un ou deux centimètres. Ses cheveux en bandeaux descendant très bas sur ses oreilles étaient gris ; et gris aussi, encore assombri par des ombres, était son visage large et flasque. Bien qu'elle fût forte de carrure et se tînt droite, son regard lent et sa bouche entrouverte lui donnaient l'air d'une femme qui ne sait ni où elle est ni où elle va. Tante Kate montrait plus de vivacité. Son visage plus sain d'aspect que celui de sa sœur n'était que rides et fossettes, ressemblant ainsi à une pomme rouge ratatinée, et ses cheveux coiffés de la même façon démodée n'avaient pas perdu leur coloration de noisette mûre.

Toutes deux embrassèrent cordialement Gabriel. Il était leur neveu préféré, le fils de leur défunte sœur aînée Ellen, mariée à T. J. Conroy du Port et des Docks.

— Gretta me dit que vous ne comptez pas rentrer en voiture à Monkstown cette nuit, dit tante Kate.

— Non, dit Gabriel, se tournant vers sa femme, notre expérience de l'année dernière nous a suffi, n'est-ce pas ? Ne vous souvenez-vous pas, tante Kate, du rhume que Gretta a attrapé ? Les portières du coupé grinçaient tout le long du chemin et le vent d'est soufflait dans l'intérieur de la voiture une fois passé Merrion. C'était gai ! Gretta attrapa un rhume affreux.

Tante Kate fronçait les sourcils d'un air sévère et remuait la tête à chaque mot.

— Vous avez tout à fait raison, Gabriel, tout à fait raison, dit-elle, on ne fait jamais trop attention.

— Mais quant à Gretta ici présente, dit Gabriel, elle rentrerait à pied dans la neige si on la laissait faire.

Mme Conroy se mit à rire.

— Ne l'écoutez pas, tante Kate, dit-elle. Il est assommant ; entre les abat-jour verts pour les yeux de Tom et les haltères qu'il lui fait faire, et la bouillie qu'il veut forcer Eva à manger. La pauvre enfant ! elle en déteste jusqu'à la vue !... Oh ! mais vous ne devinerez jamais ce qu'il m'oblige à porter maintenant.

Elle éclata d'un rire joyeux et jeta un coup d'œil à son mari dont le regard heureux et admiratif s'était porté de la toilette de la jeune femme à son visage, à sa chevelure. Les deux tantes rirent de bon cœur aussi, car la sollicitude de Gabriel était pour elles un objet de plaisanterie consacré.

— Des caoutchoucs, dit Mme Conroy, voilà le dernier cri. Sitôt qu'il fait mine de pleuvoir, il me faut mettre mes caoutchoucs. Même ce soir il voulait que je les mette, mais j'ai refusé. La prochaine fois, il m'achètera un costume de plongeur.

Gabriel eut un rire agacé et caressa sa cravate pour se donner une contenance, tandis que tante Kate était presque courbée en deux tant elle goûtait de bon cœur cette plaisanterie. Le sourire de tante Julia s'éteignit vite et ses yeux mornes se posèrent sur le visage de son neveu. Au bout d'un instant, elle demanda :

— Et qu'est-ce que c'est que des caoutchoucs, Gabriel ?

— Des caoutchoucs, Julia ! s'écria sa sœur, bonté divine, vous ne savez pas ce que c'est que des caoutchoucs ? Vous les portez par-dessus... par-dessus vos bottines, n'est-ce pas, Gretta ?

— Oui, dit Mme Conroy, c'est une sorte de gutta-percha. Nous en possédons chacun une paire à présent. Gabriel dit que tout le monde en porte à l'étranger.

— Oh ! à l'étranger, murmura, tante Julia, hochant la tête.

Gabriel fronça les sourcils et dit avec une nuance de déplaisir :

— Il n'y a là rien d'extraordinaire ; mais Gretta trouve cela drôle ; cela lui rappelle les pitres nègres.

— Mais, dites-moi, Gabriel, dit tante Kate avec tact, bien entendu vous vous êtes occupés de votre chambre. Gretta disait…

— Oh ! la chambre est très bien, répondit Gabriel, j'en ai retenu une au Gresham.

— Certes, dit tante Kate, on ne saurait mieux faire. Et les enfants, Gretta, vous n'êtes pas inquiets pour eux ?

— Oh ! pour une nuit, dit Mme Conroy ; d'ailleurs Bessie s'en chargera.

— Certes, reprit tante Kate. Quel repos d'avoir une fille pareille, sur laquelle on puisse compter ! Cette Lily par exemple, je ne sais vraiment pas ce qu'elle a depuis quelque temps. Elle n'est plus la même.

Gabriel allait interroger sa tante à ce sujet, mais elle s'interrompit brusquement pour suivre des yeux sa sœur qui s'égarait dans l'escalier et tendait le cou par-dessus la rampe.

— Je vous demande un peu, dit-elle sur un ton presque bourru, où va cette Julia ! Julia, Julia, où allez-vous ?

Julia qui n'avait descendu que quelques marches remonta et annonça avec calme :

— Voilà Freddy.

Au même instant des applaudissements, un accord final du pianiste annoncèrent la fin de la valse, la porte s'ouvrit sur le salon et quelques couples en sortirent. Tante Kate tira vivement Gabriel à l'écart et lui murmura à l'oreille :

— Ayez donc l'obligence de faire un saut jusqu'en bas, et voyez s'il est d'aplomb, et, s'il titube un peu, ne le laissez pas monter. Je suis sûre qu'il est gris, j'en suis sûre.

Gabriel se dirigea vers la rampe de l'escalier pour

écouter. Il entendit parler deux personnes dans l'office, puis il reconnut le rire de Freddy Malins. Il descendit l'escalier avec fracas.

— C'est un tel soulagement, dit tante Kate à Mme Conroy, d'avoir Gabriel. Je me sens toujours l'esprit plus tranquille lorsqu'il est là... Julia, voici Miss Daly et Miss Power qui prendront quelques rafraîchissements. Merci pour cette belle valse, Miss Daly. Elle rythmait à merveille.

Un homme de haute taille, le visage ratatiné et bistré, à la moustache raide et grisonnante, qui passait avec sa danseuse dit :

— Pouvons-nous aussi nous rafraîchir, Miss Morkan ?

— Julia, dit tante Kate sans autre commentaire, voici également M. Browne et Miss Furlong. Emmenez-les avec Miss Daly et Miss Power.

— Je suis le chevalier servant de ces dames, dit M. Browne en pinçant les lèvres sous sa moustache hirsute et souriant de toutes ses rides ; vous savez, Miss Morkan, si je leurs plais tant, c'est parce que...

Il n'acheva pas voyant que tante Kate ne pouvait plus l'entendre et escorta aussitôt les trois jeunes dames jusqu'à la chambre du fond.

Le milieu de la pièce était occupé par deux tables carrées mises bout à bout et sur lesquelles tante Julia et le gardien étalaient et lissaient une grande nappe. Sur le buffet étaient dressés des plats, des assiettes, des verres, des paquets de couteaux, de fourchettes et de cuillères. Le haut carré du piano qu'on avait fermé tenait lieu de dressoir pour les viandes et les friandises. Devant un buffet de moindre dimension, dans un coin, deux jeunes gens debout buvaient des *hop bitters* (1). M. Browne y conduisit sa suite et les convia tous par badinage à boire un punch pour dames, fort, bouillant et sucré. Comme celles-ci répondaient qu'elles ne prenaient jamais rien de fort, il leur déboucha trois bouteilles d'eau gazeuse, puis il pria un des jeunes gens de s'écarter et, saisissant un

(1) Bière sans alcool.

carafon, se versa une bonne mesure de whisky. Les jeunes gens le contemplaient avec respect pendant qu'il en lampait une gorgée.

— Dieu m'assiste ! dit-il en souriant. J'obéis à la prescription du médecin.

Sa figure ratatinée s'épanouit en un sourire, les trois jeunes filles répondirent à sa facétie par un rire musical qui imprimait à leur buste un balancement et secouait leurs épaules. La plus hardie déclara :

— Allons, monsieur Browne, je suis sûre que le docteur ne vous a rien prescrit de semblable.

M. Browne reprit une nouvelle gorgée de son whisky et dit avec une mimique empruntée :

— Mon Dieu, vous comprenez, je suis comme l'illustre Mme Cassidy, connue pour avoir dit : « Allons Mary Grimes, si je ne le prends pas, faites-le-moi prendre, car je sens qu'il me le faut. » Sa figure échauffée s'était rapprochée d'une façon un peu trop intime et il parlait avec un fort accent de Dublin, en sorte que les jeunes filles, d'un commun accord, accueillirent son discours par un silence. Miss Furlong, une des élèves de Mary Jane, demanda à Miss Daly le nom de la jolie valse qu'elle venait de jouer, et M. Browne, voyant qu'elles ne s'occupaient pas de lui, eut vite fait de se retourner vers les deux jeunes gens qui savaient mieux l'apprécier.

Une jeune femme au visage rubicond, vêtue de violet, entra dans la pièce, battant des mains avec frénésie et criant :

— Aux quadrilles ! En place pour les quadrilles !

Sur ses talons venait tante Kate qui criait :

— Deux messieurs et trois dames, Mary Jane !

— Oh ! voilà M. Bergin et M. Kerrigan, dit Mary Jane ; monsieur Kerrigan, voulez-vous prendre Miss Power ? Miss Furlong, puis-je vous trouver un cavalier ? Monsieur Bergin. Allons, nous y voilà enfin !

— Trois dames, Mary Jane, dit tante Kate.

Ces deux messieurs demandèrent à ces dames si elles voulaient leur accorder cette danse et Mary Jane se tourna vers Miss Daly :

— Oh ! Miss Daly, vous êtes vraiment trop bonne !
Après avoir joué ces deux dernières danses. Mais vraiment nous sommes tellement à court de dames ce soir.

— Cela ne me fait rien du tout, Miss Morkan.

— Mais j'ai un charmant cavalier pour vous, M. Bartelle d'Arcy, le ténor, je tâcherai de le faire chanter tout à l'heure. Tout Dublin en raffole.

— Une voix superbe, superbe, dit tante Kate.

Comme le piano avait repris deux fois le prélude pour la première figure, Mary Jane emmena rapidement sa recrue. Ceux-ci étaient à peine partis que tante Julia avançait à pas précipités dans la pièce en regardant derrière elle.

— Qu'est-ce qu'il y a, Julia ? demanda tante Kate avec anxiété. Qui est-ce ?

Julia qui portait un édifice de napperons se tourna vers sa sœur, surprise par la question, et se borna à dire :

— Ce n'est que Freddy, Kate, et Gabriel est avec lui.

En effet, juste derrière elle, on apercevait Gabriel conduisant Freddy Malins le long du palier. Ce dernier, un jeune homme d'une quarantaine d'années, de même taille et de même carrure que Gabriel, avait les épaules très voûtées. Sa figure était bien en chair et blafarde, la couleur n'y apparaissait qu'aux lobes épais des oreilles et sur ses larges narines. Les traits étaient vulgaires, le nez rond, le front convexe et fuyant, les lèvres boursouflées et saillantes ; ses paupières lourdes et le désordre de ses cheveux clairsemés lui donnaient un air endormi. Il riait aux éclats sur un ton aigu, d'une histoire qu'il venait de raconter à Gabriel dans l'escalier, et en même temps il se frottait l'œil de son poing gauche.

— Bonsoir, Freddy, dit tante Julia.

Freddy Malins dit bonsoir aux demoiselles Morkan d'une façon qui aurait pu sembler cavalière et ceci à cause d'un hoquet chronique, puis voyant que du buffet M. Browne lui grimaçait un sourire, il traversa la chambre à pas plutôt chancelants et se mit à lui répéter à voix basse l'histoire qu'il venait de raconter à Gabriel.

— Il n'a pas l'air mal, n'est-ce pas? dit tante Kate à Gabriel.

Gabriel avait froncé les sourcils, mais il les détendit aussitôt et répondit :

— Oh! non, c'est à peine perceptible.

— N'est-ce pas qu'il est terrible? dit-elle. Et dire que sa pauvre mère lui avait fait jurer d'être tempérant la veille du jour de l'an! Mais venez, Gabriel, allons au salon.

Avant de quitter la pièce avec Gabriel, elle fit signe à M. Browne en fronçant les sourcils et en remuant son index de droite à gauche. M. Browne, en manière de réponse, hocha la tête et, quand elle fut partie, il dit à Freddy Malins :

— A présent, Teddy, je vais vous verser un bon verre d'eau gazeuse, histoire de vous remonter.

Freddy Malins, qui atteignait l'apogée de son récit, repoussa l'offre impatiemment; mais M. Browne, après avoir détourné l'attention du jeune homme sur un léger désordre de sa toilette, lui remplit un verre d'eau gazeuse et le lui tendit. La main gauche de Freddy Malins reçut le verre machinalement, sa main droite étant occupée à rétablir le désordre de sa toilette. M. Browne, dont la figure une fois de plus se plissait en une gaieté contenue, se versa un verre de whisky, tandis que Freddy Malins, avant même d'avoir atteint le point culminant de son récit, s'esclaffait et, ayant déposé son verre débordant encore intact, se mit à frotter son œil gauche de son poing gauche, répétant sa dernière phrase autant que son accès d'hilarité le lui permettait.

Gabriel n'arrivait pas à écouter Mary Jane tandis qu'elle jouait son morceau de concert rempli de traits et de passages difficiles, dans le salon devenu subitement silencieux. Il aimait la musique, mais il ne percevait quant à lui nulle mélodie dans le morceau qu'elle jouait, et il n'était pas sûr que les autres en perçussent davantage, bien qu'ils eussent supplié Mary Jane de leur jouer quelque chose. Quatre des jeunes gens, en entendant le

piano, avaient quitté le buffet pour se tenir dans l'enca-
drement de la porte ; mais après quelques minutes, ils
étaient repartis sans bruit, deux par deux. Les seules
personnes qui se montraient attentives étaient Mary Jane
elle-même dont les mains couraient sur le clavier ou
demeuraient suspendues durant les points d'orgue, ressemblant à celles d'une prêtresse qui se livrerait à des
imprécations momentanées et tante Kate qui se tenait
derrière elle pour lui tourner les pages.

Les yeux de Gabriel, éblouis par le parquet dont
l'encaustique scintillait sous le reflet du lustre, se dirigèrent sur la muraille, au-dessus du piano. Une reproduction de la scène du balcon dans *Roméo et Juliette* y était
accrochée, et à côté se trouvait le tableau du meurtre des
enfants d'Edouard dans la tour, brodé par tante Julia avec
des laines rouges, bleues et marron, alors qu'elle était
enfant. Sans doute qu'à l'école on leur avait appris
pendant un an ce genre d'ouvrage. La mère de Gabriel lui
avait brodé pour son anniversaire de petites têtes de
renards sur un gilet de moire pourpre, doublé de satin
mordoré et orné de boutons ronds en forme de mûre.
Chose étrange que sa mère n'était pas musicienne, bien
que tante Kate eût coutume de l'appeler le cerveau de la
famille Morkan. Toutes les deux, elle et Julia, manifes-
taient une certaine fierté à l'égard de leur grave et
imposante sœur. Sa photographie se trouvait devant la
glace à trumeau. Elle tenait un livre ouvert sur ses genoux
et désignait quelque chose à Constantin qui, en costume
marin, était étendu à ses pieds. Elle-même avait choisi les
prénoms de ses fils, étant très sensible au décorum de la
vie de famille. Grâce à elle, Constantin était aujourd'hui
curé à Balbriggan et grâce à elle aussi, Gabriel avait
obtenu son diplôme au Royal University. Une ombre
passa sur la figure de Gabriel au souvenir de la résistance
obstinée que sa mère opposa à son mariage. Quelques
mots blessants prononcés par elle traînaient encore dans
sa mémoire : elle avait parlé une fois de Gretta comme
d'une paysanne rouée. Et le jugement était tout à fait
faux. Gretta avait soigné la mère de Gabriel lors de sa

212

dernière maladie à Monkstown. Il savait que Mary Jane allait terminer son morceau, car elle rejouait le prélude auquel elle ajoutait une série de traits à chaque mesure, et, tandis qu'il attendait la fin, son ressentiment expirait dans son cœur. Le morceau s'acheva par un trémolo à l'unisson dans les notes aiguës suivi d'un accord plaqué à la basse. De grands applaudissements saluèrent Mary Jane qui, rougissante et roulant nerveusement son cahier de musique, s'enfuit du salon. Les applaudissements les plus énergiques venaient des quatre jeunes gens qui, étant retournés au buffet au début du morceau, en revinrent quand le piano se fut tu.

On organisa un pas des lanciers. Gabriel avait Miss Ivors comme vis-à-vis, demoiselle d'humeur bavarde et franche de manières ; le visage piqué de taches de rousseur et les yeux bruns à fleur de tête. Son corsage n'était pas décolleté et la large broche fixée sur le devant de son col portait une devise et un emblème irlandais. Lorsqu'ils furent placés, elle lui dit brusquement :

— Nous avons un compte à régler, tous les deux.

— Avec moi ? dit Gabriel.

Elle hocha la tête d'un air grave.

— De quoi s'agit-il ? demanda Gabriel, souriant de ses façons solennelles.

— Qui est G.C. ? répondit Miss Ivors tournant ses yeux vers lui.

Gabriel rougit et allait froncer les sourcils comme s'il faisait mine de ne pas comprendre, quand soudain elle dit :

— Oh ! sainte nitouche ! J'ai découvert que vous écrivez pour le *Daily Express*. N'avez-vous pas honte de vous-même ?

— Pourquoi aurais-je honte ? demanda Gabriel clignant des yeux et s'efforçant de sourire.

— Eh bien ! moi, j'ai honte de vous, dit carrément Miss Ivors. Dire que vous écrivez pour un journal pareil ! Je ne croyais pas que vous étiez un Anglish.

Gabriel demeurait interdit. Il écrivait en effet un article littéraire dans le *Daily Express* tous les mercredis pour lequel il était payé quinze shillings ; mais cela ne suffisait pas assurément pour en faire un Anglish. Il accueillait avec presque plus de plaisir les livres qu'il recevait pour ses comptes rendus que le chèque insignifiant. Il adorait sentir sous ses doigts le contact des reliures et feuilleter les pages des livres fraîchements imprimés. Presque chaque jour, ses heures d'enseignement au collège une fois terminées, il avait coutume d'errer le long des quais jusqu'aux bouquinistes de seconde main, chez Hickey sur le Bacheler Walk, chez Webbs ou chez Massey sur le quai d'Aston ou chez O'Clohissey dans une rue de traverse. Il ne savait pas comment faire face à l'accusation de la jeune fille. Il aurait voulu répondre que la littérature était au-dessus de la politique. Mais c'étaient des amis de longue date et ils avaient mené leur carrière de front ; d'abord à l'Université, puis dans le professorat ; il était impossible de risquer avec elle une phrase grandiloquente. Il continua à cligner des yeux et à tâcher de sourire, puis il bredouilla gauchement qu'il ne voyait rien de politique à faire des comptes rendus de livres.

Quand ce fut leur tour de traverser, il était encore perplexe et distrait. Miss Ivors lui saisit vivement la main et dit d'un ton doux et amical :

— Voyons ! ce n'était qu'une plaisanterie ; venez, c'est à vous de traverser.

Lorsqu'ils se retrouvèrent seuls de nouveau, elle parla de la question universitaire et Gabriel se sentit plus à son aise. Un ami à elle lui avait montré le compte rendu de Gabriel sur les poèmes de Browning. Voilà comment le secret fut découvert. Elle appréciait infiniment cette analyse.

Puis elle dit tout à coup :

— Dites donc, monsieur Conroy, ferez-vous une expédition aux îles d'Aran ? Nous allons y passer tout un mois. Ce sera délicieux de se trouver en plein Atlantique. Vous devriez venir. M. Clancy vient ainsi que M. Kilkelly et Kathleen Kearney. Ce serait si bien pour Gretta si elle venait aussi. Elle est de Connacht, n'est-ce pas ?

— Sa famille l'est, dit Gabriel sèchement.

— Et vous, vous viendrez, n'est-ce pas ? dit Miss Ivors appuyant avec empressement sa main tiède sur le bras du jeune homme.

— A vrai dire, dit Gabriel, je viens justement d'arranger pour aller...

— Où ? demanda Miss Ivors.

— Eh bien ! vous savez, chaque année, je fais un tour à bicyclette avec quelques camarades et alors...

— Mais où ? demanda Miss Ivors.

— Eh bien ! nous allons habituellement en France ou en Belgique, peut-être bien en Allemagne, dit Gabriel embarrassé.

— Et pourquoi allez-vous en France ou en Belgique, demanda Miss Ivors, au lieu de visiter votre propre pays ?

— Eh bien ! dit Gabriel, c'est en partie pour entretenir la connaissance des langues, en partie pour faire un changement.

— Et n'avez-vous pas à entretenir la connaissance de votre langue natale, l'irlandais ? demanda Miss Ivors.

— Eh bien ! dit Gabriel, puisque vous soulevez la question, vous savez, l'irlandais n'est pas ma langue.

Leurs voisins s'étaient retournés pour écouter l'interrogatoire. Gabriel jeta un coup d'œil préoccupé à droite et à gauche et tâcha de conserver sa bonne humeur, malgré l'épreuve qu'il subissait et qui le faisait rougir jusqu'au front.

— Et n'avez-vous pas votre propre pays à visiter ? continua Miss Ivors. Vous ignorez tout de vos compatriotes et de votre patrie.

— Oh ! à dire vrai, répliqua Gabriel, j'en ai par-dessus la tête de mon pays, par-dessus la tête !

— Pourquoi ? demanda Miss Ivors.

Gabriel ne répondit pas, sa dernière repartie l'ayant échauffé.

— Pourquoi ? répéta Miss Ivors.

Leur tour était venu pour la figure des visites et comme elle n'obtenait pas de réponse, Miss Ivors dit avec chaleur :

— Vous voyez, vous ne trouvez rien à répondre.

Gabriel tâcha de dissimuler son agitation en prenant une part active à la danse. Il évitait le regard de la jeune fille, car il avait surpris sur sa figure une expression acerbe. Mais lorsqu'ils se croisèrent dans la grande chaîne, il fut surpris de se sentir la main serrée avec force. Elle le regarda un moment par-dessus ses sourcils, d'un air railleur, jusqu'à ce qu'il sourît. Puis juste au moment où la chaîne reprenait, elle se haussa sur la pointe des pieds et lui chuchota à l'oreille :

— Anglish !

Les lanciers étant terminés, Gabriel se dirigea vers un des coins les plus reculés de la pièce où se trouvait assise la mère de Freddy Malins. C'était une grosse et faible vieille femme aux cheveux blancs. Tout ainsi que son fils, elle avait la voix enrouée et bégayait légèrement. Elle savait que Freddy était là et qu'il se tenait à peu près bien. Gabriel lui demanda si elle avait fait une bonne traversée. Elle habitait Glascow chez sa fille mariée et venait à Dublin une fois par an. Elle répondit avec placidité qu'elle avait fait une traversée superbe et que le capitaine avait été plein d'attention pour elle. Elle parla aussi de la superbe maison qu'habitait sa fille à Glascow, et de tous les amis qu'on y avait. Tandis que sa langue allait bon train, Gabriel tâchait de bannir de son esprit le souvenir désagréable de ce qui s'était passé entre Miss Ivors et lui. Certes, cette fille ou cette femme, peu importait ce qu'elle fût, était une exaltée ; mais en toute chose il faut choisir le bon moment. Peut-être n'aurait-il pas dû lui répondre de la sorte. Tout de même elle n'avait pas le droit de le traiter d'Anglish en public. Elle avait essayé de le rendre ridicule devant les autres, le harcelant de questions et le dévisageant avec ses yeux de lapin.

Il aperçut sa femme qui se frayait un passage vers lui à travers les couples de valseurs. Lorsqu'elle l'eut rejoint, elle lui dit à l'oreille :

— Gabriel, tante Kate voudrait savoir si vous comptez découper l'oie comme d'habitude. Miss Dally coupera le jambon et je me chargerai du pudding.

— Ça va, dit Gabriel.

— Elle fait rentrer les plus jeunes d'abord, sitôt après que la valse sera finie, de sorte que nous aurons la table pour nous.

— Vous avez dansé ? demanda Gabriel.

— Bien sûr, ne m'avez-vous pas vue ? A quel propos vous êtes-vous disputé avec Miss Ivors ?

— Nous ne nous sommes pas disputés. Pourquoi ? Elle vous a dit cela ?

— Ou quelque chose d'approchant. Je cherche à obtenir de M. d'Arcy qu'il chante. Il est bouffi d'orgueil, je crois.

— Nous ne nous sommes pas disputés, dit Gabriel d'un ton morne, seulement elle voulait me faire faire un tour dans l'ouest de l'Irlande et je lui disais que je ne voulais pas.

Sa femme fit un petit saut et joignit les mains avec ardeur.

— Oh ! allez-y, Gabriel, s'écria-t-elle, j'aimerais tant revoir Galway.

— Vous êtes libre d'y aller si cela vous chante, dit Gabriel froidement.

Elle le regarda un instant, puis se tourna vers Mme Malins et dit :

— Voilà un gentil mari, madame Malins.

Pendant qu'il se refaisait un chemin à travers le salon, Mme Malins, sans tenir compte de cette interruption, continua à raconter à Gabriel quels beaux endroits il y avait en Ecosse et quels beaux paysages. Son gendre les conduisait chaque année aux lacs et ils allaient pêcher. Son gendre était un pêcheur de premier ordre. Un jour il avait pris un beau gros poisson et l'homme de l'hôtel le leur avait fait cuire pour le dîner. Gabriel entendait à peine ce qu'elle disait ; maintenant que l'heure du souper approchait, il repensait à son discours et à sa citation. Quand il aperçut Freddy Malins qui traversait la pièce pour rejoindre sa mère, Gabriel lui passa sa chaise et alla se retirer dans l'embrasure de la fenêtre. Le salon commençait à se vider et de la pièce du fond parvenait un cliquetis d'assiettes et de couteaux. Ceux qui demeuraient encore au salon semblaient las de danser et causaient tranquillement par petits groupes. Gabriel tambourinait la vitre froide de ses doigts chauds et tremblants. Comme il devait faire frais au-dehors ! comme il serait agréable de sortir seul et de se promener, de longer d'abord la rivière, puis de traverser le parc ! La neige recouvrait sans doute les branches des arbres et coiffait d'un bonnet scintillant le monument de Wellington. Comme il ferait meilleur là-bas que dans la salle du souper ! Il repassa mentalement les divers points de son discours : l'hospitalité irlandaise, les souvenirs tristes, les trois grâces, Pâris, la citation de Browning. Il se remémora une phrase qu'il avait écrite dans un de ses comptes rendus : « On sent que l'on assiste à une musique torturée de pensée. » Miss Ivors avait loué l'article. Etait-elle sincère ? Vivait-elle réellement d'une vie personnelle derrière le zèle de sa propagande ? Jamais jusqu'à ce soir il n'y avait eu entre eux la moindre animosité. Il se sentait perdre contenance à l'idée qu'elle serait à table et que tandis qu'il parlerait elle lèverait sur lui des yeux critiques et railleurs. Peut-être ne serait-elle pas fâchée de le voir rater dans son discours. Une idée vint le raffermir. Il dirait en se référant à tante Kate et à tante Julia : « Mesdames, messieurs, la génération qui est sur son déclin peut avoir eu ses défauts, mais, à son avis, possédait, je crois, certaines qualités d'hospitalité, d'humour, d'humanité qui semblent faire défaut à la génération actuelle, génération fort grave et instruite à l'excès, que nous voyons grandir autour de nous. » Très bien, voilà pour Miss Ivors. Qu'importait à Gabriel que ses tantes ne fussent que deux femmes âgées et ignorantes ?

Dans la salle, une rumeur attira son attention. De la porte, M. Browne s'avançait escortant galamment tante Julia qui souriait confuse et s'appuyait sur son bras, les yeux baissés. Une salve d'applaudissements lui fit également escorte jusqu'au piano, puis, comme Mary Jane s'installait sur le tabouret et que tante Julia qui ne souriait plus se tournait à demi, de façon à lancer sa voix dans la chambre, les applaudissements cessèrent peu à peu. Gabriel reconnut le prélude d'une vieille chanson de tante

Julia : *Parée pour les noces.* D'une voix claire et sonore,
elle entonna brillamment les roulades qui embellissaient
la mélodie et bien qu'elle chantât très vite, elle ne
manqua pas la moindre appogiature. Suivre la voix, sans
regarder le chanteur, c'était ressentir et partager la
griserie d'un vol, rapide et sûr. Gabriel applaudit bruyam
ment comme tout le monde quand la chanson prit fin, et
de la table du souper qui leur était invisible, de bruyants
applaudissements leur parvinrent, vraisemblablement si
sincères qu'une légère rougeur s'insinua sur le visage de
tante Julia comme elle se baissait pour remettre, dans le
casier à musique, le recueil de mélodies dont la reliure de
cuir fatigué portait ses initiales. Freddy Malins, qui l'avait
écoutée, penchant la tête pour mieux entendre, applaudissait encore après que les autres avaient cessé et parlait
à sa mère avec animation, pendant que celle-ci approuvait
de la tête d'un air grave. Quand il fut à bout d'applaudissements, il se leva et courut à travers la chambre vers
tante Julia, lui saisit la main entre les deux siennes, la
secouant lorsque les mots venaient à lui manquer ou que
son hoquet prenait le dessus :

— Je disais justement à ma mère, dit-il, que je ne vous
avais jamais entendue chanter aussi bien que ce soir.
Jamais. Non, vous n'avez jamais été en voix comme ce
soir. Voilà ! Le croiriez-vous ? c'est la vérité. Parole
d'honneur. La pure vérité. Jamais je n'ai entendu votre
voix aussi fraîche, aussi claire, aussi fraîche, jamais.

Tante Julia s'épanouit et murmura quelque chose à
propos des compliments en général, tandis qu'elle dégageait sa main de cette étreinte, M. Browne lui tendit la
sienne et dit à ceux qui se trouvaient près de lui, à la façon
d'un montreur de foire présentant un phénomène à
l'assistance :

— Miss Julia Morkan, ma dernière trouvaille.

Il riait aux éclats de sa propre plaisanterie, lorsque
Freddy Malins se tourna vers lui et dit :

— Eh bien, Browne, si vous parlez sérieusement, vous
pourriez touver plus mal. Tout ce que je puis dire, c'est

que jamais je ne l'ai entendue chanter aussi bien depuis que je viens ici. Et c'est la pure vérité.

— Moi non plus, dit M. Browne, je crois que sa voix a fait de grands progrès.

Tante Julia haussa les épaules et dit avec un timide orgueil :

— En fait de voix, la mienne n'était pas vilaine il y a trente ans.

— J'ai souvent dit à Julia, articula tante Kate avec énergie, que chanter dans ce chœur c'était galvauder son talent. Mais elle n'a jamais voulu m'écouter.

Elle se tourna comme pour faire appel au bon sens des autres à l'encontre d'un enfant réfractaire, tandis que tante Julia regardait droit devant elle, un vague sourire plein de réminiscences jouant sur son visage.

— Non, poursuivit tante Kate, elle n'a jamais voulu m'écouter ni moi, ni personne ; elle s'escrimait dans ce chœur nuit et jour. A six heures du matin, le jour de Noël et tout cela, à quoi bon ?

— Eh bien, n'est-ce pas pour honorer Dieu, tante Kate ? demanda Mary Jane pivotant sur son tabouret de piano avec un sourire.

Indignée, tante Kate se tourna vers sa nièce et dit :

— Je sais tout ce qui est dû à l'honneur de Dieu, Mary Jane, mais je crois que ce n'est pas du tout à l'honneur du pape de renvoyer des chœurs toutes les femmes qui y ont peiné leur vie durant, pour les remplacer par des marmots de rien. Je suppose que si le pape agit de la sorte, c'est pour le bien de l'Eglise. Mais ce n'est pas bien, Mary Jane, et ce n'est pas juste.

Elle était échauffée et aurait poursuivi l'apologie de sa sœur, car c'était là pour elle un sujet cuisant, si Mary Jane, voyant revenir les danseurs, ne fût intervenue en pacificatrice.

— Allons, tante Kate, vous êtes celle par qui arrive le scandale et cela devant M. Browne qui appartient à l'autre culte.

Tante Kate se tourna vers M. Browne que cette allusion à sa foi faisait ricaner et dit vivement :

— Oh ! je ne discute pas les droits du pape. Je ne suis qu'une vieille femme stupide et je ne me permettrai pas de le faire. Mais il existe tout de même une politesse et une reconnaissance de tous les jours. Et si j'étais Julia, je ne me gênerais pas pour le dire à la face du père Healy.

— Et d'ailleurs, tante Kate, dit Mary Jane, nous avons très faim et quand on a faim on se sent d'humeur batailleuse.

— Et quand on a soif aussi, ajouta M. Browne.

— C'est pourquoi nous ferions mieux d'aller souper, dit Mary Jane, nous reprendrons plus tard cette discussion.

Sur le palier attenant au salon, Gabriel trouva sa femme et Mary Jane qui cherchaient à retenir Miss Ivors. Mais Miss Ivors, qui avait mis son chapeau et boutonnait son manteau, se refusait à rester. Elle ne se sentait pas le moindre appétit et avait déjà dépassé l'heure qu'elle s'était fixée.

— Encore dix minutes, Molly, dit Mme Conroy, cela ne vous retardera pas, une petite bouchée après cette danse.

— Non, je ne puis vraiment.

— Je crains que vous ne vous soyez pas du tout amusée, dit Mary Jane déçue.

— Enormément, je vous assure, dit Miss Ivors, mais il faut que je me sauve à présent.

— Mais comment rentrerez-vous ? demanda Mme Conroy.

— Oh ! il n'y a qu'un ou deux pas à faire le long du quai.

Gabriel hésita un instant, puis dit :

— Me permettez-vous de vous raccompagner, Miss Ivors, si vous êtes vraiment forcée de vous en aller ?

Mais Miss Ivors se détacha du groupe.

— Jamais de la vie ! s'écria-t-elle. Pour l'amour du Ciel, retournez à vos soupers sans vous soucier de moi. Je suis tout à fait capable de prendre soin de ma personne.

— Mais quelle drôle de fille vous faites, Molly ! dit Mme Conroy franchement.

— *Beannacht lilt* ! cria Miss Ivors avec un rire, et descendit l'escalier en courant.

Mary Jane la suivit des yeux avec une expression intriguée et morose sur son visage, tandis que Mme Conroy se penchait par-dessus la balustrade écoutant se refermer la porte d'entrée. Gabriel se demanda s'il n'était pas la cause de ce brusque départ. Mais elle ne semblait pas de mauvaise humeur ; elle était partie en riant. Il fixa l'escalier d'un regard distrait.

A ce moment, tante Kate trottina hors de la salle du souper, se tordant les mains de désespoir.

— Où est Gabriel ? cria-t-elle, mais où donc est Gabriel ? Tout le monde est là qui l'attend et il n'y a personne pour découper l'oie.

— Me voici, tante Kate ! cria Gabriel pris d'une animation soudaine, prêt à découper un troupeau d'oies s'il l'avait fallu.

Une oie grasse et brune gisait à l'un des bouts de la table et à l'autre, sur un lit de papier froissé parsemé de persil, reposait un énorme jambon dépouillé de sa première enveloppe et saupoudré de panure ; une ruche de papier entourait soigneusement le trumeau, à côté il y avait une rouelle de bœuf épicé. D'un bout à l'autre de la table, entre ces deux pièces de résistance, s'alignaient, parallèles, des rangées de plats : deux petites cathédrales en gelée rouge et jaune, un plat creux rempli de blocs de blanc-manger et de confiture rouge, un plat représentant une large feuille verte dont la tige figurait le manche sur lequel étaient disposées des grappes de raisins secs et des amandes émondées, un autre plat semblable contenant un rectangle compact de figues de Smyrne, un compotier de crème cuite, saupoudrée de muscade, une petite coupe pleine de chocolats et de bonbons enveloppés de papier d'argent et doré et un vase de cristal où plongeaient de longues tiges de céleri. Au milieu de la table, montant la garde devant un compotier qui soutenait une pyramide d'oranges et de pommes américaines, se trouvaient deux vieux pichets trapus de verre taillé qui contenaient l'un du porto, l'autre du sherry foncé. Sur le haut du piano carré attendait un pudding dans un énorme plat jaune et derrière lui trois escouades de bouteilles de stout et d'eau minérale, rangées d'après les couleurs de leur uniforme, les deux premières noires, étiquetées de brun et de rouge, la troisième et la plus petite blanches, ceinturées de bandes vertes transversales.

Gabriel s'assit hardiment à une des extrémités de la table et, ayant examiné la lame du couteau à découper, piqua solidement l'oie de sa fourchette. Il se sentait tout à fait à son aise à présent, car il était un découpeur expert et rien ne lui plaisait autant que de se trouver à la tête d'une table bien garnie.

Miss Furlong, qu'est-ce que je vous envoie, demanda-t-il, une aile ou une aiguillette ?

— Une mince aiguillette.

— Et vous, Miss Kiggins ?

— Oh ! ce que vous voudrez, monsieur Conroy.

Tandis que Gabriel et Miss Daly faisaient passer des portions d'oie et des portions de jambon et de bœuf aux épices, Lily faisait le tour de la table avec un plat de pommes de terre chaudes et farineuses, enveloppées d'une serviette blanche. C'était une idée de Mary Jane et elle avait aussi proposé de la sauce aux pommes pour l'oie ; mais tante Kate avait dit qu'une oie tout bonnement rôtie sans sauce aux pommes lui avait toujours suffi et elle souhaitait ne jamais rien manger de pire.

Mary Jane servait ses propres élèves et veillait à ce qu'elles fussent pourvues des meilleurs morceaux, et tante Kate et tante Julia opéraient le transfert des bouteilles de stout et d'ale qui se trouvaient sur le piano destinées à ces messieurs et des bouteilles d'eau minérale destinées à ces dames. Il y eut un grand vacarme, beaucoup de rires et de confusion, d'ordres et de contrordres donnés ; cliquetis de couteaux et de fourchettes, bouchons de liège et de carafes qui sautent. Gabriel se mit en devoir de découper une deuxième tournée dès qu'il eut fini la première, avant même de se servir. Tout le monde protesta bruyamment, si bien qu'il transigea en buvant une forte rasade de stout, ayant reconnu que c'était une rude besogne que de découper. Mary Jane s'attabla tranquillement devant son souper, mais tante Kate et tante Julia trottinaient encore autour de la table, se marchant sur les talons, l'une barrant le chemin à l'autre et se donnant mutuellement des ordres dont elles ne tenaient aucun compte. M. Browne ainsi que Gabriel leur enjoignirent de s'asseoir et de manger leur dîner, mais elles répondirent qu'elles avaient bien le temps, sur quoi Freddy Malins se leva et, s'emparant de tante Kate, la fit retomber de force à la place qui lui était réservée, au milieu du rire général.

Quand chacun fut bien servi, Gabriel dit en souriant :

— Maintenant si l'un de vous désire encore un peu de ce que le vulgaire appelle du bourrage, qu'il ou qu'elle le dise.

Un chœur de voix l'invita à commencer son propre souper, et Lily s'avança munie de trois pommes de terre qu'elle lui avait réservées.

— Parfait, dit Gabriel aimablement, se versant une deuxième rasade en guise d'apéritif. Ayez la bonté d'oublier mon existence, mesdames et messieurs, pour quelques instants.

Il se mit à son souper sans prendre part à la conversation où se perdait le bruit que faisait Lily en ôtant les assiettes. Le sujet de l'entretien fut la troupe de l'Opéra qui se trouvait alors en représentation au théâtre Royal. M. Bartell d'Arcy, le ténor, un jeune homme basané à l'élégante moustache, loua hautement le premier contralto de la compagnie, mais Miss Furlong trouvait qu'elle mettait dans l'émission une certaine vulgarité de style. Freddy Malins dit qu'il y avait un chef de clan nègre qui chantait dans le deuxième acte de la pantomime de la Gaieté et qui possédait une des plus belles voix de ténor qu'il eût jamais entendues.

— L'avez-vous entendu ? demanda-t-il par-dessus la table à M. d'Arcy.

— Non, répondit M. d'Arcy négligemment.

— Parce que, expliqua Freddy Malins, je serais

curieux de savoir ce que vous en pensez. Je trouve qu'il a une voix superbe.

— Il faut que ce soit Teddy qui fasse les bonnes découvertes, dit familièrement M. Browne, s'adressant à toute l'assemblée.

— Et pourquoi pas ? demanda Freddy Malins sèchement. Est-ce parce que ce n'est qu'un Nègre ?

La question ne fut pas relevée et Mary Jane ramena la conversation à la scène lyrique. Une de ses élèves lui avait donné un billet de faveur pour *Mignon.* Oui, c'était bien, dit-elle, mais cela la faisait penser à la pauvre Georgina Burns. M. Browne pouvait se reporter encore plus en arrière, jusqu'aux vieilles compagnies italiennes qui venaient à Dublin : Tretjens, Ilma di Murztka, Campanino, le grand Trebelli, Gurglini, Ravelli, Aramburo. Voilà des temps, disait-il, où il y avait à Dublin ce qui s'appelle du chant. Il narra aussi comment le poulailler du vieux Royal était comble tous les soirs, comment un ténor italien avait été bissé cinq fois à : « Laissez-moi tomber tel un soldat », montant jusqu'à l'*ut* chaque fois, et comment les jeunes gens du poulailler, dans leur enthousiasme, détélaient les chevaux de la voiture de quelques prima donna et la traînaient eux-mêmes à travers les rues jusqu'à son hôtel. Pourquoi ne joue-t-on plus les grands vieux opéras, aujourd'hui ? demanda-t-il, *Dinorah, Lucrezia Borgia ?* Parce qu'il ne se trouve plus de voix pour les chanter : voilà pourquoi.

— Oh ! bien, dit M. Bartell d'Arcy, j'estime qu'il y a aujourd'hui d'aussi bons chanteurs qu'il y en avait alors.

— Où sont-ils ? défia M. Browne.

— A Paris, à Londres, à Milan, dit M. Bartell d'Arcy avec chaleur. Caruso par exemple est, je suppose, tout aussi bon, sinon meilleur que tous ceux que vous avez nommés.

— C'est possible, dit M. Browne, mais j'ose avancer que j'en doute fort.

— Oh ! je donnerais tout au monde pour entendre chanter Caruso, dit Mary Jane.

— Pour moi, dit tante Kate qui venait de ronger un os,

225

il n'y a jamais eu qu'un ténor qui me fît plaisir, j'entends. Mais je suppose que pas un de vous ne l'a entendu.

— Qui était-ce, Miss Morkan ? demanda M. Bartell d'Arcy poliment.

— Il s'appelait Parkinson, dit tante Kate. Je l'ai entendu dans toute sa gloire et j'estime qu'il avait alors la voix de ténor la plus pure qui fût jamais issue d'un gosier d'homme.

— C'est curieux, dit M. Bartell d'Arcy, je ne l'ai même pas entendu nommer.

— Oui, oui, Miss Morkan a raison, dit M. Browne, je me souviens d'avoir entendu parler du vieux Parkinson, mais c'est une époque trop reculée pour moi.

— Une merveilleuse, pure, douce et mélodieuse voix de ténor anglais, dit tante Kate avec enthousiasme.

Gabriel ayant terminé, l'énorme pudding fut transporté sur la table. Le bruit de fourchettes et de cuillères reprit. La femme de Gabriel servait le pudding par cuillerées et faisait passer les assiettes jusqu'au bas de la table. A mi-chemin, elles étaient retenues par Mary Jane qui les remplissait de gelée de framboise ou d'orange ou de blanc-manger et de confitures. Le pudding était l'œuvre de tante Julia et de tous côtés elle en reçut des éloges. Elle répondit qu'elle ne le trouvait pas tout à fait assez brun.

— Eh bien ! j'espère, Miss Morkan, dit M. Browne, que je suis assez brun pour vous, parce que, vous savez, je suis tout brun (1).

Tous les messieurs, sauf Gabriel, goûtèrent au pudding par déférence pour tante Julia. Comme Gabriel ne prenait jamais d'entremets, on lui laissa le céleri. Freddy Malins prit aussi une tige de céleri et le mangea avec son pudding. Il lui avait été dit que le céleri était excellent pour le sang et justement il était entre les mains du médecin. Mme Malins, qui pendant tout le souper était demeurée silencieuse, dit que son fils comptait aller à Mont-Cilleray d'ici une semaine ou deux. La conversation

(1) Browne veut dire brun.

226

roula alors sur Mont-Cilleray : comme l'air y était vivifiant ! combien les moines y étaient hospitaliers ! jamais ils ne réclamaient un centime à leurs hôtes.

— Et vous voulez nous faire accroire, demanda M. Browne d'un ton incrédule, que n'importe qui peut aller là-bas, s'y installer comme à l'hôtel, manger à cœur joie et s'en revenir sans rien payer ?

— Oh ! la plupart des gens font quelque don au monastère avant de s'en aller, dit Mary Jane.

— Je voudrais bien que nous eussions une installation de ce genre dans notre Eglise, dit M. Browne avec candeur.

Il était fort étonné d'apprendre que les moines ne parlaient jamais, se levaient à deux heures du matin et dormaient dans leurs cercueils. Il en demanda la raison.

— C'est le règlement de leur ordre, dit tante Kate avec fermeté.

— Oui, mais pourquoi ? demanda M. Browne.

Tante Kate répéta que c'était le règlement, voilà tout. M. Browne semblait toujours ne pas comprendre. Freddy Malins expliqua de son mieux que les moines s'efforçaient de racheter les péchés commis par tous les pécheurs du siècle. L'explication n'était pas très claire, car M. Browne ricana et dit :

— Cette idée me plaît, mais est-ce qu'un bon lit à ressorts ne ferait pas tout aussi bien l'affaire qu'un cercueil ?

— Le cercueil, dit Mary Jane, est pour leur rappeler leur dernière heure.

Le sujet ayant pris un tour lugubre se perdit dans un complet silence, pendant lequel on put entendre Mme Malins dire à sa voisine à voix basse :

— Ce sont des hommes très bons, ces moines, des hommes très pieux.

Raisins secs, amandes, figues, pommes, chocolats, bonbons furent passés autour de la table, et tante Julia invita tous les convives à prendre un verre de porto ou de sherry. M. Bartell d'Arcy commença par décliner les deux, mais un de ses voisins le poussa du coude et lui chuchota quelque chose, sur quoi il laissa remplir son verre. A mesure que les derniers verres se remplissaient, la conversation tombait. Un silence s'ensuivit, interrompu seulement par le vin qui coulait et par le déplacement de chaises. Les trois Miss Morkan regardèrent la nappe. Quelqu'un toussa une ou deux fois, puis plusieurs messieurs tapotèrent légèrement sur la table pour réclamer le silence. Le silence s'établit et Gabriel repoussa sa chaise et se leva. Le tapotement s'accrut aussitôt en manière d'encouragement, puis cessa tout à fait. Gabriel appuya ses dix doigts tremblants sur la nappe et dirigea à l'adresse de la société un sourire nerveux. Son regard, ayant rencontré une rangée de visages tournés vers lui, se porta vers le lustre. Le piano jouait un air de valse et il entendait le bruissement des jupes contre la porte du salon. Peut-être que dehors, sur le quai, des gens se tenaient debout dans la neige, contemplant les fenêtres éclairées et prêtant l'oreille aux sons de la valse. L'air était pur dehors. Au loin était le parc où les arbres ployaient sous la neige. Le monument de Wellington portait un bonnet de neige scintillant qui luisait sur l'ouest par-dessus la blanche prairie de *Quinze ares*.

Il commença :

« MESDAMES, MESSIEURS,

« Ainsi que les années précédentes, m'incombe ce soir un devoir fort agréable, mais un devoir, lequel, je le crains, dépasse la mesure de mes facultés oratoires.

— Non, non, dit M. Browne.

« Mais quoi qu'il en soit, je ne puis que vous demander de bien vouloir ne tenir compte que de l'intention et me prêter une oreille attentive quelques instants, tandis que je m'efforcerai de vous exprimer la nature des sentiments que j'éprouve en une circonstance comme celle-ci.

« Mesdames, messieurs, ce n'est point la première fois que nous nous trouvons réunis sous ce toit hospitalier, autour de cette table non moins hospitalière. Ce n'est pas la première fois que nous sommes les objets, peut-être faudrait-il dire les victimes, de l'hospitalité de certaines aimables dames ici présentes. »

Il traça un cercle dans l'espace et rit un temps. Tout le monde rit ou sourit à tante Kate, tante Julia et Mary Jane qui rougirent de plaisir. Gabriel poursuivit avec plus d'assurance :

« Chaque année, je sens avec une intensité croissante que notre pays n'a pas de tradition qui lui fasse plus d'honneur ni qu'il doive garder plus jalousement que celle de son hospitalité. C'est une tradition qui, chez les nations modernes, me semble unique, autant que je puis en juger par mon expérience (et j'ai vu pas mal de pays étrangers). Quelques-uns vous diront peut-être que chez nous c'est plutôt un de nos défauts qu'une chose dont nous ayons à nous glorifier. Mais même ceci admis, à mon avis ce n'en est pas moins un défaut princier et qui sera, je le souhaite, longtemps cultivé parmi nous. D'un fait, en tout cas, je me porte garant. Tant que ce toit abritera ces bonnes dames visées plus haut — et j'espère du fond du cœur qu'il en sera ainsi pendant bien des années à venir — la tradition de la courtoise, chaleureuse et sincère hospitalité irlandaise que nos aïeux nous ont transmise, et qu'il nous faudra, à notre tour, transmettre à nos descendants, demeurera toujours vivace parmi nous. »

Un chaleureux murmure d'assentiment courut autour de la table. La pensée que Miss Ivors n'était pas là et qu'elle était partie d'une façon peu courtoise traversa l'esprit de Gabriel et il dit plein de confiance en lui-même :

« MESDAMES, MESSIEURS,

« Une génération nouvelle grandit parmi nous, une génération animée d'idées et de principes nouveaux, qui prend au sérieux et s'exalte pour ces idées nouvelles, et son enthousiasme, même lorsqu'il fait fausse route, est, j'en suis convaincu, dans l'ensemble, sincère. Mais nous vivons dans une époque de scepticisme et, si je puis m'exprimer ainsi, « torturée de pensées » ; et quelquefois je crains que cette nouvelle génération éduquée et suréduquée comme elle l'est ne manque de ces qualités d'humanité et d'hospitalité, de bonne humeur, qui ont été l'apanage d'une autre époque. En entendant ce soir les noms de tous nos illustres chanteurs du passé, il m'a semblé, je le confesse, que nous vivions à une époque moins spacieuse. Les temps anciens peuvent, sans exagération, être qualifiés de spacieux, et, s'ils sont révolus sans espoir de retour, souhaitons du moins que dans des réunions semblables à celle-ci nous en reparlions toujours avec orgueil et affection, que nous continuions à chérir la mémoire de ces grands disparus, dont le monde ne laissera pas volontairement périr la gloire.

— Bien ! Bien ! dit M. Browne d'une voix forte.

« Mais néanmoins, poursuivit Gabriel, sa voix déclinant en une inflexion plus douce, il arrive toujours, dans des réunions comme celle-ci, que de plus tristes pensées reviennent visiter nos esprits : pensées du passé, de jeunesse, de transformations, de visages dont nous sentons ce soir l'absence. Notre route à travers la vie est semée de beaucoup de souvenirs et si nous devions les entretenir toujours, nous n'aurions plus le cœur d'accomplir courageusement notre tâche parmi les vivants. Nous avons tous dans la vie des devoirs, des affections qui réclament, et réclament à bon droit, nos efforts soutenus. C'est pourquoi je ne m'attarderai pas sur le passé. Je ne veux pas qu'un triste sermon pèse sur nous ce soir. Nous voici réunis, échappés pour quelques courts instants à la poussée, à la cohue de notre routine quotidienne. Nous nous unissons ici en amis, dans un esprit de bonne entente comme des confrères, et jusqu'à un certain point dans un véritable esprit de camaraderie, et aussi en hôtes —

comment les qualifier autrement ? — des trois grâces du monde musical de Dublin. »

Cette allusion fut saluée autour de la table par une salve d'applaudissements et une explosion de rires. En vain tante Julia demande tour à tour à ses voisines ce que Gabriel venait de dire.

— Il dit que nous sommes les trois grâces, tante Julia, dit Mary Jane.

Tante Julia ne comprenait pas, mais elle leva les yeux en souriant vers Gabriel qui poursuivit dans la même veine :

« MESDAMES, MESSIEURS,

« Je ne me hasarderai pas à jouer ce soir le rôle que Pâris joua dans une autre circonstance. Je ne me hasarderai pas à choisir parmi elles. La tâche serait scabreuse et au-dessus de mes moyens, car lorsque je les passe chacune en revue, que ce soit notre principale hôtesse elle-même dont la bonté, la trop grande bonté, est devenue proverbiale pour tous ceux qui la connaissent ; que ce soit sa sœur qui semble douée d'une jeunesse éternelle et dont la voix, certes, a été une surprise et une révélation pour nous tous ce soir, que ce soit encore la dernière, mais non la moindre, c'est-à-dire notre plus jeune hôtesse pleine de talent, d'entrain, dure au travail et par-dessus tout la meilleure des nièces ; j'avoue, mesdames et messieurs, que j'ignore à laquelle des trois je décernerai le prix. »

Gabriel jeta un coup d'œil sur ses tantes et voyant un large sourire sur le visage de tante Julia et des larmes monter aux yeux de tante Kate, il se hâta de conclure. Il leva galamment son verre de porto et, tandis que chaque membre de la compagnie maniait le sien dans l'expectative, il dit à voix forte :

« Portons un toast à leur santé à toutes trois, souhaitons-leur longue vie et prospérité et puissent-elles conserver longtemps la fière situation qu'elles ont acquises elles-mêmes dans leur profession, non moins que la place d'honneur et l'affection qu'elles détiennent dans nos cœurs. »

Le verre à la main, tous les convives se levèrent et, se tournant vers les trois dames assises, chantèrent en chœur, M. Browne en tête :

> Car ce sont de gais et joyeux compagnons,
> Car ce sont de gais et joyeux compagnons,
> Car ce sont de gais et joyeux compagnons.

Tante Kate se servait ouvertement de son mouchoir et même tante Julia paraissait émue. Freddy Malins battait la mesure avec la fourchette à pudding et les chanteurs se tournèrent l'un vers l'autre comme s'ils conversaient en musique, chantant avec force :

> Sans mentir,
> Sans mentir.

Puis, se tournant vers leurs hôtesses, ils chantèrent :

> Car ce sont de gais et joyeux compagnons,
> Car ce sont de gais et joyeux compagnons,
> Car ce sont de gais et joyeux compagnons.

Les acclamations qui s'ensuivirent furent reprises par-delà la porte de la salle du souper par beaucoup d'autres convives coup sur coup. Freddy Malins, figurant le chef d'orchestre, brandissait sa fourchette.

. . . .

L'air pénétrant du matin s'engouffrait dans l'entrée où ils étaient réunis, ce qui fit dire à tante Kate :

— Que l'un de vous ferme la porte, Mme Malins va prendre la mort.

— M. Browne est dehors, tante Kate, dit Mary Jane.

— Ce Browne est partout, dit tante Kate baissant la voix.

Mary Jane rit de sa manière de dire.

— Il faut avouer, dit tante Kate avec malice, qu'il est très attentionné.

— On le trouve toujours sur son chemin, dit-elle sur le même ton, tant que durent les fêtes de la Noël.

Cette fois elle rit elle-même avec bonhomie, puis se hâta d'ajouter :

— Mais dites-lui de rentrer, Mary Jane, et fermez la porte. Plaise à Dieu qu'il ne m'ait pas entendue.

A ce moment, la porte d'entrée s'ouvrit et M. Browne rentra, riant à se tordre les côtes. Il s'était revêtu d'un long pardessus vert, avec les parements en imitation d'astrakan et portait sur la tête une toque fourrée de forme ovale. Il désigna l'extrémité du quai couvert de neige d'où leur parvenait un sifflement prolongé et aigu.

— Teddy va faire accourir tous les cabs de Dublin, dit-il.

Gabriel, aux prises avec son pardessus, émergea d'un petit office derrière le bureau, il inspecta le hall du regard et dit :

— Gretta n'est pas encore descendue ?

— Elle se prépare, Gabriel, dit tante Kate.

— Qui joue là-haut ? demanda Gabriel.

— Personne. Tout le monde est parti.

— Oh ! non, tante Kate, dit Mary Jane. M. Bartell d'Arcy et Miss O'Callaghan sont encore là.

— En tout cas, quelqu'un pianote, dit Gabriel.

Mary Jane jeta un coup d'œil sur Gabriel et sur M. Browne et dit en frissonnant :

— Cela me fait froid de vous regarder, messieurs, emmitouflés de la sorte. Je ne voudrais pas avoir à faire ce voyage de retour à cette heure-ci.

— Rien ne me plairait autant en cet instant, dit M. Browne avec bravoure, qu'une bonne marche dans la campagne ou qu'une promenade en voiture avec un vigoureux trotteur entre les brancards.

— Nous avions autrefois chez nous un très bon petit cheval, dit tante Julia d'un ton attristé.

— Le Johnny d'impérissable mémoire, dit Mary Jane en riant.

Tante Kate et Gabriel rirent aussi.

— Pourquoi, qu'avait-il d'étonnant ce Johnny ? demanda M. Browne.

— Feu Patrick Morkan, à savoir notre grand-père tant pleuré, expliqua Gabriel, connu communément sur ses derniers jours comme le vieux monsieur, était un fabricant de colle.

— Oh ! voyons Gabriel, dit tante Kate en riant, il possédait un moulin d'amidon.

— Peu importe, colle ou amidon, dit Gabriel, le vieux monsieur possédait un cheval du nom de Johnny ; et Johnny travaillait dans le moulin du vieux monsieur et tournait éternellement en rond dans le but de faire marcher le moulin. Jusque-là, tout va bien, mais voici la partie tragique concernant Johnny. Un beau jour, le vieux monsieur pensa qu'il aimerait sortir en voiture avec les·gens huppés voir la revue militaire dans le parc.

— Que le Seigneur ait pitié de son âme, dit tante Kate avec compassion.

— *Amen,* dit Gabriel. Donc, le vieux monsieur, je viens de le dire, attela Johnny et prit son chapeau haut-de-forme le plus neuf, son faux col le plus beau et sortit en grande pompe de sa demeure ancestrale aux alentours de Back Lane, je crois.

Tout le monde se mit à rire des façons de Gabriel et tante Kate dit :

— Oh ! voyons Gabriel. Ce n'était pas à Back Lane qu'il habitait. Il n'y avait là que son moulin.

— Hors de sa demeure ancestrale, poursuivit Gabriel, il sortit avec Johnny. Et tout marcha à ravir jusqu'à ce que Johnny arrivât devant la statue du roi Billy ; là, soit qu'il fût tombé amoureux du cheval monté par le roi Billy, soit qu'il se crût encore au moulin, toujours est-il qu'il se mit à tourner en rond autour de la statue.

Gabriel fit le tour du vestibule dans ses caoutchoucs au milieu du rire général.

— Il tourna sans arrêt, dit Gabriel, et le vieux monsieur, qui était un monsieur fort solennel, fut grandement indigné : « Marchez, monsieur. Que signifie cette conduite, monsieur ? Johnny ! Johnny ! C'est inouï, je ne comprends rien à ce cheval. »

Les éclats de rire qui suivirent la démonstration de Gabriel furent interrompus par un fort coup frappé à la porte. Mary Jane courut l'ouvrir et fit entrer Freddy Malins. Celui-ci, le chapeau repoussé en arrière et les épaules ramassées par le froid arrivait tout essoufflé, l'haleine fumante.

— Je n'ai trouvé qu'une voiture, dit-il.

— Oh ! nous en trouverons une autre sur le quai, dit Gabriel.

— Oui, dit tante Kate, il vaut mieux ne pas laisser Mme Malins attendre au courant d'air.

Mme Malins, aidée de son fils et de M. Browne, descendit les marches et après bien des manœuvres fut hissée dans la voiture. Freddy Malins y grimpa derrière elle et passa un long moment à l'installer sur la banquette, M. Browne l'assistant de ses conseils. Enfin, on l'avait confortablement assise et Freddy Malins invita M. Browne à entrer dans la voiture.

Il y eut quelques propos échangés, puis M. Browne se décida. Le cocher s'enveloppa les genoux de sa couverture et se pencha pour connaître l'adresse. La confusion s'accrut encore et le cocher fut instruit différemment par Freddy Malins et M. Browne qui avaient passé chacun la tête hors d'une portière. Il s'agissait de savoir où déposer M. Browne en cours de route, et de la porte d'entrée tante Kate, tante Julia et Mary Jane prenaient part à la discussion avec des instructions contradictoires et force éclats de rire. Freddy Malins, lui, ne pouvait plus parler tant il riait. Il mettait la tête à la portière et la retirait à tout instant au risque de perdre son chapeau et tenait sa mère au courant des progrès de la discussion jusqu'à ce que finalement M. Browne, dominant l'hilarité générale, cria au cocher affolé :

— Connaissez-vous Trinity College ?

— Oui, monsieur, dit le cocher.

— Eh bien ! filez droit sur le portail de Trinity College, dit M. Browne, puis je vous dirai où aller. Vous comprenez à présent.

— Oui, monsieur, dit le cocher.

— Partez comme une flèche vers Trinity College.

— Bien, monsieur, dit le cocher.

Il cingla son cheval et la voiture bringuebala le long des quais suivie d'un chœur d'éclats de rire et d'adieux.

Gabriel n'avait pas suivi jusqu'à la porte les autres. Il se tenait dans une partie sombre de l'entrée regardant en haut de l'escalier. Une femme se tenait sur le premier palier, dans l'ombre aussi. Il n'apercevait pas son visage, mais il voyait les panneaux brique et saumon de sa jupe que l'ombre faisait paraître noirs et blancs. C'était sa femme. Elle s'appuyait à la rampe écoutant quelque chose. Gabriel, surpris de son immobilité, prêtait l'oreille également. Mais il n'entendait guère que le bruit des rires et des disputes sur les marches de la porte d'entrée, quelques accords frappés sur le piano et quelques notes émises par une voix d'homme.

Il se tint coi dans l'obscurité du hall s'efforçant de reconnaître l'air que chantait la voix, levant les yeux sur sa femme. Il y avait de la grâce et du mystère dans son attitude, comme si elle symbolisait quelque chose. Il se demanda de quoi une femme qui se tient dans l'ombre de l'escalier, écoutant une musique lointaine, pouvait bien être le symbole. S'il était peintre, il la peindrait dans cette attitude. Son chapeau de feutre bleu mettrait en valeur le reflet bronzé de ses cheveux sur le fond noir, et les panneaux foncés de sa jupe feraient ressortir les panneaux clairs. « Musique lointaine » serait le nom qu'il donnerait au tableau, s'il était peintre.

La porte cochère fut refermée et tante Kate, tante Julia et Mary Jane gagnèrent le hall, riant encore.

236

— N'est-ce pas que Freddy est terrible ? dit Mary Jane. Vraiment terrible ?

Gabriel, sans répondre, indiqua l'escalier où se trouvait sa femme.

Maintenant que la porte d'entrée était close, la voix et le piano devenaient plus distincts. Gabriel leva la main pour qu'on gardât le silence. La chanson paraissait écrite sur l'ancien mode irlandais et le chanteur semblait aussi peu certain des paroles que de sa voix. La voix voilée et rendue plaintive par l'éloignement semblait souligner la phrase mélodique avec des mots qui exprimaient la détresse :

> O la pluie tombe sur ma lourde chevelure,
> La rosée humecte ma peau,
> Mon enfant gît glacé.

— Oh ! s'écria Mary Jane. C'est M. Bartell d'Arcy et il a refusé de chanter toute la soirée. Oh ! je vais lui faire chanter quelque chose avant qu'il ne s'en aille.

— Oui, je vous en prie, Mary Jane, dit tante Kate.

Mary Jane, repoussant les autres, courut vers l'escalier, mais avant qu'elle ne l'eût atteint, le chant s'était tu et le piano fut brusquement fermé.

— Oh ! quel dommage ! s'écria-t-elle. Est-ce qu'il descend, Gretta ?

Gabriel entendit sa femme répondre affirmativement et descendre vers eux, M. Bartell d'Arcy et Miss O'Callaghan la suivaient.

— Oh ! monsieur d'Arcy, s'écria Mary Jane, ce n'est pas bien de votre part de vous interrompre de la sorte, alors que nous vous écoutions avec ravissement.

— Mme Conroy et moi l'avons persécuté toute la soirée, dit Miss O'Callaghan, il nous a dit qu'il avait un rhume affreux et qu'il ne pouvait pas chanter.

— Oh ! monsieur d'Arcy, dit tante Kate, vous avez dit là un grand mensonge.

— Ne voyez-vous pas que je suis rauque comme un crapaud, dit M. d'Arcy rudement.

Il passa vivement dans l'office pour mettre son pardessus. Les autres, déconcertés par son impolitesse, ne trouvèrent rien à dire. Tante Kate plissa le front et fit signe aux autres d'abandonner le sujet. M. d'Arcy s'enveloppait le cou avec soin et fronçait les sourcils.

— C'est le temps, dit tante Julia après un moment.

— Oui, tout le monde est enrhumé, se hâta d'ajouter tante Kate, tout le monde.

— On dit, dit Mary Jane, que depuis trente ans nous n'avons pas eu de neige semblable ; et j'ai lu ce matin dans les journaux que c'est général en toute l'Irlande.

— J'adore la neige, dit tante Julia tristement.

— Moi aussi, dit Miss O'Callaghan. Je trouve que Noël n'a jamais l'air d'un vrai Noël s'il n'y a pas de neige sur le sol.

— Mais le pauvre monsieur d'Arcy n'aime pas la neige, dit tante Kate en souriant.

M. d'Arcy revient de l'office emmitouflé et boutonné jusqu'au menton, et d'un ton contrit, il raconta l'origine de son rhume. Chacun le conseilla différemment, dit que c'était grand dommage et l'engagea à prendre des précautions infinies pour sa gorge à l'air de la nuit. Gabriel observait sa femme qui ne prenait aucune part à la conversation. Elle se tenait en plein sous l'imposte poussiéreuse, et la lumière du gaz illuminait les riches tons bronzés de sa chevelure que Gabriel avait vu faire sécher devant le feu quelques jours auparavant. Elle avait repris la même attitude et semblait étrangère à ce qui se disait autour d'elle. Finalement elle se tourna vers eux, et Gabriel vit qu'elle avait les joues rouges et les yeux brillants. Un flot de joie se leva dans son cœur.

— Monsieur d'Arcy, dit-elle, que chantiez-vous ?

— *The Lass of Anghim*, dit M. d'Arcy, mais je m'en souviens mal. Pourquoi ? Le connaissez-vous ?

— *The Lass of Anghim*, répéta-t-elle, le nom ne me revenait pas.

— C'est une très jolie chanson, dit Mary Jane, je regrette que vous n'ayez pas été en voix ce soir.

238

— Allons, Mary Jane, dit tante Kate, ne tourmentez pas M. d'Arcy, je ne veux pas qu'on le tourmente.

Voyant que tout le monde était prêt à partir, elle les reconduisit jusqu'à la porte où on se souhaita une bonne nuit.

— Eh bien ! bonne nuit, tante Kate, et merci pour cette charmante soirée.

— Bonne nuit, Gabriel ! Bonne nuit, Gretta !

— Bonne nuit, tante Kate, et merci beaucoup. Bonne nuit, tante Julia.

— Oh ! Bonne nuit, Gretta, je ne vous voyais pas.

— Bonne nuit, monsieur d'Arcy. Bonne nuit, Miss O'Callaghan.

— Bonne nuit, Miss Morkan.

— Bonne nuit de nouveau.

— Bonne nuit à tous. Bon retour.

— Bonne nuit. Bonne nuit.

Il faisait à peine jour. Une lumière morne, jaunâtre, se maintenait au-dessus des maisons et de la rivière, le ciel semblait descendre. On marchait sur la neige fondue, il n'en restait que quelques traînées sur les toits, les parapets du quai et les balustrades. La lumière des réverbères rougeoyait encore dans l'air brumeux et par-delà la rivière le palais de justice se détachait menaçant contre le ciel lourd. Elle marchait en avant avec M. Bartell d'Arcy, ses souliers empaquetés dans un papier brun, serré sous son bras, et ses mains retroussant sa jupe pour la préserver de la boue. Toute grâce avait disparu de son allure, mais les yeux de Gabriel brillaient encore de bonheur. Le sang bouillonnait dans ses veines et à travers son cerveau les pensées se pressaient fières, joyeuses, tendres, chevaleresques.

Elle marchait devant lui, si légère et si droite, qu'il brûlait de la rejoindre sans bruit, de la saisir par les épaules et de lui murmurer à l'oreille quelque chose à la fois de sot et d'affectueux. Elle lui semblait si fragile qu'il aurait voulu la protéger d'un danger quelconque, puis se retrouver seul avec elle. Des moments de leur vie intime s'allumaient tout à coup comme des étoiles, dans son souvenir : à côté de sa tasse à déjeuner, il y avait une enveloppe mauve et il la caressait de la main ; des oiseaux gazouillaient parmi le lierre et la trame ensoleillée du rideau miroitait sur le parquet : il ne pouvait pas manger tant il était joyeux. Ils se tenaient tous deux sur la plate-forme bondée et il lui glissait un billet dans le creux tiède de son gant. Il était dehors avec elle dans le froid, regardant à travers une fenêtre grillagée un homme qui soufflait des bouteilles au-dessus d'une fournaise. Il faisait très froid. Son visage qui embaumait l'air était proche du sien ; et tout à coup il cria à l'ouvrier :

— Le feu est chaud, monsieur ?

Mais le bruit de la fournaise empêchait l'homme d'entendre. Cela valait mieux ainsi. Il aurait pu répondre grossièrement. Une vague de joie encore plus tendre jaillit de son cœur et se répandit en un torrent chaud dans ses artères. Tels les feux caressants des étoiles, des moments de leur vie intime, que personne ne savait ni ne saurait jamais, s'allumaient dans son souvenir. Il aurait souhaité lui remémorer ces moments, lui faire oublier les années de leur morne existence conjugale et ne se souvenir que de leurs moments d'extase. Car les années, il le sentait, n'avaient fané ni son âme à lui, ni la sienne. Leurs enfants, ses œuvres, les soucis du ménage, n'avaient pas éteint complètement le tendre feu de leurs âmes. Dans une lettre qu'il lui avait écrite, il avait dit : « Pourquoi des mots comme ceux-ci me semblent-ils aussi vides, aussi froids ? Est-ce parce qu'il n'y a pas de mot qui soit assez tendre pour être votre nom ? »

Telle une musique lointaine, ces paroles écrites des années auparavant venaient à lui du passé. Il voulait être seul avec elle. Lorsque les autres seraient partis, lorsqu'elle et lui se retrouveraient dans la chambre d'hôtel, alors ils seraient seuls ensemble. Il l'appellerait doucement :

— Gretta !

Peut-être n'entendrait-elle pas tout de suite ; elle serait en train de se dévêtir. Puis quelque chose dans sa voix à lui la frapperait. Elle se retournerait et le regarderait...

240

Au coin de Wenetavern Street ils rencontrèrent une voiture. Il était heureux que son fracas lui évitât de parler. Elle regardait par la portière et semblait lasse. Les autres ne parlaient qu'à demi-mot, désignant quelque édifice ou quelque rue. Le cheval galopait péniblement sous le ciel nébuleux du matin, traînant derrière lui la vieille guimbarde bruyante, et de nouveau Gabriel se retrouvait auprès d'elle dans une voiture galopant pour prendre le bateau, filant à toute vitesse vers leur lune de miel.

Comme la voiture roulait sur le pont O'Connel, Miss O'Callaghan dit :

— On ne traverse jamais le pont O'Connell sans voir un cheval blanc, dit-on.

— Je vois un homme blanc cette fois, dit Gabriel.

— Où ? demanda M. d'Arcy.

Gabriel montra la statue que recouvraient des plaques de neige, puis il la salua familièrement de la tête et de la main.

— Bonne nuit, Daniel, fit-il gaiement.

Lorsque la voiture s'arrêta devant l'hôtel, Gabriel sauta dehors et, en dépit des protestations de M. d'Arcy, paya le cocher. Il lui donna un franc de pourboire. L'homme salua et dit :

— Je vous souhaite une année prospère.

— A vous de même, dit Gabriel cordialement.

Gretta s'appuya à son bras en sortant de la voiture et aussi pendant qu'elle se tenait sur le trottoir, souhaitant bonne nuit aux autres. Elle s'appuyait sur son bras avec autant de légèreté que lorsqu'elle avait dansé avec lui quelques heures auparavant. Il s'était senti fier et heureux alors, heureux qu'elle fût sienne, fier de sa grâce et de son épanouissement d'épouse. Mais maintenant, après le réveil de tant de souvenirs, au premier contact de son corps harmonieux, étrange et parfumé, il fut traversé d'une vague de sensualité aiguë. A la faveur du silence qu'elle gardait, il lui prit le bras et le serra contre lui ; et comme tous deux se tenaient devant la porte de l'hôtel, il sentit qu'ils s'étaient évadés de leur existence et de leurs devoirs quotidiens, de leur foyer et de leurs amis et qu'ils s'étaient enfuis, rayonnants et un peu fous, vers de nouvelles aventures.

Un vieil homme sommeillait dans le hall, assis sur une grande chaise à baldaquin. Il alluma une bougie dans le bureau et monta l'escalier le premier. Ils le suivaient en silence, leurs pas retombaient avec un bruit mat sur l'épais tapis. Elle gravissait l'escalier derrière le portier, la tête courbée par l'ascension, les épaules frêles ployant comme sous un poids, la jupe étroitement ramassée autour d'elle. Il aurait pu lui jeter les bras autour des hanches et la retenir, tant ses bras tremblaient du désir de s'emparer d'elle et seuls ses ongles incrustés dans ses mains continrent l'élan déréglé de son corps. Le portier fit une halte sur l'escalier pour fixer la bougie qui coulait. Eux aussi s'arrêtèrent à une marche de distance. Dans le silence, Gabriel entendait la cire fondue s'égoutter sur le plateau et son propre cœur battre contre ses côtes.

Le portier les conduisit le long d'un corridor et ouvrit une porte. Puis il fixa sa bougie branlante sur une table de toilette et demanda à quelle heure ils voulaient être réveillés le lendemain.

— A huit heures, dit Gabriel.

Le portier désigna le commutateur et bredouilla une excuse, mais Gabriel y coupa court.

— Nous ne voulons pas de lumière, il en vient bien assez de la rue. Dites donc, mon brave, ajouta-t-il, désignant la bougie, faites-nous le plaisir d'emporter ce bel objet.

Le portier reprit sa bougie, mais avec lenteur, une idée aussi originale le surprenait. Puis il murmura un : « Bonne nuit », et sortit. Gabriel poussa le verrou.

Du réverbère, un rai de lumière livide s'allongeait à travers les fenêtres jusqu'à la porte. Gabriel jeta son pardessus et son chapeau sur un canapé et se dirigea vers la fenêtre. Il regarda dehors afin que son émotion s'apaisât un peu. Puis il se retourna et s'appuya contre la commode, le dos à la lumière. Elle avait ôté son chapeau et son manteau et se tenait devant une grande psyché

dégrafant son corsage. Gabriel se tut quelques moments,
l'observant, puis dit :

— Gretta !

Elle se détourna avec lenteur de son miroir et marcha
vers lui dans le rai de lumière. Son visage paraissait si
sérieux et si las que Gabriel ne put prononcer une parole.
Non, ce n'était pas encore le moment.

— Vous paraissez fatiguée, dit-il.

— Je le suis un peu, répondit-elle.

— Vous ne vous sentez pas souffrante, ni faible ?

— Non, fatiguée, c'est tout.

Elle se dirigea vers la fenêtre et y demeura regardant
au-dehors. Gabriel attendit encore, puis redoutant de se
trouver à la merci de sa timidité, il dit brusquement :

— A propos, Gretta !

— Qu'y a-t-il ?

— Vous savez, ce pauvre garçon Malins, se hâta-t-il de
dire.

— Oui. Eh bien ?

— Eh bien ! c'est un bon diable après tout, continua
Gabriel sur un ton qui sonnait faux. Il m'a rendu le louis
que je lui avais prêté et vraiment je ne m'y attendais pas.
C'est dommage qu'il ne puisse pas éviter M. Browne,
parce qu'au fond ce n'est pas un mauvais garçon.

Il tremblait à présent d'énervement. Pourquoi avait-
elle l'air si absent. Il ne savait pas comment il pourrait
commencer. Serait-elle ennuyée de quelque chose ? Si
seulement elle pouvait se retourner ou aller à lui de son
propre mouvement ! La prendre ainsi serait brutal. Non,
il fallait tout d'abord apercevoir quelque ardeur dans ses
yeux. Il brûlait de gouverner l'étrange état d'esprit où elle
se trouvait.

— Quand lui avez-vous prêté cet argent ? demanda-
t-elle après un temps.

Gabriel dut se maîtriser pour ne pas se répandre en
injures sur le compte de ce sot de Malins et de son louis. Il
brûlait d'adresser à Gretta un appel du fond de son être,
de broyer son corps contre le sien, de la dominer. Mais il
dit :

— Oh ! à la Noël, quand il a ouvert cette boutique de cartes postales dans Henry Street.

Il était pris d'une telle fièvre de rage et de désir qu'il ne l'entendit pas venir de la fenêtre. Elle s'arrêta devant lui un instant, le regardant avec des yeux étranges. Puis tout à coup, se dressant sur la pointe des pieds et lui posant légèrement les mains sur les épaules, elle l'embrassa.

— Vous êtes très généreux, Gabriel ?

Gabriel, tremblant, saisi de ravissement par ce baiser brusque et par l'inattendu de sa phrase, lui posa les mains sur la tête et se mit à lui caresser les cheveux, ses doigts l'effleurant à peine. Le lavage les avait rendus souples et brillants. Son cœur débordait de joie. Juste au moment où il l'avait souhaité, elle-même était venue à lui. Peut-être que ses pensées à elle avaient suivi le même cours que les siennes. Peut-être comprenait-elle le désir impétueux qui le possédait et c'était cela qui le disposait à l'abandon ? A présent qu'elle se rendait aussi facilement, il se demandait pourquoi il avait ressenti autant d'hésitation.

Il demeurait debout, lui tenant la tête entre les mains. Puis glissant vivement un bras autour de son corps et l'attirant à lui, il dit avec douceur :

— Gretta chérie, à quoi pensez-vous ?

Elle ne répondit pas, ne céda pas non plus complètement à la pression de son bras. Il répéta avec douceur :

— Dites-moi ce dont il s'agit, Gretta. Je crois savoir ce qu'il y a. Est-ce que je sais ?

Elle ne répondit pas aussitôt. Puis elle dit dans un flot de larmes :

— Oh ! je pense à cette chanson *The Lass of Anghim*.

Elle se dégagea et courut vers le lit, puis, jetant ses bras sur les barreaux, y cacha son visage. Gabriel demeura un instant pétrifié d'étonnement, puis il la suivit. Comme il passait devant le miroir, il se vit en pied ; le large plastron bombé de sa chemise, le visage dont l'expression l'intriguait toujours lorsqu'il l'apercevait dans la glace ; les lorgnons scintillants à la monture dorée. A quelques pas, il s'arrêta et dit :

— Eh bien quoi, cette chanson ? Pourquoi vous fait-elle pleurer ?

Elle leva la tête et s'essuya les yeux avec le dos de la main comme un enfant. Une inflexion, plus douce qu'il n'aurait voulu y mettre, passa dans sa voix.

— Pourquoi, Gretta ? demanda-t-il.

— Je pense à quelqu'un qui avait coutume de chanter cette chanson, il y a bien longtemps de cela !

— Qui était-ce ? demanda Gabriel en souriant.

— Quelqu'un que j'avais connu à Galway lorsque j'y vivais avec ma grand-mère, dit-elle.

Le sourire disparut sur la figure de Gabriel. Une sourde colère l'envahit de nouveau. Et le morne afflux de son désir se fit plus menaçant dans ses veines.

— Quelqu'un de qui vous étiez éprise ? s'enquit-il avec ironie.

— C'était un jeune homme que je connaissais, répondit-elle, appelé Michel Furey. Il chantait cette chanson *The Lass of Anghim*. Il avait une santé très délicate.

Gabriel demeurait silencieux. Il ne voulait pas qu'elle pût supposer qu'il portât un intérêt quelconque à ce garçon de santé délicate.

— Je le vois si bien, dit-elle un moment plus tard ! Les yeux qu'il avait ! de grands yeux sombres ! Et quelle expression ! Une expression !

— Oh ! alors, vous êtes amoureuse de lui ? dit Gabriel.

— J'allais me promener avec lui, dit-elle, lorsque j'étais à Galway.

Une pensée lui traversa l'esprit.

— Alors, c'est peut-être pourquoi vous vouliez aller à Galway avec la fille Ivors, dit-il froidement.

Elle le regarda, surprise :

— Pour quoi faire ? demanda-t-elle.

Sous son regard Gabriel se sentit gêné. Il haussa les épaules et dit :

— Que sais-je ? Pour le voir peut-être ?

Elle détourna la tête et considéra en silence la bande de lumière qui allait jusqu'à la fenêtre.

— Il est mort, dit-elle enfin. Il est mort à dix-sept ans. N'est-ce pas affreux de mourir aussi jeune ?

— Qu'est-ce qu'il faisait ? dit Gabriel toujours ironique.

— Il était dans une usine à gaz, dit-elle.

Gabriel s'est senti mortifié par l'inefficacité de son ironie et par l'évocation de cette figure d'entre les morts. Un garçon dans l'usine à gaz ! Cependant que Gabriel s'était nourri des souvenirs de leur vie intime à deux, souvenirs pleins de tendresse, de joie, de désir, elle le comparait à un autre. Il fut envahi par une conscience de lui-même qui s'accompagnait de honte. Il se vit un personnage ridicule, agissant comme un galopin pour ses tantes, un sentimental nerveux, bien intentionné, tenant des discours à des gens vulgaires et idéalisant ses appétits de pitié. Pauvre être pitoyable et bête, qu'il avait entrevu en passant devant la glace. Instinctivement il tourna encore plus le dos à la lumière de peur qu'elle ne vît la rougeur de honte qui lui brûlait le front.

Il s'efforça de conserver ce ton de froide interrogation, mais sa voix, lorsqu'il parla, se fit humble et indifférente.

— Je suppose que vous étiez amoureuse de ce Michel Furey, Gretta ? dit-il.

— J'étais au mieux avec lui dans ce temps-là.

Sa voix se faisait voilée et triste. Gabriel, comprenant maintenant combien il était vain de la mener au but qu'il s'était proposé, lui caressa la main et dit tristement lui aussi :

— Et de quoi est-il mort si jeune, Gretta ? Etait-ce de phtisie ?

— Je crois qu'il est mort pour moi, répondit-elle.

Une terreur vague s'empara de Gabriel à cette réponse comme si, à l'heure même où il avait espéré triompher, quelque être invisible et vindicatif se levait, rassemblant dans son monde non moins vague des forces contre lui. Mais avec un effort de la raison, il se défit de cette idée et continua de lui caresser la main. Il cessa de l'interroger, car il sentit que d'elle-même elle allait parler. La main de Gretta, tiède et moite, ne répondait pas à sa pression, mais il continua néanmoins à la caresser, tout ainsi qu'il avait caressé sa première lettre en ce matin de printemps.

— C'était en hiver, dit-elle, à peu près au début de l'hiver où je devais quitter grand-mère pour rentrer ici, au couvent. Il était souffrant alors, dans une chambre meublée à Galway ; il ne lui était pas permis de sortir, et sa famille à Oughterard en fut avisée. Il déclinait, disait-on, ou quelque chose d'approchant. Je n'ai jamais su au juste.

Elle s'arrêta un instant et soupira.

— Pauvre garçon, dit-elle, il m'aimait beaucoup et c'était un garçon si doux. Nous sortions nous promener ensemble, vous savez bien, Gabriel, comme cela se fait à la campagne. Il comptait étudier le chant si sa santé le lui avait permis. Il avait une très belle voix, pauvre Michel Furey.

— Bien, et alors ? demanda Gabriel.

— Et alors lorsque arriva le moment où je devais quitter Galway et venir au couvent, il était bien plus mal et on ne me laissait pas le voir, alors je lui ai écrit lui disant que j'allais à Dublin et comptais revenir l'été suivant et que j'espérais le trouver mieux.

Elle se tut un moment pour raffermir sa voix, puis poursuivit :

— Alors dans la nuit qui précéda mon départ, j'étais dans la maison de ma grand-mère dans l'île des Nonnes en train de faire mes paquets et j'entendis le bruit du gravier jeté contre les vitres. La croisée ruisselait à tel point que je ne pouvais rien voir. Alors je descendis l'escalier en courant, telle que j'étais, et me faufilai par la porte de la maison dans le jardin et là, au fond du jardin, se tenait le pauvre garçon qui grelottait...

— Et vous ne lui avez pas dit de retourner chez lui ?

— Je l'ai supplié de rentrer sur-le-champ, qu'il prendrait la mort sous la pluie. Mais il disait qu'il ne voulait pas vivre. Je vois ses yeux si bien, si bien ! Il se tenait à l'extrémité du mur où il y avait un arbre.

— Et il est retourné chez lui ? demanda Gabriel.

— Oui, il est retourné chez lui. Et pas plus d'une

semaine après que j'étais au couvent, il mourut et fut enterré à Oughterard d'où était sa famille. Oh ! le jour où j'ai appris qu'il était mort !

Elle s'arrêta, étouffant sous les pleurs, et, vaincue par l'émotion, elle se jeta sur son lit en sanglotant, le visage enfoui dans la courtine. Gabriel lui tint la main un moment encore, indécis, puis, n'osant empiéter sur son chagrin, la laissa retomber doucement et se dirigea sans bruit vers la fenêtre.

Elle s'était profondément endormie. Gabriel, appuyé sur son coude, regarda un moment, sans rancune, ses cheveux emmêlés, sa bouche entrouverte, écoutant sa respiration profonde. Ainsi elle avait eu ce roman dans sa vie : un homme était mort à cause d'elle. C'est à peine s'il souffrait à la pensée du maigre rôle qu'il avait joué, lui, son mari, dans sa vie à elle. Il la considérait tandis qu'elle dormait, comme s'ils n'avaient jamais vécu ensemble, en époux. Ses yeux s'attachèrent longtemps et avec curiosité à sa figure, à ses cheveux et en pensant à ce qu'elle avait dû être alors, au temps de sa beauté de jeune fille, une étrange comparaison, tout amicale, envahit son âme. Il n'aimait pas avouer, même à lui-même, que son visage ne retenait plus de beauté, mais il savait bien que ce n'était plus là le visage pour lequel Michel Furey avait bravé la mort.

Peut-être ne lui avait-elle pas tout raconté. Ses yeux errèrent vers la chaise sur laquelle elle avait jeté quelques-uns de ses vêtements. Le cordon d'un jupon pendait à terre. Une des bottines se tenait droite, le haut souple replié, l'autre était retombée sur le côté. Il fut surpris du tumulte de ses émotions d'une heure auparavant. Qu'est-ce qui les avait engendrées ? Le souper de ses tantes, son discours ridicule, le vin, la danse, la réunion burlesque au moment de se souhaiter une bonne nuit dans le hall, le plaisir d'une promenade le long de la rivière dans la neige ? Pauvre tante Julia ! elle aussi ne serait bientôt plus qu'une ombre auprès de l'ombre de Patrick Morkan et de son cheval. Il avait surpris cette même expression hagarde sur son visage, un instant, pendant qu'elle chantait *Parée pour les noces*. Bientôt peut-être, il serait assis dans ce même salon, vêtu de noir, son chapeau haut-de-forme sur les genoux. Les stores seraient baissés et tante Kate serait assise auprès de lui qui pleurerait et se moucherait, racontant comment Julia était morte. Il fouillerait dans son esprit pour trouver quelques paroles consolatrices et il n'en trouverait que de fortuites ou d'inutiles. Oui, oui, cela ne manquerait pas d'arriver sous peu.

L'atmosphère de la chambre lui glaçait les épaules. Il s'allongea avec précaution sous les draps et s'étendit à côté de sa femme. Un à un, tous ils devenaient des ombres. Mieux vaut passer hardiment dans l'autre monde à l'apogée de quelque passion que de s'effacer et flétrir tristement avec l'âge.

Il pensa comment celle qui reposait à ses côtés avait scellé dans son cœur depuis tant d'années l'image des yeux de son ami, alors qu'il lui avait dit qu'il ne voulait plus vivre.

Des larmes de générosité lui montèrent aux yeux. Il n'avait jamais rien ressenti d'analogue à l'égard d'aucune femme, mais il savait qu'un sentiment pareil ne pouvait être autre chose que de l'amour.

Des larmes coulèrent de ses yeux, et dans la pénombre il crut voir la forme d'un jeune homme debout sous un arbre, lourd de pluie. D'autres formes l'environnaient. L'âme de Gabriel était proche des régions où séjourne l'immense multitude des morts. Il avait conscience, sans arriver à les comprendre, de leur existence falote, trem-blotante. Sa propre identité allait s'effaçant en un monde gris, impalpable : le monde solide que ces morts eux-mêmes avaient jadis érigé, où ils avaient vécu, se dissol-vait, se réduisait à néant. Quelques légers coups frappés contre la vitre le firent se tourner vers la fenêtre. Il s'était mis à neiger. Il regarda dans un demi-sommeil les flocons argentés ou sombres tomber obliquement contre les réverbères. L'heure était venue de se mettre en voyage pour l'Occident. Oui, les journaux avaient raison, la neige était générale en toute l'Irlande. Elle tombait sur la plaine centrale et sombre, sur les collines sans arbres, tombait mollement sur la tourbière d'Allen et plus loin, à l'occident, mollement tombait sur les vagues rebelles et sombres du Shannon. Elle tombait aussi dans tous les coins du cimetière isolé, sur la colline où Michel Furey gisait enseveli. Elle s'était amassée sur les croix tordues et les pierres tombales, sur les fers de lance de la petite grille, sur les broussailles dépouillées. Son âme s'évanouissait peu à peu comme il entendait la neige s'épandre faiblement sur tout l'univers comme à la venue de la dernière heure sur tous les vivants et les morts.

TABLE

Achevé d'imprimer en septembre 1988
sur les presses de l'Imprimerie Bussière
à Saint-Amand (Cher)

PRESSES POCKET - 8, rue Garancière - 75285 Paris
Tél. : 46-34-12-80

— N° d'édit. 1672. — N° d'imp. 5960. —
Dépôt légal : 4e trimestre 1980.

Imprimé en France